# ANDRÉ MAUROIS
*de*
*l'Académie française*

# DE PROUST A CAMUS

# ANDRÉ MAUROIS

*de l'Académie française*

# DE PROUST
# A CAMUS

## LIBRAIRIE ACADÉMIQUE PERRIN
### PARIS

IL A ÉTÉ TIRÉ DE CET
OUVRAGE 100 EXEMPLAIRES
DE LUXE NUMÉROTÉS DE
1 A 100, CONSTITUANT
— L'ÉDITION ORIGINALE —

## NOTE LIMINAIRE

*La plupart des études que l'on va lire furent composées pour un cours destiné à des étudiants américains. Les essais sur Alain, Malraux et Camus ne faisaient pas partie de ce cycle et furent écrits plus tard. J'ai remanié ceux sur Claudel, Saint-Exupéry, Mauriac pour tenir compte de textes nouveaux et importants. Naturellement, pour faire de cette série une esquisse de la littérature française pendant la première moitié du xxᵉ siècle, il faudrait ajouter de nombreux noms, et par exemple Romain Rolland, Péguy, Colette, Martin du Gard, Giraudoux, plus quelques vivants. Ce nouveau volume exigera de longues lectures. Les dieux m'en laisseront-ils le temps ? Je l'espère.*

**A. M.**

# MARCEL PROUST

On eût fort étonné, je pense, les écrivains qui vivaient en 1900 en leur disant que l'un des plus grands d'entre eux, celui qui allait renouveler l'art du roman et faire pénétrer dans le monde de l'art les idées des philosophes et le vocabulaire des savants de cette période, était un jeune homme toujours malade, inconnu du public, de la plupart des lettrés, et considéré par ceux qui l'avaient rencontré comme un homme du monde, intelligent peut-être, mais incapable d'une grande œuvre. Erreur qui fut durable, qui survécut même à la publication du premier volume de la *Recherche du Temps Perdu*, erreur analogue à celle de Sainte-Beuve sur Balzac et qui prouve combien devraient être grandes la prudence et la modestie des critiques.

# I

# L'HOMME

Nous disposons, pour le connaître, d'une excellente biographie de Léon-Pierre Quint, de ses lettres et des témoignages de ses amis. La meilleure analyse raisonnée de la vie, du caractère et de l'œuvre de Proust est celle d'un Américain, Edmund Wilson, dans *Axel's Castle*.

Né à Paris en 1871, Marcel Proust était fils du professeur Adrien Proust, médecin hygiéniste fort connu ; sa mère, israélite, se nommait Jeanne Weil ; elle paraît avoir été tendre, délicate, cultivée, et demeura toujours, pour son fils Marcel, l'image de la perfection. Ce fut d'elle qu'il apprit « l'horreur du mensonge, le scrupule et surtout la bonté infinie ». M. André Berge a retrouvé, dans un vieil album, l'un de ces questionnaires au moyen desquels les jeunes filles suppliciaient alors les jeunes hommes et auquel Proust avait répondu à quatorze ans.

« *Quelle idée vous faites-vous du malheur ?* »

« Etre séparé de Maman. »

« *Quelle est votre bête noire ?* » lui demandait-on encore.

« Les gens qui ne sentent pas ce qui est bien », répondait-il, « qui ignorent les douceurs de l'affection. »

A cette horreur des gens qui n'aiment pas « les douceurs de l'affection », il demeura fidèle toute sa vie. La crainte de faire de la peine resta chez lui un instinct dominant. Reynaldo Hahn, qui a été peut-être son meilleur ami, a raconté comment, lorsque Proust sortait d'un café, il distribuait des pourboires à la ronde ; il en donnait un au garçon qui l'avait servi, puis, apercevant dans un coin un autre garçon qui n'avait rien fait, se précipitait vers lui pour offrir, à celui-là aussi, un pourboire absurdement élevé en disant :

« Ça doit lui être si pénible d'être laissé à l'écart ! »

Enfin, sur le point de monter en voiture, il retournait précipitamment vers le café :

« Je crois », disait-il, « qu'on a oublié de dire au revoir au garçon ; ce n'est pas gentil ! »

*Gentil...* Le mot jouait un rôle important dans son vocabulaire et dans ses actions. Il fallait être gentil, ne pas blesser, faire plaisir, et pour cela il multipliait les présents follement généreux, gênants même pour ceux qui les recevaient, les lettres trop flatteuses, les attentions. D'où venait cette gentillesse ? En partie d'une crainte de déplaire, d'un désir de conquérir et de garder les affections dont un être faible et malade a besoin, mais aussi d'une imagination sensible et précise qui lui permettait de se représenter avec une douloureuse exactitude les souffrances et les désirs des autres.

Sans doute cette sensibilité naturellement vive fut-elle, chez Proust, exaspérée par la maladie car, dès neuf ans, il avait été un malade. Des crises d'asthme l'obligeaient à prendre de grandes précautions et sa nervosité n'était apaisée que par la merveilleuse tendresse de sa mère.

On sait ce qu'était, vers 1880, la vie d'un enfant parisien de bonne bourgeoisie : promenades aux Champs-Elysées avec une vieille bonne ; rencontres de petites filles avec lesquelles il jouait et qui devaient ensuite devenir les « jeunes filles en fleurs », quelquefois un tour dans l'Allée des Acacias où il pouvait apercevoir, voluptueuse et triomphante, Mme Swann dans sa belle victoria.

Marcel Proust passait ses vacances non loin de Chartres, à Illiers, qui était le pays d'origine de sa famille paternelle. Les paysages de la Beauce et du Perche deviendront, dans son livre, ceux de Combray. Là le pèlerin peut aller à la recherche du Côté de chez Swann et du Côté de Guermantes.

A Paris, Proust suivait les cours du lycée Condorcet, forcerie d'écrivains, où il se trouvait dans une classe brillante. Déjà cet enfant merveilleusement doué et formé par sa mère à l'amour des classiques éprouvait le besoin, devant certains spectacles, de les noter sous forme de phrases.

« Tout d'un coup un toit, un reflet de soleil sur une plaine, l'odeur d'un chemin me faisaient arrêter par un plaisir particulier qu'ils me donnaient et aussi parce qu'ils avaient l'air de cacher, au-delà de ce que je voyais, quelque chose qu'ils m'invitaient à venir prendre et que, malgré mes efforts, je n'arrivais pas à découvrir. Comme je sentais que cela se trouvait en eux, je restais là immobile à regarder, à respirer, à tâcher d'aller avec ma pensée au-delà de l'image ou de l'odeur, et, s'il me fallait rattraper mon grand-père pour suivre ma route, je cherchais à le retrouver en fermant les yeux. Je m'attachais à me rappeler exactement la ligne du toit, la nuance de la pierre qui, sans que je puisse comprendre pourquoi, m'avait semblé pleine, prête à s'ouvrir, à me livrer ce dont elle n'était qu'un couvercle. »

Certes, l'enfant était loin de se douter de ce que signifiait ce besoin étrange ; mais un jour, ayant essayé de fixer sur le papier l'un de ces spectacles, celui de trois clochers tournant dans la plaine, se séparant, se rejoignant, se recouvrant, lorsque le promeneur se déplaçait, il éprouva, quand il eut écrit sa page, ce bonheur si particulier qu'il devait souvent connaître plus tard, le bonheur de l'écrivain qui s'est délivré d'un sentiment ou d'une sensation en lui donnant, par les charmes de l'art, une forme intelligible. « Et je me sentis », écrit-il, « si parfaitement débarrassé de ces clochers et de ce qu'ils cachaient derrière eux que, comme si j'avais été moi-même une poule et venais de pondre un œuf, je me mis à chanter à tue-tête. »

Cependant, à Condorcet, il en était arrivé à la classe de philosophie. C'est, dans la vie de tout jeune Français cultivé, un grand événement. Proust eut, pour cette année cruciale, un excellent professeur, Darlu, et il garda toute sa vie le goût des systèmes. Plus tard il devait transposer, dans le ton du roman, les thèmes essentiels de la philosophie la plus illustre de son temps, celle de Bergson.

Qu'allait-il faire de sa vie ? Avec ses amis, Daniel Halévy, Robert de Flers, Fernand Gregh, et quelques autres camarades de Condorcet, il fonda une petite revue littéraire : *Le Banquet*. Son père aurait voulu le voir entrer à la Cour des comptes ; lui ne le désirait guère ; il aimait écrire ; il aimait aussi aller dans le monde. Ah ! qu'on lui a reproché son goût des salons! Tout de suite, dans les milieux de lettres, il fut classé snob et mondain. Et pourtant, de ceux qui le traitaient avec tant de mépris, qui le valait ? A la vérité les groupes humains décrits par un écrivain importent moins que sa manière de les voir et de les peindre.

« Toute condition sociale », dit Proust, « a son intérêt et il peut être aussi curieux pour l'artiste de montrer les façons d'une reine que les habitudes d'une couturière. » Le monde a toujours été l'un des milieux les plus favorables à la formation d'un romancier qui veut observer les passions. Les sentiments prennent plus d'intensité par le loisir. C'est à la cour au dix-septième siècle, dans les salons au dix-huitième, ou dans « le monde » au dix-neuvième que le romancier français a eu chance de trouver des comédies ou des tragédies réelles qui atteignaient leur plein développement, d'abord parce que le temps ne manquait pas aux héros, ensuite parce qu'un vocabulaire assez riche leur donnait chance de s'exprimer.

Quant à dire que Proust a été dupe du monde, qu'il a été snob jusqu'à ne pas comprendre que toutes les classes peuvent être intéressantes, et la couturière comme la reine, c'est prouver qu'on l'a mal lu et mal compris. Car Proust n'a jamais été dupe du monde ; il y a montré sans doute sa gentillesse, son extraordinaire politesse ; et aussi son affection, car il y a dans le monde comme en tout milieu humain des êtres dignes d'être aimés ; mais il y avait souvent beaucoup d'ironie sous ces dehors complaisants. Jamais il n'a cessé d'opposer au vice d'un Charlus, à l'égoïsme de la duchesse de Guermantes, la bonté parfaite d'une bourgeoise comme sa mère (qui, dans le livre, est devenue sa grand-mère), le bon sens d'une fille du peuple comme Françoise, ou la noblesse de ceux qu'il appelle « les Français de Saint-André-des-Champs », c'est-à-dire le peuple de France tel qu'il est figuré par un sculpteur ingénu au portail d'une cathédrale. Mais le monde était son champ d'observation et il en avait besoin.

Pour nous le représenter tel que le virent ses amis de jeunesse, il faut l'imaginer tel que nous le décrit Léon-Pierre Quint :

« De larges yeux noirs, brillants, un regard d'une extrême douceur, une voix plus douce encore, un peu essoufflée, une mise très recherchée, de larges plastrons de soie, une rose ou une orchidée à la boutonnière de sa redingote, un haut-de-forme à bords plats qu'en visite on posait alors près du fauteuil, puis peu à peu, à mesure que la maladie le gagnait et aussi que la familiarité lui donnait le courage de se vêtir comme il le désirait, il commença d'apparaître dans les salons, même le soir, avec sa pelisse qu'il gardait été comme hiver, car il avait toujours froid. »

En 1896, à vingt-cinq ans, il avait publié un premier livre : *Les Plaisirs et les Jours*. L'insuccès fut total. La présentation du livre était faite pour décourager les lecteurs délicats. Proust avait voulu que la couverture fût dessinée par Madeleine Lemaire, que la préface fût d'Anatole France, que les mélodies de Reynaldo Hahn se mêlassent à ses propres écrits. Cette édition trop luxueuse, ces patronages hétéroclites, ne donnaient pas une impression de sérieux. Et pourtant, pour un grand critique qui aurait su découvrir les quelques grammes de métal précieux cachés au milieu de toutes ces pierres, il y avait là matière à un bel exercice de divination !

Si on lit bien *Les Plaisirs et les Jours*, on y entrevoit déjà quelques-uns des thèmes qui devaient faire le Marcel Proust de la *Recherche du Temps Perdu*. On trouve, dans *Les Plaisirs et les Jours*, une irréelle et bizarre nouvelle où Baldassare Silvande, près de mourir, demande à la jeune princesse qu'il aime de rester quelques heures avec lui ; elle refuse parce que son égoïsme ne lui permet pas de renoncer à un plaisir, fût-ce pour un moribond. Nous retrouverons ce thème lorsque Swann, mourant, confiera son angoisse à la duchesse de Guermantes et que celle-ci n'en partira pas moins pour un dîner.

Il y a aussi, dans *Les Plaisirs et les Jours*, un conte : *La Confession d'une Jeune Fille*, où l'héroïne tue sa mère en se laissant embrasser par un garçon alors que cette mère (qui a une maladie de cœur) voit la scène dans un miroir. Ce thème-là, nous le retrouverons d'une part quand Mlle Vinteuil rendra son père si malheureux, d'autre part quand le narrateur (ou Proust lui-même) fera le chagrin de sa grand-mère par sa faiblesse et son impuissance à travailler.

En tout artiste, on observe de tels « complexes » insatisfaits qui entrent en vibration dès qu'un sujet de même résonance les réveille, et qui sont seuls capables d'engendrer la particulière musique pour laquelle nous aimons cet auteur. C'est aussi pour cette raison que certains écrivains récrivent toujours le même livre ; que Flaubert flagelle, en chacun de ses romans, son romantisme impénitent ; que Stendhal recrée trois fois le jeune Beyle sous les noms de Julien Sorel, de Fabrice del Dongo et de Lucien Leuwen ; que Proust, à vingt-cinq ans, esquisse, dans les maladroites mélodies de *Les Plaisirs et les Jours*, la grande symphonie de la *Recherche du Temps Perdu*, et un peu plus tard, dans un roman inachevé qui ne sera pas publié de son vivant : *Jean Santeuil*, tous les thèmes de son œuvre future.

Mais il est alors trop engagé dans la vie pour la peindre avec le détachement nécessaire. Il explique lui-même que, pour devenir un grand artiste, il faut survoler sa propre existence. Ce qui est important, ce n'est pas que cette existence soit particulièrement intéressante, ni que l'on dispose d'un puissant appareil intellectuel, mais que cet appareil puisse, comme disent les aviateurs, « décoller ». Pour que Proust pût « décoller », il fallait que les événements l'arrachassent à la vie réelle.

Les circonstances, et sans doute aussi le secret avertissement de son génie, produisirent l'effet voulu. D'abord son asthme s'aggrava; bientôt il ne supporta plus du tout la campagne. Non seulement les arbres, les fleurs, mais même le plus léger parfum végétal porté par un ami devinrent pour lui causes de suffocations intolérables. Longtemps il continua de passer l'été au bord de la mer, à Trouville ou à Cabourg ; plus tard, il dut même renoncer à ce voyage annuel.

Cependant il avait fait une découverte qui devait jouer dans sa vie et dans son art un rôle immense : c'était celle de Ruskin. Il traduisit lui-même deux livres de Ruskin : *La Bible d'Amiens* et *Sésame et les Lys,* chargeant ses traductions de notes et de préfaces. Il y avait entre les deux hommes des points communs : tous deux avaient eu des enfances couvées par des familles trop tendres ; tous deux avaient vécu des existences d'amateurs riches, existences qui ont leur danger : celui de priver l'homme du contact avec la vie réelle et dure, mais aussi leur bon côté : celui de préserver un épiderme sensible qui permet à l'esthète ainsi protégé de percevoir des nuances plus fines. Ce fut par Ruskin que Proust apprit à comprendre, beaucoup mieux que Ruskin lui-même, les œuvres d'art. Ce fut à cause de Ruskin qu'il alla en pèlerinage à la cathédrale d'Amiens et à celle de Rouen. Ruskin fut pour lui l'esprit qui éveilla les pierres mortes. Proust, qui ne voyageait plus, trouva la force d'aller à Venise pour voir, incarnées en des palais « défaillants mais encore debout et roses », les idées de Ruskin sur l'architecture.

Nous ne connaissons jamais la réalité qu'à travers de grands artistes. Ruskin fut pour Proust l'un de ces écrivains intercesseurs qui nous sont nécessaires pour prendre contact avec les choses. Ruskin lui apprit à regarder de tout près un buisson chargé de fleurs, des nuages, des vagues, et à les peindre avec une minutie qui rappelle celle de certains dessins de Holbein ou des artistes japonais. La vision de Ruskin était une vision presque microscopique. Proust reprit la méthode, mais il la poussa beaucoup plus loin que son maître et il appliqua aux sentiments la minutie dont Ruskin lui avait donné le modèle. Sans le grand amour qu'il eut pour l'œuvre de Ruskin, il est probable que Proust ne se fût jamais découvert. Ainsi l'innombrable postérité littéraire de Proust en France est en même temps une postérité de Ruskin, que pourtant elle ignore, car un seul exemplaire d'un livre transplanté par le hasard et tombé dans un esprit qui était, pour cette particulière façon de sentir, un terrain favorable suffit pour importer dans un pays toute une espèce littéraire nouvelle, comme une seule graine transportée par le vent suffit pour introduire sur une terre une plante qui n'y existait pas et qui soudain s'y développe et la couvre.

En 1903, son père mourut ; en 1905, sa mère. Eut-il à l'égard de celle-ci des remords parce qu'elle avait tant cru en lui, et n'avait jamais vu le résultat de son travail, ou fut-ce la maladie seule qui le contraignit à se retirer alors complètement du monde ? Ou encore maladie et remords ne furent-ils que des prétextes évoqués par le besoin inconscient d'écrire une œuvre qui, en lui, était presque faite ? Cela est difficile à dire. Toujours est-il que c'est vers ce temps-là que commença la vie du Proust légendaire dont ses amis nous ont conservé le souvenir.

C'est le temps de la chambre tapissée de liège pour éviter les bruits du dehors, des fenêtres toujours fermées pour arrêter l'odeur imperceptible et néfaste des marronniers du boulevard, des fumigations qui dégagent une odeur suffocante, des tricots qu'il ne revêt qu'après les avoir fait griller devant le feu, de sorte qu'ils sont déchiquetés comme de vieux drapeaux percés par les balles. C'est le temps où, presque toujours au lit, Proust remplit les vingt cahiers de son livre. Il ne sort que la nuit et pour aller à la recherche de quelque détail nécessaire à son œuvre. Souvent c'est au Ritz qu'il établit son quartier général, interrogeant les garçons et le maître d'hôtel Olivier sur les conversations des dîneurs. S'il a besoin de revoir, pour les mieux décrire, les aubépines de son enfance, c'est en voiture fermée qu'il affronte la campagne.

Ainsi, de 1910 à 1922, il écrit *A la Recherche du Temps Perdu*. Il sait que son livre est un beau livre. Il est impossible qu'il ne le sache pas. L'homme qui a écrit des pastiches de Flaubert, de Balzac, de Saint-Simon, qui prouvent une connaissance si parfaite de ces grands écrivains, était un critique littéraire trop fin pour ignorer qu'il construisait, lui aussi, un des monuments importants de la littérature française. Mais cette œuvre, comment l'imposer ? Il n'avait aucune « situation littéraire » et même, comme nous le disions tout à l'heure, s'il avait une « cote », elle était négative. Les écrivains de métier étaient portés à se méfier de ce qu'apportait cet amateur, parce qu'il était riche et passait pour être snob.

Il présenta son manuscrit à la *Nouvelle Revue Française*. On le lui refusa. Enfin il arriva à faire publier un premier volume *(Du Côté de chez Swann)* chez Bernard Grasset, en 1913, mais à ses propres frais. Le livre eut peu de succès. D'ailleurs presque tout de suite la guerre interrompit la publication, de sorte que le second volume ne parut qu'en 1919, et cette fois à la *Nouvelle Revue Française.* C'est à Léon Daudet que revient l'honneur d'avoir « lancé » Marcel Proust. Grâce à Daudet, en 1919, Proust reçut le Prix Goncourt qui a fait connaître tant d'écrivains de talent. Cette fois il était célèbre et tout de suite l'œuvre trouva, non seulement en France, mais en Angleterre, en Amérique, en Allemagne, le public qu'elle méritait. Il y avait toujours eu affinité entre Proust et la littérature anglo-saxonne.

« C'est curieux », dit-il dans une lettre écrite en 1910, « que dans tous les genres les plus différents, de George Eliot à Hardy, de Stevenson à Emerson, il n'y a pas de littérature qui ait sur moi un pouvoir comparable à la littérature anglaise ou américaine. L'Allemagne, l'Italie, bien souvent la France, me laissent indifférent. Mais deux pages du *Moulin sur la Floss* me font pleurer. Je sais que Ruskin exécrait ce roman-là, mais je réconcilie tous ces dieux ennemis dans le Panthéon de mon admiration... »

Dès les premiers volumes, le monde entier reconnut qu'on se trouvait en présence non seulement d'un grand écrivain, mais d'un des rares « inventeurs » qui apportent, dans l'histoire des lettres, quelque chose d'entièrement nouveau.

Cette gloire est de 1919 ; sa mort survint en 1922. Il ne lui restait donc, au moment où il atteignit le grand public, que peu d'années à vivre et il le savait ; il parlait sans cesse de sa maladie et de sa mort prochaine. On ne le croyait pas ; ses amis souriaient ; il passait pour un malade imaginaire. Lui restait au lit, travaillait, corrigeait, achevait son œuvre, ajoutant des passages, collant des fragments nouveaux, de sorte que ses épreuves en arrivaient à ressembler, comme ses tricots, à de vieux drapeaux. D'ailleurs, qu'il fût ou non mourant, il se rendait malade par une hygiène détestable, par l'abus des somnifères, par un travail d'autant plus fiévreux qu'il se demandait s'il pourrait terminer son livre avant de mourir. Vers ce temps-là, il disait à Paul Morand : « Je vous écris une longue lettre, ce qui est stupide parce que cela me rapproche de la mort. »

Peut-être aurait-il pu vivre encore quelques années s'il s'était soigné ; mais il contracta une pneumonie, refusa de voir des médecins et mourut. Peu de jours avant cette maladie, il avait écrit sur la dernière page du dernier cahier le mot : *Fin.*

C'est une belle histoire que celle, souvent racontée, de cette agonie, pendant laquelle il s'efforçait de dicter des notes pour compléter et corriger le récit qu'il avait fait, dans son livre, de la mort du grand écrivain imaginé par lui : Bergotte. Il avait dit : « Je compléterai ce passage au moment de ma mort. » Il essaya de le faire et l'un de ses derniers mots fut le nom de ses héros. La mort de Bergotte, telle qu'elle est racontée dans Proust, se termine par le texte suivant :

« Il était mort ; mort à jamais ?... Qui peut le dire ?... Certes les expériences spirites pas plus que les dogmes religieux n'apportent la preuve que l'âme subsiste. Ce qu'on peut dire, c'est que tout se passe dans la vie comme si nous y entrions avec le faix d'obligations contractées dans une vie antérieure. Il n'y a aucune raison, sur cette terre, pour que nous nous croyions obligés à faire le bien, à être délicats, même à être polis, ni, pour l'artiste cultivé, à ce qu'il se croie obligé de recommencer vingt fois un morceau dont l'admiration qu'il excitera importera peu à son corps mangé par les vers, comme le pan de mur jaune que peignit avec tant de science et de raffinement un artiste à jamais inconnu. Toutes ces obligations qui n'ont pas leur sanction dans la vie présente semblent appartenir à un monde différent, fondé sur la bonté, le scrupule, le sacrifice, un monde entièrement différent de celui-ci et dont nous sortons pour naître à cette terre... De sorte que l'idée que Bergotte n'était pas mort à jamais est sans invraisemblance. »

« On l'enterra, mais, toute la nuit funèbre, aux vitrines éclairées, ses livres exposés trois par trois, mêlés comme des anges aux ailes déployées, semblaient, pour celui qui n'était plus, le symbole de sa résurrection... »

Cette page est admirable ; essayons d'être fidèles à son

esprit et, pour ressusciter l'œuvre, d'allumer aux côtés de cette haute pile de la *Recherche du Temps Perdu* les lampes de notre attention. Ne parlons donc plus de Marcel Proust, mais de son livre. De la vie, retenons seulement ce qui aide à comprendre l'œuvre : cette sensibilité, dès l'enfance excessive, mais qui lui permettra de saisir les nuances les plus difficilement perceptibles des sentiments ; ce respect de la bonté éveillé par l'amour pour sa mère ; le regret, allant parfois jusqu'au remords, de n'avoir pas rendu celle-ci très heureuse ; la maladie, arme merveilleuse d'un artiste pour se protéger du monde ; enfin le besoin, dès l'enfance, de fixer, par le style, des sensations complexes et fugitives. Jamais vocation d'écrivain ne fut plus évidente ; jamais vie ne fut plus entièrement consacrée à une œuvre.

# II

# LA MÉMOIRE
# INVOLONTAIRE

Quel est le sujet de cette œuvre ? Ce serait une grande
erreur que de croire avoir expliqué la *Recherche du Temps
Perdu* lorsqu'on a dit : « C'est l'histoire d'un enfant ner-
veux, de son apprentissage de la vie et du monde, des amis
de ses parents, de ses amours pour plusieurs jeunes filles :
Gilberte, Albertine, du mariage de Gilberte Swann avec
Saint-Loup, et des amours extraordinaires de Monsieur de
Charlus. » Plus vous accumulerez de tels faits et moins
vous aurez défini ce qui fait l'originalité de Proust. C'est
exactement, a très bien dit un critique espagnol, Ortega y
Gasset, comme si l'on vous demandait d'expliquer la peinture de Monet et si vous répondiez : « Monet, c'est un
homme qui a peint des cathédrales, des paysages de la
Seine et des nymphéas. » Vous donneriez ainsi un renseignement, mais non *un renseignement sur la nature de l'art
de Monet*. Sisley aussi a peint des paysages de Seine ; Corot aussi a peint des cathédrales. Ce qui fait Monet, ce ne
sont pas les sujets qui lui avaient été fournis par le hasard, c'est une certaine manière de voir la nature. Pour
éclairer cette idée, Ortega y Gasset cite une anecdote symbolique. Il y avait, dit-il, dans une bibliothèque un petit
bossu qui arrivait chaque matin en demandant un diction-
naire. L'employé lui répondait :

« Lequel ? »

« Ça m'est égal », disait le petit bossu, « c'est pour
m'asseoir dessus.»

Il en est de même pour un Monet, pour un Proust. Si vous leur aviez demandé :

« Quel sujet voulez-vous traiter ?... Quel personnage voulez-vous peindre? »

« Ça m'est égal », auraient-ils répondu, « sujet et personnages ne sont faits que pour me permettre d'être moi-même. »

Et si Monet, c'est une certaine façon de voir la nature, Proust, c'est avant tout *une certaine manière d'évoquer le passé.*

Y a-t-il donc plusieurs manières d'évoquer le passé ? Bien sûr. On peut d'abord évoquer le passé intellectuellement, en essayant de reconstruire à partir du présent les circonstances qui ont préparé ce présent. Par exemple, je suis en ce moment en train d'écrire une étude sur Proust. Si je me demande pourquoi, je me souviens que la première idée de cet ensemble de leçons sur quelques grands Français de notre temps me fut suggérée, par le président de l'Université de Princeton, au cours d'un déjeuner qui eut lieu au Bois de Boulogne. Je pourrai peut-être, par un effort, évoquer le Bois à ce moment, me souvenir des personnes qui étaient présentes au déjeuner et, peu à peu, j'arriverai à refaire, par des opérations de l'esprit, un tableau plus ou moins exact de ce qu'a été ce passé.

Quelquefois aussi, c'est à coups de documents que nous essayons de reconstruire le passé. Par exemple, si je veux me représenter ce qu'était Paris au temps de Proust, je lirai Proust, j'interrogerai les gens qui l'ont connu, je lirai d'autres livres écrits à la même époque et, lentement, j'arriverai à composer un petit tableau qui ressemblera (ou ne ressemblera pas) au Paris de 1900. Ce mode d'évocation, pense Proust, est tout à fait impropre à la création de l'œuvre d'art. Ce n'est jamais par des reconstitutions intellectuelles que nous arriverons à donner l'impression vraie du temps et à ranimer le passé. Il y faut *l'évocation par la mémoire involontaire.*

Comment se produit cette évocation involontaire ? *Par la coïncidence entre une sensation présente et un souvenir.* Proust raconte qu'il avait depuis longtemps tout oublié de Combray, quand un jour d'hiver sa mère, voyant qu'il avait froid, lui proposa de lui faire prendre un peu de thé. Elle envoya chercher un de ces gâteaux qu'on appelle « madeleines ». Proust, machinalement, porta à ses lèvres une cuillerée de thé où il avait laissé s'amollir un morceau de madeleine et, à l'instant où la gorgée de thé mêlée des miettes du gâteau toucha son palais, il tressaillit, envahi par un plaisir délicieux qu'il ne pouvait comprendre. Ce plaisir lui avait rendu les malheurs de la vie comme indifférents, sa brièveté illusoire.

D'où lui venait cette puissante joie ? Il sentait qu'elle était liée au goût du thé et du gâteau, mais qu'elle le dépassait infiniment. D'où venait-elle ? Que signifiait-elle ? Il but une seconde gorgée et, lentement, arriva à trouver que ce goût qui lui donnait des sensations si fortes, c'était celui d'un petit morceau de madeleine, que, le dimanche matin, à Combray, quand il allait lui dire bonjour, sa grand-tante Léonie lui offrait après l'avoir trempé dans son infusion de thé. Et cette sensation, qui est exactement une sensation de son passé, évoque alors pour lui, avec une netteté beaucoup plus précise que celle de la mémoire intellectuelle, tout ce qui se passait alors à Combray.

Pourquoi un tel mode d'évocation est-il si puissant ? *Parce qu'alors les images du souvenir, qui généralement sont fugitives n'ayant pas de sensations fortes pour s'appuyer, trouvent le support de la sensation présente.*

Si vous voulez comprendre exactement ce qui se passe ici dans le domaine du Temps, pensez à ce qu'est dans l'Espace l'appareil qu'on appelle un stéréoscope : on vous y montre deux images ; ces deux images ne sont pas exactement pareilles parce qu'elles sont particulières à chacun des deux yeux, et c'est justement parce qu'elles ne sont pas identiques qu'elles vous donnent le sentiment du relief. Car un objet qui aurait un relief réel fournirait à vos deux yeux deux images différentes. Tout se passe donc comme si le sujet se disait : « Toutes les fois que j'ai observé, d'un même objet, deux images qui ne coïncident pas exactement, j'ai reconnu que la cause était un relief vu sous deux angles différents ; puisque maintenant j'ai peine à faire coïncider les deux images qui me sont présentées, c'est que je suis en présence d'un relief. » D'où l'illusion de relief spatial créée par le stéréoscope. Proust a découvert que le couple Sensation Présente-Souvenir

Absent est au Temps ce que le stéréoscope est à l'Espace. Il crée l'illusion du relief temporel ; il permet de retrouver, de « sentir » le temps.

Résumons : *A la naissance de l'œuvre proustienne, il y a une évocation du passé par la mémoire involontaire.*

# III

# LE TEMPS
# RETROUVÉ

Le passé étant ainsi évoqué, que voit Marcel (le héros du livre) ? Au centre, il voit une maison de campagne, celle de Combray, qu'habitent sa grand-mère, sa mère, sa tante Léonie (personnage d'un comique intime et puissant) et quelques servantes. Il voit un jardin provincial. Le soir, un des voisins, M. Swann, vient souvent rendre visite à ses parents ; il vient seul, sans Mme Swann. Quand M. Swann arrive, il ouvre la petite porte du jardin et cette petite porte fait sonner une clochette. Autour de la maison se trouvent des paysages qui, pour l'enfant, sont divisés en deux « côtés » : le *Côté de chez Swann,* qui est celui où se trouve la maison de M. Swann, et le *Côté de Guermantes,* où se trouve le château de Guermantes. Les Guermantes sont pour Marcel des êtres mystérieux, inaccessibles ; on lui a dit qu'ils descendent de Geneviève de Brabant ; ils participent d'une existence féerique. *Ainsi la vie commence par l'âge des noms.* Les Guermantes ne sont qu'un nom ; Swann, lui-même, et surtout Mme Swann, et la fille de Swann, Gilberte, sont des noms.

Les noms, les uns après les autres, font place à des êtres. Les Guermantes. quand ils sont connus, perdent beaucoup de leur prestige. La duchesse de Guermantes, qui était pour l'enfant quelque chose comme une sainte de vitrail, plus tard Marcel, à Paris, habite sa maison ; il la voit sortir tous les jours ; il assiste à ses querelles avec son mari et il apprend à mesurer ce qu'il y a en elle d'esprit, mais aussi d'égoïsme et de sécheresse. En somme il découvre que ces noms d'hommes et de femmes, qui, à ses yeux d'enfant, avaient été si beaux, masquaient une réalité assez plate. Le romanesque n'est pas dans le réel, mais dans l'écart entre le monde réel et celui de l'imagination.

En amour aussi, Proust décrit un *âge des mots,* où l'homme croit qu'il peut s'identifier entièrement avec un autre être et poursuit une impossible communion. Mais l'être que nous imaginons n'a aucun rapport avec l'être réel auquel nous serons unis pour la vie. Swann épouse une Odette née de son imagination et se trouve en présence d'une Madame Swann qu'il n'aime pas, « qui n'est pas son genre ». Le narrateur, Marcel, en arrive à aimer Albertine qu'il a jugée, lors de la première rencontre, vulgaire, presque laide, et lui aussi découvre que, dans l'amour, on ne saisit rien, on ne peut jamais posséder un autre être. Il essaie d'enfermer Albertine, de la tenir prisonnière. Il pense que, par cette contrainte, il va la tenir, l'absorber ; mais c'est une chimère. Comme le monde, l'amour n'est qu'illusion.

Ces deux côtés de son enfance, le Côté de chez Swann et le Côté de Guermantes, qui tous deux étaient apparus à Marcel comme des mondes immenses et mystérieux, il les a tous deux explorés et il n'y a rien découvert qui soit digne d'un intérêt passionné. Ces deux côtés lui étaient apparus séparés l'un de l'autre par un infranchissable abîme. Et voici que, formant en quelque sorte au-dessus de l'œuvre comme une arche immense, ils se rejoignent, car la fille de Swann, Gilberte, a épousé Saint-Loup qui est un Guermantes. L'opposition des deux *côtés* n'était donc elle-même que mensonge. La réalité est complètement connue et *elle est tout entière illusoire.*

Mais, vers la fin du livre, Marcel reçoit un second avertissement qui ressemble à celui de la petite madeleine et qui est à la conversion artistique ce que l'appel de la grâce est à la conversion religieuse. Au moment où il entre chez les Guermantes, il met le pied sur deux marches disjointes, et comme, se remettant d'aplomb, il pose le pied sur un pavé « mal équarri, un peu moins élevé que son voisin », toutes les tristes pensées qu'il avait à ce moment s'évanouissent devant la même félicité que lui avait donnée jadis la saveur de la madeleine.

« Comme au moment où je goûtais la madeleine, toute inquiétude sur l'avenir, tout doute intellectuel était liquidé. Un amour profond enivrait mes yeux, des impressions de fraîcheur, d'éblouissante lumière tournaient près de moi chaque fois que je refaisais ce même pas, un pied sur le pavé plus élevé, l'autre pied sur le pavé plus bas... Je réussis, oubliant les Guermantes, à retrouver ce que j'avais senti, la vision éblouissante et indistincte me frôlait comme si elle m'avait dit : « Saisis-moi au passage si tu en as la force et tâche à résoudre l'énigme du bonheur que je te propose... » Et presque tout de suite, je le reconnus, c'était Venise dont mes efforts pour la décrire ne m'avaient jamais rien dit et que la sensation que j'avais ressentie jadis sur deux dalles inégales de Saint-Marc venait de me rendre avec toutes les autres sensations de ce jour-là. »

De nouveau, grâce au couple Sensation Présente-Souvenir Passé, il éprouve le bonheur de l'artiste. Un instant plus tard, comme il a demandé à se laver les mains et qu'on lui a donné une serviette râpeuse, le toucher désagréable de ce linge sur ses doigts évoque pour lui la mer. Pourquoi ? Parce qu'il y a très longtemps, trente ans, quarante ans, dans un hôtel au bord de la mer, des serviettes avaient le même toucher. Ces chocs sont identiques à celui de la madeleine. De nouveau c'est un petit morceau de temps que l'écrivain vient de fixer, de saisir, de « retrouver ». Il entre dans l'âge des réalités, ou plutôt de la seule réalité qui est l'art. Il sent qu'il n'a plus qu'un devoir, qui est d'aller à la recherche de telles sensations, *à la recherche du temps perdu*. La vie, telle que nous la vivons, n'a aucune importance, n'est que du temps perdu. « Rien ne peut être vraiment fixé et connu que sous l'aspect de l'éternité qui est celui de l'art. » Recréer par la mémoire les impressions perdues, exploiter cet immense gisement minier qu'est la mémoire d'un homme arrivé à la maturité et transformer ses souvenirs en œuvre d'art, telle est la tâche qu'il se donne.

« A ce moment même, dans l'hôtel de Guermantes, ce bruit de pas, de mes pas en reconduisant M. Swann, ce tintement rebondissant, ferrugineux, interminable, criard et frais de la petite sonnette qui m'annonçait qu'enfin M. Swann était parti et que Maman allait monter, je les entendais encore, je les entendais eux-mêmes, eux situés pourtant si loin dans le passé... La date à laquelle j'entendais le bruit de la sonnette du jardin de Combray, si distant et pourtant intérieur, était un point de repère dans cette dimension énorme que je ne savais pas avoir. J'avais le vertige de voir au-dessous de moi, et en moi pourtant comme si j'avais des lieues de hauteur, tant d'années... »

« Si du moins il m'était laissé assez de temps pour accomplir mon œuvre, je ne manquerais pas de la marquer au sceau de ce temps dont l'idée s'imposait à moi avec tant de force aujourd'hui, et j'y décrirais les hommes, cela dût-il les faire ressembler à des êtres monstrueux, comme occupant dans le temps une place autrement considérable que celle si restreinte qui leur est réservée dans l'espace, une place, au contraire, prolongée sans mesure puisqu'ils touchent simultanément comme des géants, plongés dans les années, à des époques vécues par eux, si distantes — entre lesquelles tant de jours sont venus se placer — dans le temps... »

Ainsi le roman se termine, comme il avait commencé, sur l'idée de temps.


Quand on vient de relire l'œuvre entière de Proust, on demeure stupéfait en pensant que certains critiques l'ont accusé de n'avoir pas eu de plan. Au contraire, tout cet immense roman est construit comme une symphonie. L'art de Wagner a certainement eu une grande influence sur tous les artistes de cette époque. Plus encore peut-être que comme une symphonie, la *Recherche du Temps Perdu* est construite comme un opéra de Wagner. Les premières pages sont un prélude où déjà sont exposés les thèmes principaux : le temps, la sonnette de M. Swann, la vocation littéraire, la petite madeleine. Puis une arche immense est jetée de Swann à Guermantes et, à la fin, tous les thèmes se retrouvent, la madeleine étant évoquée à propos des marches et de la serviette râpeuse ; la sonnette de M. Swann sonnant comme aux premières pages, et l'œuvre s'achevant sur ce mot *temps* qui en a été le thème central.

Ce qui fait illusion au lecteur superficiel, c'est qu'à l'intérieur de ce plan si savant et si rigoureux l'évocation des souvenirs se fait, non pas dans l'ordre logique et chronologique, mais, comme dans les rêves, par association fortuite des souvenirs et par évocations involontaires.

# IV

# LA RELATIVITÉ
# DES SENTIMENTS

Quelle est l'originalité de cette œuvre ? C'est d'abord que l'art de Proust est un art chargé de culture esthétique, scientifique et philosophique. Proust observe ses personnages avec la curiosité passionnée et distante d'un naturaliste observant des insectes. De la hauteur à laquelle cette parfaite intelligence s'élève, l'homme reprend sa place dans la nature, celle d'un animal lascif parmi les autres animaux. Même son côté végétal apparaît vivement éclairé. Les *Jeunes Filles en Fleurs* sont, plus qu'une image, une nécessaire saison de la vie brève de la plante humaine. Admirant leur fraîcheur, il distingue déjà les points imperceptibles qui annoncent le fruit, la maturité, puis la graine, la dessication : « Comme sur un plant où les fleurs mûrissent à des époques différentes, je les avais vues, en de vieilles dames, sur cette plage de Balbec, ces dures graines, ces mous tubercules que mes amies seraient un jour. »

Il faudrait citer ici le passage où Françoise, plante rustique et parasite, est décrite comme vivant en symbiose avec ses maîtres ; le gros bourdon Charlus et l'orchidée Julien du début de *Sodome et Gomorrhe,* et cette scène à l'Opéra où, les mots aquatiques submergeant lentement les mots terrestres, il semble que l'on n'aperçoive plus les personnages transformés en monstres marins, qu'à travers une glauque transparence. Les plus beaux mythes de la Grèce ne font pas mieux apparaître le « côté cosmique » du drame humain.

L'amour, la jalousie, la vanité, sont pour lui, à la lettre, des maladies. *Un Amour de Swann* est la description clinique de l'évolution complète d'un cas. A la douloureuse précision de cette pathologie sentimentale on sent que l'observateur a éprouvé les souffrances qu'il décrit, mais, comme certains médecins courageux peuvent, séparant complètement leur moi souffrant de leur moi pensant, noter chaque jour les progrès d'un cancer, d'une paralysie, il analyse ses propres symptômes avec une héroïque technicité.

Le côté scientifique du style est remarquable. Beaucoup des plus belles images sont empruntées à la physiologie, à la physique, à la chimie. Voici, au hasard, dans quelques pages :

« Ma mère, pendant trois ans, ne distingua pas plus le fard qu'une de ses nièces se mettait aux lèvres que s'il eût été invisiblement dissous entièrement dans un liquide ; jusqu'au jour où une parcelle supplémentaire, ou bien quelque autre cause amena le phénomène appelé sursaturation ; tout le fard non aperçu cristallisa et ma mère, devant cette débauche de couleur, déclara que c'était une honte et cessa toutes relations avec sa nièce... »

« Les gens non amoureux trouvent qu'un homme d'esprit ne devrait être malheureux que pour une personne qui en valût la peine ; c'est à peu près comme s'étonner qu'on daigne souffrir du choléra par le fait d'un être aussi petit que le bacille virgule... »

« Les neurasthéniques ne peuvent croire les gens qui leur assurent qu'ils seront peu à peu calmés en restant au lit, sans recevoir de lettres, sans lire les journaux. De même les amoureux, le considérant du sein d'un état contraire, n'ayant pas commencé de l'expérimenter, ne peuvent croire à la puissance bienfaisante du renoncement... »

Le résultat de ces belles et rigoureuses analyses est ce que l'on pourrait appeler *la dissociation des sentiments classiques*. Pendant longtemps les moralistes se sont contentés de termes généraux, au contenu mal défini, et ont admis que des êtres abstraits, Amour, Jalousie, Haine, Indifférence. composent entre eux des ballets bien réglés qui sont nos vies sentimentales. Stendhal a tenté d'éclaircir ces notions confuses en distinguant l'amour-goût, l'amour-passion, l'amour-vanité et en expliquant le phénomène qu'il nomme « cristallisation ». Par là il a joué le rôle de la génération de chimistes de la fin du dix-huitième siècle qui, cessant de croire aux quatre éléments, isolèrent un certain nombre de corps simples. Mais Proust a montré que ces atomes insécables eux-mêmes sont en réalité des univers complexes formés d'une infinité de sentiments encore divisibles à l'infini.

Ce qui se passe dans la vie réelle, nous dit-il, c'est qu'à certains moments de notre existence (en particulier au temps de l'adolescence et à celui du Démon du Midi) nous nous trouvons en état de réceptivité, comme, en certains moments de faiblesse et de fatigue, nous sommes à la merci du premier microbe qui donnera l'assaut à notre organisme. Nous sommes amoureux, non point de tel être déterminé, mais de l'être qui se trouvera présent par hasard au moment où nous éprouvons ce mystérieux besoin d'une rencontre. Notre amour erre à la recherche d'un être sur lequel il se puisse fixer. Une comédie est toute prête en nous, à laquelle il ne manque plus que l'actrice qui en jouera le rôle principal. Elle viendra nécessairement et d'ailleurs elle pourra changer. De même qu'au théâtre tel rôle peut être tenu d'abord par un chef d'emploi, puis repris par des doublures, ainsi, dans l'existence d'un homme (ou d'une femme), il arrive que le rôle de l'être aimé soit joué successivement par des interprètes de valeur inégale.

« La femme dont nous avons le visage devant nous plus constamment que la lumière elle-même, — puisque, même les yeux fermés, nous ne cessons pas un instant de chérir ses beaux yeux, son beau nez, d'arranger tous les moyens pour les revoir, — cette femme unique, nous savons bien que c'eût été une autre qui l'eût été pour nous si nous avions été dans une autre ville que celle où nous l'avons rencontrée, si nous nous étions promenés dans d'autres quartiers, si nous avions fréquenté un autre salon. Unique, croyons-nous, elle est innombrable. Et pourtant elle est compacte, indestructible devant nos yeux qui l'aiment, irremplaçable pendant très longtemps par une autre. C'est que cette femme n'a fait que susciter par des sortes d'appels magiques mille éléments de tendresse existant en nous à l'état fragmentaire et qu'elle a assemblés, unis, effaçant toute cassure entre eux ; c'est nous-mêmes qui, en lui donnant ses traits, avons fourni toute la matière solide de la personne aimée. »

Si nous étions sincères envers nous-mêmes, nous reconnaîtrions en nous ce sentiment antérieur au choix de son objet : nous nous demanderions franchement : « Qui vais-je aimer ? » Nous saurions que le bonheur ou la douleur que nous ressentons n'est lié que par hasard à une personne déterminée et qu'en fait nos héroïnes, comme celles de Proust, ne font que tenir pour quelques représentations le rôle principal d'une comédie qui durera aussi longtemps que notre vie sentimentale.

Pourquoi ces héroïnes sont-elles choisies ? Pour leur beauté ? Non, pense Proust. Ce qui trouble vraiment l'homme civilisé, c'est plutôt la curiosité créée par le mystère et par la difficulté. C'est ici le lieu de citer les beaux vers de Paul Valéry :

> *Allez !... Que tout fût clair, tout vous semblerait vain.*
> *Votre ennui peuplerait un univers sans ombre*
> *D'une impassible vie aux âmes sans levain.*
> *Mais quelque inquiétude est un présent divin.*
> *L'espoir qui dans vos yeux brille sur un seuil sombre*
> *Ne se repose pas sur un monde trop sûr ;*
> *De toutes vos grandeurs, le principe est obscur.*
> *Les plus profonds humains, incompris de soi-même,*
> *D'une certaine nuit tirent les biens suprêmes*
> *Et les très purs objets de leurs nobles amours.*
> *Un trésor ténébreux fait l'éclat de vos jours ;*
> *Un silence est la source étrange des poèmes.*

Un mystère est la source étrange des amours... Le bonheur, enseigne Proust, n'est pas dans la réalité, mais dans notre imagination. Dépouillons nos plaisirs de nos rêveries et nous les réduisons à rien. Selon lui, l'amour, cet amour qui existe en nous avant même d'avoir un objet, cet amour errant et mobile « s'arrête à l'image d'une certaine femme simplement parce que cette femme sera presque impossible à atteindre. Dès lors on pense moins à la femme, qu'on se représente difficilement, qu'aux moyens de la connaître. Tout un processus d'angoisse se développe et suffit pour fixer notre amour sur elle, qui en est l'objet à peine connu de nous. L'amour devient immense ;

nous ne songeons plus combien la femme réelle y tient peu de place... Que connaissais-je d'Albertine ? Un ou deux profils sur la mer... »

De l'être aimé, nous pouvons même ne rien savoir du tout. Pendant qu'il se rend à Balbec, le petit train de Marcel s'arrête dans une gare de village et là, pendant le temps si court d'une halte, il entrevoit une belle fille qui vend du lait aux voyageurs. Presque tout de suite, le train repart et il n'emportera de la belle fille que cette vision rapide et fière. Mais justement parce que cette image est vide de tout contenu, elle permet que s'accrochent à elle les sentiments les plus vifs.

Il est tellement vrai, pense Proust, qu'en amour l'imagination est tout, que lorsqu'il décrit ces réalités physiques de l'amour dont les hommes pensent naïvement qu'elles sont l'objet essentiel de leur désir, il les montre toujours un peu ridicules, ou même franchement désagréables. Relisez l'affreuse scène Jupien-Charlus, ou celle où, après l'avoir si longtemps souhaité, le narrateur peut enfin embrasser Albertine :

« J'aurais bien voulu, avant de l'embrasser, pouvoir la remplir de nouveau du mystère qu'elle avait pour moi sur la plage, avant que je la connusse, retrouver en elle le pays où elle avait vécu auparavant ; à sa place du moins, si je ne la connaissais pas, je pouvais insinuer tous les souvenirs de notre vie à Balbec, le bruit du flot déferlant sous ma fenêtre, les cris des enfants. Mais, en laissant mon regard glisser sur le beau globe rose de ses joues, dont les surfaces doucement incurvées venaient mourir aux pieds des premiers plissements de ses beaux cheveux noirs qui couraient en chaînes mouvementées, soulevaient leurs contreforts escarpés et modelaient les ondulations de leurs vallées, je dus me dire :

« — Enfin, n'y ayant pas réussi à Balbec, je vais savoir le goût de la rose inconnue que sont les joues d'Albertine... »

« Je me disais cela parce que je croyais qu'il est une connaissance par les lèvres ; je me disais que j'allais connaître le goût de cette rose charnelle parce que je n'avais pas songé que l'homme, créature évidemment moins rudimentaire que l'oursin ou même la baleine, manque cependant encore d'un certain nombres d'organes essentiels, et, notamment, n'en possède aucun qui serve au baiser. A cet organe absent, il supplée par les lèvres, et par là arrive-t-il peut-être à un résultat un peu plus satisfaisant que s'il était réduit à caresser la bien-aimée avec une défense de corne. Mais les lèvres, faites pour amener au palais la saveur de ce qui les tente, doivent se contenter, sans comprendre leur erreur et sans avouer leur déception, de vaguer à la surface et de se heurter à la clôture de la joue impénétrable et désirée. D'ailleurs, à ce moment-là, au contact même de la chair, les lèvres, même dans l'hypothèse où elles deviendraient plus expertes et mieux douées, ne pourraient sans doute pas goûter davantage la saveur que la nature les empêche actuellement de saisir, car dans cette zone désolée où elles ne peuvent trouver leur nourriture, elles sont seules, le regard, puis l'odorat, les ayant abandonnées depuis longtemps. D'abord, au fur et à mesure que ma bouche commença à s'approcher des joues que mes regards lui avaient proposé d'embrasser, ceux-ci, se déplaçant, virent des joues nouvelles : le cou aperçu de plus près et comme à la loupe, montra, dans ses gros grains, une robustesse qui modifia le caractère de la figure... De même qu'à Balbec Albertine m'avait souvent paru différente, maintenant, dans le court trajet de mes lèvres vers sa joue, c'est dix Albertine que je vis ; cette seule jeune fille étant comme une déesse à plusieurs têtes, celle que j'avais vue en dernier, si je tentais de m'approcher d'elle, faisait place à une autre. Du moins tant que je ne l'avais pas touchée, cette tête, je la voyais, un léger parfum venait d'elle jusqu'à moi. Mais, hélas ! — car pour le baiser nos narines et nos yeux sont aussi mal placés que nos lèvres mal faites, — tout d'un coup, mes yeux cessèrent de voir ; à son tour, mon nez s'écrasant ne perçut plus aucune odeur et, sans connaître pour cela davantage le goût de rose désiré, j'appris, à ces détestables signes, qu'enfin j'étais en train d'embrasser la joue d'Albertine. »

Comparez cette description de sensations « détestables » à l'enivrement de Rousseau lorsqu'il décrit le baiser de Julie et de Saint-Preux, et vous mesurerez l'espace immense qui sépare une philosophie objective de l'amour, c'est-à-dire une philosophie qui croit à la réalité de l'amour et de l'objet aimé, d'une philosophie subjective comme celle de Proust, laquelle enseigne que l'amour ne peut être qu'en nous et que tout ce qui le ramène sur le plan du réel, tout ce qui le satisfait, le tue.

Comme un observateur en avion, par la hauteur à laquelle il plane, voit à la fois les lignes ennemies et les siennes, et atteint une sorte de pénible et nécessaire impartialité, Proust amoureux voit à la fois l'esprit de l'amant et l'esprit de la femme aimée, et l'image de l'un dans l'autre, ou même, survolant les temps, confronte avec une tranquille cruauté son âme présente, endolorie, avec son âme de demain, guérie. Rien ne l'intéresse plus profondément que ces vues superbes et panoramiques : le clan Verdurin jugé par le Faubourg Saint-Germain, en même temps que le Faubourg Saint-Germain jugé par le clan Verdurin ; l'art de notre époque vu par l'avenir et l'impressionnisme vu par notre temps ; le camp dreyfusard et le camp nationaliste juxtaposés sur le même cliché par un objectif indifférent et parfait.

Maintenant, pourquoi ce détachement, cette sérénité scientifique produisent-ils le maximum d'émotion esthétique ? C'est que l'art, semble-t-il, a essentiellement pour objet de détourner les émotions de la vie active et de les embrayer sur le moteur de secours de la fiction. Une *fiction morale* et qui prétend à proposer des *règles d'action*, réveille par là précisément tout ce qu'elle devrait endormir. Au moment où le jugement moral intervient, l'émotion esthétique cesse, par la même raison qu'une statue est une œuvre d'art, une femme nue point.

Stendhal le savait bien et son style de Code Civil cherche le ton de la haute indifférence. Mais Proust, mieux encore, sait donner à l'œuvre ce caractère inflexiblement objectif qui est une des conditions nécessaires de la beauté.

« Si les accidents du monde », dit Flaubert, « vous apparaissent comme transposés pour l'emploi d'une illusion à décrire, tellement que toutes les choses, y compris votre propre existence, ne vous sembleront pas avoir d'autre utilité... lancez-vous. » Swann, à la soirée de Mme de Sainte-Euverte, détaché du monde par son amour, et y trouvant le charme « *de ce qui n'étant plus un but pour notre volonté nous apparaît en soi-même* », semble un beau symbole de cet artiste-type, de ce parfait miroir dont Proust s'est souvent approché jusqu'à coïncider avec lui.

# V

Proust et Flaubert sont d'accord pour penser que le seul univers réel est celui de l'art, et que les seuls véritables paradis sont les paradis que l'on a perdus. Est-ce là une philosophie que l'homme moyen puisse adopter ? Evidemment non. « Le vent se lève ; il faut tâcher de vivre ! » Et il est difficile de vivre sans croire à la réalité des sentiments. En fait il existe une forme d'amour, toute différente de l'amour-maladie décrit par Proust, amour heureux, mystique, absolu, fidèle, acceptation totale d'un être, amour dont Mme de Rênal et Mme de Mortsauf sont les héroïnes romanesques, et des milliers de femmes les héroïnes vivantes. Cet amour-là, Proust ne l'a décrit que sous la forme de l'amour maternel mais nous savons, par le portrait qu'il a fait de sa grand-mère, que les sentiments de fidélité et d'abnégation ne lui étaient nullement étrangers.

Pour lui-même, il réservait à son art toute sa puissance de fidélité, mais l'art quand il atteint à une telle conscience, à de telles exigences envers soi-même, ressemble singulièrement à une religion. Proust rappelle, au moment de la mort de Bergotte, ce que dut être le pieux dévouement d'un peintre comme Vermeer qui cherchait à reproduire avec une absolue perfection un petit pan de mur jaune ; c'est ainsi que nous imaginons la patiente vertu avec laquelle Proust poursuivait les mots exacts qui pouvaient peindre tel jet d'eau, tel buisson d'aubépines, ou le miracle de la petite madeleine. Reynaldo Hahn a décrit un de ces moments d'oraison de l'écrivain et c'est sur cette vision de Proust en prière que je veux laisser le lecteur :

« Le jour de mon arrivée, nous allâmes ensemble nous promener dans le jardin. Nous passions devant une bordure de rosiers du Bengale quand soudain il se tut et s'arrêta. Je m'arrêtai aussi, mais il se remit alors à marcher, et je fis de même. Bientôt il s'arrêta de nouveau et me dit avec cette douceur enfantine et un peu triste qu'il conserva toujours dans le ton et dans la voix : « Est-ce que ça vous fâcherait que je reste un peu en arrière ? Je voudrais revoir ces petits rosiers... » Je le quittai. Au tournant de l'allée, je regardai derrière moi. Marcel avait rebroussé chemin jusqu'aux rosiers. Ayant fait le tour du château, je le retrouvai à la même place, regardant fixement les roses. La tête penchée, le visage grave, il clignait des yeux, les sourcils légèrement froncés comme par un effort d'attention passionnée, et de sa main gauche il poussait obstinément entre ses lèvres le bout de sa petite moustache noire, qu'il mordillait. Je sentais qu'il m'entendait venir, qu'il me voyait, mais qu'il ne voulait ni parler, ni bouger. Je passai donc sans prononcer un mot. Une minute s'écoula, puis j'entendis Marcel qui m'appelait. Je me retournai ; il courait vers moi. Il me rejoignit et me demanda « si je n'étais pas fâché ? » Je le rassurai en riant et nous reprîmes notre conversation interrompue. Je ne lui adressai pas de questions sur l'épisode des rosiers ; je ne fis aucun commentaire, aucune plaisanterie : je comprenais obscurément qu'il ne fallait pas...

« Que de fois, par la suite, j'ai assisté à des scènes similaires ! Que de fois j'ai observé Marcel en ces moments mystérieux où il communiait totalement avec la nature, avec l'art, avec la vie, en ces minutes profondes où son être entier, concentré dans un travail transcendant de pénétration et d'aspiration alternées, entrait, pour ainsi dire, en état de transe, où son intelligence et sa sensibilité surhumaines, tantôt par une série de fulgurations aiguës, tantôt par une lente et irrésistible infiltration, parvenaient jusqu'à la racine des choses et découvraient ce que personne ne pouvait voir, — ce que personne, maintenant, ne verra jamais. »

En de tels instants de grâce, le mysticisme de l'artiste est tout proche de celui du croyant.

# HENRI BERGSON

Nous avons vu que la *Recherche du Temps Perdu* commence et se termine sur le thème du Temps ; nous avons montré que la nature de la mémoire était l'un des problèmes qui intéressaient le plus Marcel Proust. La philosophie de Bergson, philosophie de la durée, dans laquelle le Temps et la Mémoire sont les principaux personnages du drame de la vie, suit une marche parallèle à celle de la pensée proustienne. Cette philosophie a dominé toute la période que nous étudions. Elle a joué, dans l'histoire des idées en France, un rôle comparable à (et complémentaire de) celui de la philosophie cartésienne. Elle a ramené de bons esprits à la pensée religieuse. Elle a inspiré des artistes, parmi lesquels Proust et Péguy, et contraint des savants à reviser leurs jugements. Il faut essayer d'en décrire au moins les traits essentiels.

Le philosophe qui m'enseigna la philosophie, mon maître Alain, n'était pas bergsonien. Il acceptait Bergson, non les bergsoniens. Mais il avait coutume de dire que rien n'est plus stérile, lorsqu'on étudie l'œuvre d'un grand homme, que d'ergoter, de discuter et de nier. Il voulait que l'on s'efforçât d'entrer dans un système, de l'exposer aussi bien que l'on en était capable et de le faire sien, au moins pour la durée de l'étude. La critique ne lui semblait légitime que si la

connaissance était d'abord parfaite, et il n'est
pas de connaissance sans quelque effort de
sympathie. Nous allons donc tenter d'exposer,
avec sympathie, les éléments du bergsonisme.
Ce ne sera pas un exposé complet, ni savant,
loin de là. Le temps nous est mesuré, et la
science. A ceux qui souhaiteront des clartés
supplémentaires, nous ne pouvons que conseiller d'aller à Bergson lui-même, qui n'est
pas un auteur difficile. Nous chercherons
seulement à indiquer ici la direction générale
le de la recherche bergsonienne et la nature
de son originalité.

# I

# LANGAGE
# ET RÉALITÉ

La plupart des hommes ne voient pas la réalité. Ils manient, tout au long de leur vie, non des êtres et des choses, mais des symboles qui sont les mots. Dire : « La Turquie reste (ou ne reste pas) fidèle à l'alliance britannique », ce n'est pas reproduire un fragment du réel ; c'est mettre en place des mots mal définis. Qu'est-ce que la Turquie ? Si l'on entend par là le gouvernement turc, il faudrait, avant d'en parler, en connaître le fonctionnement, distinguer les individus qui le composent, mesurer l'intensité de leurs sentiments ; si c'est la nation turque, il faudrait avoir voyagé en Turquie, avoir étudié les diverses provinces et classes, avoir été l'ami de quelques Turcs représentatifs. Mais une telle étude demanderait un temps très long. Or la vie et l'action exigent des jugements rapides. Nous nous contentons donc de l'étiquette collée sur le casier et nous disons : « *La Turquie* » en espérant que peut-être d'autres, ministres, ambassadeurs, savent ce que contient le dossier.

L'intelligence humaine, qui est avant tout un instrument d'action, doit accepter les outils du langage. Ils sont imparfaits, mais indispensables. Toutefois il est nécessaire que l'esprit reprenne de temps à autre contact avec le réel. Faute de quoi les mots abstraits, et les concepts qu'ils représentent, en arrivent à s'opposer en des luttes irréelles et dangereuses. Un « intellectuel » de gauche imagine un ensemble mal défini de relations qu'il appelle *capitalisme* et se bat furieusement contre ce monstre ; un intellectuel de droite imagine un ensemble mal défini de relations qu'il appelle *socialisme* et part en guerre contre ce fantôme. Une grève, pour ces deux fanatiques, n'est qu'un duel entre des mots abstraits. Au contraire, pour l'industriel qui a grandi avec son usine, qui en connaît les moindres rouages, qui a travaillé avec son personnel, comme pour un ouvrier intelligent et bien informé, l'usine est un être vivant dont ils devinent les besoins et les faiblesses. Tous deux entrevoient les solutions justes des problèmes industriels, non par raisonnement abstrait, mais par un instinct qui est fait de leur profonde connaissance des êtres et des choses.

Les hommes qui connaissent mal une femme disent d'elle qu'elle a un caractère complexe, imprévisible, décevant. Ils analysent ses propos, pèsent ses actes et ne comprennent pas. L'homme qui aime cette femme depuis longtemps se place, lui, à l'intérieur de sa pensée, à ses yeux, ce caractère fantasque devient le plus stable et le plus intelligible du monde. Il ne raisonne pas ; il devine. De la même manière, un étranger qui parle des malheurs de la France analyse en vain tous les éléments des décisions prises au temps de l'Armistice de 1918. Il n'y voit que confusion. Il trouve impossible d'expliquer certains revirements, certaines inerties. Mais un Français qui aime et connaît à fond son pays, même s'il désapprouve, comprend et excuse. Il se place à l'intérieur d'une société française, pense avec elle, perçoit en son propre esprit les réactions des différents groupes et sent se former en lui une impression d'ensemble qui correspond aux actes réels de la France parce qu'elle est faite des mêmes éléments. Il ne raisonne pas ; il sait.

« Nous connaissons la vérité », dit Pascal, « non seulement par la raison, mais encore par le cœur ; c'est de cette dernière sorte que nous connaissons les premiers principes. Et c'est sur ces connaissances du cœur et de l'instinct qu'il faut que la raison s'appuie et qu'elle y fonde son discours. » Le cœur, ou l'instinct, nous enseigne par exemple que l'homme est libre, que l'esprit est distinct du corps, qu'il y a de bonnes et de mauvaises actions. Or il arrive que l'intelligence discursive, c'est-à-dire celle qui s'exprime par discours et mots, prenne le contrepied de ces vérités d'instinct et que, par d'habiles jongleries verbales, elle croie prouver que tout est matière et nos actions rigoureu-

sement déterminées. C'est, selon Bergson, le rôle du philosophe que de retrouver les choses cachées sous des symboles opaques et mal définis. La philosophie, pense-t-il,
devrait être essentiellement un retour au réel et un retour à la simplicité. A la connaissance *discursive*, qui est
son principal instrument, elle doit ajouter (et parfois opposer) la connaissance *intuitive* qui, déchirant le réseau
des symboles, nénuphars qui flottent sur l'étang du réel,
se replonge dans la vie même. Mais existe-t-il une forme
de connaissance autre que la connaissance discursive ?
Pouvons-nous penser sans mots ? Est-il possible de se placer au cœur des choses ? Certainement. Les grands poètes
connaissent la nature par intuition, non par discours.
« Sous les mille actions naissantes qui dessinent au-
dehors un sentiment, derrière le mot banal et social qui
exprime un état d'âme individuel, c'est le sentiment, c'est
l'état d'âme qu'ils iront chercher, simple et pur. Et pour
nous incliner à tenter le même effort sur nous-mêmes, ils
s'ingénieront à nous faire voir quelque chose de ce qu'ils
auront vu : par des arrangements rythmés de mots, qui
arrivent à s'organiser ensemble et à vivre d'une vie originale, ils nous disent, ou plutôt ils nous suggèrent des choses que le langage n'était pas fait pour exprimer. » Nous
retrouvons ici Valéry et ses *Charmes*. Comme le poète
créateur, le peintre, l'homme d'action, le savant, sont capables d'aller au-delà des concepts et de coïncider pour un
instant avec les choses elles-mêmes.

« Faites attention », disent les adversaires du bergsonisme, « si vous niez la primauté de l'intelligence, vous
ramenez l'humanité à des temps de superstition et de magie. Vous détruisez l'œuvre du dix-huitième siècle ; vous
mettez en danger les conquêtes de la raison, déjà si fort
menacées aujourd'hui. » Mais Bergson n'a jamais nié le
rôle, ni la valeur de l'intelligence. Il a seulement dit qu'au-
delà de l'intelligence, l'intelligence elle-même peut nous
ouvrir la porte de quelque chose qui lui est supérieur. Si
le grand homme d'État peut quelquefois avoir la brève et
lumineuse intuition de ce que souhaite son peuple, ce n'est
pas parce qu'il méprise l'intelligence ; c'est parce que, à
force de se servir de son intelligence pour comprendre
tous les détails du problème, il en arrive à coïncider avec
l'objet de sa pensée.

Bergson est beaucoup trop intelligent pour faire la guerre à l'intelligence ; il est beaucoup trop raisonnable pour faire la guerre à la raison. Il fait la guerre à une certaine forme d'intellectualisme qui prend « la paille des mots pour le grain des choses », à un certain type de discours d'où le raisonnement a banni la raison. Mais Descartes lui-même, patron des rationalistes, eut maintes intuitions de génie et le raisonnable Voltaire, dans *Candide*, se moque avec raison de la raison mal employée. Pascal, savant et mystique, comprend qu'à côté de l'esprit de géométrie, il y a place pour l'esprit de finesse. Le danger de la tyrannie sous contrôle de la raison discursive, on le vit lorsque la Révolution Française, s'écartant de ses buts primitifs, tomba, au temps de la Terreur, dans un verbalisme sanguinaire. Bonaparte, homme aux intuitions rapides, sut alors voir, au-delà du verbiage des orateurs, *les faits* dont l'ensemble constituait les données du problème France. Qui soutiendra que Bonaparte n'était pas intelligent ? Mais « il usait de l'intelligence pour dépasser l'intelligence ». « Il y a », dit Péguy, « une immense tourbe d'hommes qui pense par idées toutes faites. Il y a des idées qui sont toutes faites pendant même qu'on les fait, comme les pardessus tout-faits sont tout faits pendant qu'on les fait. » Bergson veut habiller la réalité sur mesure. Il se sert des mêmes symboles, des mêmes mots que les autres philosophes mais, comme les poètes, il anime le discours par des images, souvent justes et belles, et il rejoint, derrière le voile des mots, la nature vivante et frémissante.

# II

# LE CORPS
# ET L'AME

Nous voici donc à la recherche d'un type de connaissance situé au-delà des mots, et que, par opposition à la connaissance discursive, nous appellerons connaissance intuitive. *Intueri,* c'est regarder au-dedans. L'intuition est le mode de pensée qui consiste à se transporter par l'esprit au centre de la chose étudiée et à en saisir la vérité de l'intérieur. « Voilà une belle définition », dira l'antibergsonien, « mais à quelle réalité correspond-elle ? Comment pourriez-vous vous transporter par l'esprit au centre de quoi que ce soit ? Qu'il s'agisse d'un être, ou d'un pays, ou d'un objet, votre seule chance de l'atteindre est l'analyse, la description de chacune de ses parties, telle que vous les voyez de l'extérieur, puis la synthèse de tous ces éléments. Mais cette synthèse elle-même se fait en votre esprit. Vous ne pouvez sortir de vous-même et pénétrer dans un réel extérieur. A quoi peut s'appliquer pratiquement votre méthode intuitive ? » A quoi ? répond Bergson. Mais d'abord à cette pensée elle-même de laquelle vous assurez que nous ne pouvons sortir. Quand il s'agit de vous, vous savez bien que vous êtes de plain-pied à l'intérieur du sujet. Sans doute, si vous expliquez votre vie intérieure à une autre personne, vous le ferez en employant des mots ; vous décrirez vos visions, vos rêves, vos sentiments, sous forme de discours. C'est nécessaire pour être compris. Mais si vous vous entretenez de vous-même avec vous-même, si vous cherchez honnêtement à trouver en vous ce que sont « les données immédiates de la conscience », vous pourrez et devrez le faire par intuition pure.

« Soit », dit l'anti-bergsonien, « mais voilà une méditation bien stérile. Je me penche sur moi-même, je m'interdis les mots, j'écoute, je n'entends rien. Si ce jeu de l'intuition dure un peu longtemps, je vais tomber dans une sorte de sommeil et regarder passer le flot transparent de mes pensées comme un pâtre assoupi regarde l'eau couler. » Tout le premier ouvrage de Bergson est consacré à montrer que nous pouvons au contraire retrouver, par cette simple et muette contemplation intérieure, des éléments de pensée infiniment précieux qui nous étaient masqués par un vocabulaire tout entier emprunté à la science du monde extérieur.

La science du monde extérieur est fille de la quantité. Elle a besoin de rapports fixes et mesurables, de chiffres, de figures, d'un espace soumis à des lois mathématiques. La vie intérieure ignore la quantité ; c'est le domaine de la qualité. Une souffrance n'est pas deux fois plus forte, ni dix fois plus forte qu'une autre. On ne peut pas élever un sentiment amoureux au carré. Les sentiments et les sensations croissent ou décroissent de manière toute différente, que l'on peut tenter d'exprimer par des images, mais que l'on ne peut mesurer. Il en est de même du sentiment de la durée. Le déroulement du temps est l'une des données que fournit la conscience à chacun de nous. Nous sentons très bien que chaque instant est différent du précédent, même si aucun des rapports spatiaux n'a changé pendant cet intervalle. Nous savons que ce temps intérieur est subjectif, n'est pas mesurable. Mais nous sommes tellement esclaves de nos habitudes géométriques que le temps dont nous parlons est presque toujours le temps objectif, mesuré par des mouvements dans l'espace comme ceux du sablier ou du pendule.

« Et quel inconvénient voyez-vous à ne pas éprouver le sentiment de la durée pure et à transposer les données temporelles en données spatiales ? »

« Cet inconvénient, très grave, que, le Temps n'étant pas de même nature que l'Espace, nous rendons ainsi certains problèmes inintelligibles. Souvenez-vous par exemple des difficultés proposées par Zénon d'Elée aux philosophes grecs de l'antiquité, et auxquelles nul encore n'a répondu...

Supposez, dit Zénon, que le plus rapide des humains, Achille, cherche à rattraper le plus lent des animaux, la tortue. Je dis que, si la tortue a, au départ, la plus légère avance, Achille ne la rattrapera jamais. En effet pendant qu'Achille parcourt l'espace qui le sépare de la tortue, celle-ci avance un peu. Achille devra donc rattraper cette nouvelle avance. Mais pendant qu'il le fera la tortue avancera encore, très peu, mais un peu. Et cela sans fin. Donc Achille ne rattrapera jamais la tortue. »

Tel est le résultat absurde auquel nous conduit l'intelligence discursive et géométrique de Zénon. La connaissance intuitive qui n'est ici qu'un autre nom du bon sens sait au contraire, à n'en point douter, qu'Achille rattrapera la tortue. Où donc est l'erreur de Zénon ? C'est que tout son raisonnement est faussé par la transposition d'un mouvement continu dans le temps en un fragment d'espace qui peut être découpé à volonté. La connaissance discursive confond ici le mouvement avec la trajectoire spatiale qui le sous-entend. L'intuition fournit sans effort la solution juste ou, plus exactement, montre qu'il n'y a pas de problème autre qu'un problème de mots mal employés. Elle rétablit le facteur durée et l'écoulement continu du temps.

Au moment où fut publiée la théorie d'Einstein, mille conclusions extravagantes en furent aussitôt tirées. Un homme qui aurait voyagé dans un obus presque aussi rapide que la lumière aurait pu, disait-on, revenir après un intervalle de temps qui eût été, pour lui voyageur, deux ans, et pour nous autres, restés sur la terre, deux siècles. Il n'aurait vieilli que de deux ans et serait devenu le contemporain de ses descendants. Un homme qui voyagerait à la vitesse exacte de la lumière ne vieillirait plus jamais, puisque les mêmes rayons lumineux l'accompagneraient toujours et lui offriraient éternellement le même spectacle. Là encore le bon sens proteste. Bergson montre que ces faiseurs d'hypothèses confondent le temps spatial, celui des signaux et des simultanéités, avec le temps intérieur et vivant, qui est celui dans lequel on vieillit. En fait le voyageur du premier obus serait mort depuis longtemps lorsque le projectile, après deux siècles, rejoindrait la terre.

Une autre donnée immédiate de la conscience est l'idée

de liberté. Nous savons que nous sommes libres et responsables. Pourtant un philosophe mécaniste comme Taine
nous dit que chacun de nos gestes, chacune de nos pensées, sont aussi déterminés que des phénomènes physiques
ou chimiques. « Le vice et la vertu sont des produits comme
le sucre et le vitriol. » Et en effet, si nous cherchons, après
coup, des mobiles et des explications de nos actes, nous
en trouvons, et l'acte a l'air d'être déterminé ; mais si
nous nous replaçons dans la durée et au moment de l'acte,
nous devons admettre que la décision prise en un instant
et sans réflexion n'avait le plus souvent d'autre motif que
notre nature. «Tous nous ressemblons plus ou moins à ce
mauvais plaideur qui arrivait toujours en retard, tantôt
parce qu'il avait dormi trop longtemps, tantôt parce qu'il
avait manqué son train, tantôt parce qu'il avait oublié sa
montre — et qui en définitive était toujours en retard
parce que le retard était en lui et dans sa constitution
spirituelle. » Mais agir suivant sa constitution spirituelle,
produire des actes qui n'ont d'autre explication que notre
nature propre, c'est justement là ce que Bergson et le sens
commun appellent : agir librement. Le problème de la liberté, comme tant d'autres, ne semble difficile que parce
qu'il est mal posé.

On entrevoit les résultats de la méthode bergsonienne.
Parce qu'il pense simplement et refuse de permettre aux
idées toutes faites de lui masquer le réel, Bergson retrouve
la fraîcheur d'intuition et le bon sens des grands philosophes. Beaucoup de problèmes, soumis à cette vive lumière,
s'évanouissent parce qu'ils étaient de faux problèmes, nés
d'un vocabulaire défectueux.

Dans son second ouvrage, *Matière et Mémoire*, il s'attaque au problème du corps et de l'âme. Certains de ceux
qui l'avaient précédé, et par exemple Taine, niaient l'existence de l'esprit. Pour eux le cerveau était comme une
usine où s'élaborent toutes nos pensées. Les idéalistes, au
contraire, soutenaient le paradoxe de la pensée pure et
niaient la réalité du monde extérieur. Bergson, lui, s'accroche à l'intuition du réel et prouve que le bon sens a
raison. Le bon sens ne croit pas qu'un kilo de matière
grise puisse contenir toutes les images de notre vie. Le
bon sens croit que l'esprit est distinct de la matière, mais
aussi que la matière existe. Toutes les expériences sur la

localisation cérébrale donnent raison au bon sens. Un morceau de cerveau peut disparaître sans qu'il y ait perte d'aucune image. Une lésion du cerveau peut causer de l'aphasie, c'est-à-dire détruire certains mécanismes moteurs qui faisaient mouvoir langue et lèvres, mais elle ne détruit pas la mémoire des images qui correspondent aux mots oubliés ou perdus. Le cerveau, dit Bergson, est simplement un organe de transmission entre l'esprit et les organes moteurs. Et voici comment il conçoit les rapports de l'esprit et du corps :

*Toutes* les images qui atteignent nos sens, à chaque instant, sont conservées dans l'esprit. *Tout* notre passé y est toujours présent. Mais le cerveau est un organe de triage, qui ne laisse passer que les images utiles pour l'action. Ces images sont évoquées par un certain état du corps. Dans l'état de sommeil, l'action devenant inutile, l'évocation est libre et à un état donné du corps peuvent alors correspondre les souvenirs les plus lointains et les combinaisons d'images les plus étranges. Proust parle quelque part de la femme née d'une fausse position de sa cuisse. Tel est le plan du rêve. L'homme qui permet au plan du rêve d'envahir le plan de l'action est un fou. Que devient l'esprit si le corps disparaît ? C'est le problème de l'immortalité de l'âme. Bergson tend à le résoudre de manière positive. Faute d'un corps qui transmettrait et dessinerait les pensées dans l'espace, l'esprit n'a plus de moyens de communiquer avec la matière, mais « la vie de l'esprit ne peut pas être un effet de la vie du corps... Tout se passe au contraire comme si le corps était simplement utilisé par l'esprit, et dès lors nous n'avons aucune raison de supposer que l'esprit disparaît avec le corps... » Si nous coupons le téléphone, l'esprit de l'interlocuteur ne cesse pas pour cela d'exister. Or le cerveau n'est qu'un système téléphonique. L'hypothèse de la survivance des âmes, qui est celle de la plupart des religions, paraît à Bergson la plus vraisemblable.

# III

# VIE
# ET CRÉATION

Notre intelligence, née de la lutte de l'esprit avec la matière, arme forgée pour cette lutte, ensemble de recettes qui permettent d'imposer à la matière les formes voulues par l'esprit, est un outil mal fait pour comprendre la vie. Aussi a-t-elle engendré, pour expliquer la variété et l'évolution des formes vivantes, des doctrines assez médiocres. On les peut diviser en deux groupes : explications mécanistes et explications finalistes de la vie.

Les explications mécanistes admettent que l'univers tout entier, celui des êtres vivants comme celui de la matière morte, obéit au jeu aveugle de lois immuables. Aux yeux du mécaniste, la vie n'est qu'une des propriétés fortuites de la matière. Il explique la formation des organes et l'évolution des espèces par l'accumulation de petites transformations mesurables. Mais cette explication n'est pas satisfaisante. D'abord l'expérience ne montre pas que les caractères acquis par l'individu soient transmissibles à sa postérité. Ensuite l'évolutionnisme n'explique pas comment des séries absolument différentes aboutissent au même résultat, et comment par exemple l'œil des arthropodes a les mêmes traits essentiels que celui des mollusques. Surtout il n'explique pas la vie elle-même, ni l'action des êtres vivants sur les milieux. La matière laissée à elle-même est inerte ; elle tend à l'immobilité. La vie au contraire tend à créer. C'est en vain que l'on essaierait d'expliquer la vie par la mort.

Les théories finalistes ne sont pas non plus acceptables. Elles voudraient que la vie eût pour objet la réalisation d'un plan, d'un certain état futur de la matière, état qui serait connu dès le temps présent, car autrement il serait impossible d'en parler. Mais rien dans les faits ne justifie cette vue. Si la vie réalisait un plan préétabli, elle manifesterait, au cours de l'histoire du monde, une harmonie de plus en plus grande. « Telle la maison dessine de mieux en mieux l'idée de l'architecte tandis que les pierres montent sur les pierres. » Mais nous ne voyons rien de tel. La désharmonie entre les espèces va plutôt en s'accentuant. « Il y a des espèces qui s'arrêtent, il y en a qui rebroussent chemin. » Le monde des vivants ne ressemble pas à un plan qui se réalise, mais plutôt à une création qui se poursuit sans fin en vertu d'un mouvement initial. C'est ce mouvement seul qui fait l'unité du monde, « unité d'une richesse infinie, supérieure à ce qu'aucune intelligence pourrait rêver, parce que l'intelligence n'est qu'un de ses aspects, un de ses produits. »

Voici donc à peu près comment Bergson se représente le travail de la vie. A l'origine il y a une source simple, une force créatrice que l'on peut appeler l'élan vital, et qui se transmet de germe en germe. Cet élan originel est commun à toutes les formes de la vie, animales et végétales. « Tel le vent qui s'engouffre dans un carrefour se divise en courants d'air divergents qui ne sont tous qu'un seul et même souffle », ainsi l'élan vital pousse à la conquête de la matière des espèces qui ne sont que des émanations d'une même force. L'harmonie de la nature n'est pas en avant, dans l'avenir, comme le voulaient les finalistes ; elle est en arrière, dans le passé et dans le souffle originel.

Que sont donc les formes animales ? Elles sont l'image des résistances opposées par la matière au souffle vital. Si le vent souffle sur le sable de la plage, ce sable prendra des formes symétriques et définies ; il dessinera des ondulations régulières. Chacune de ces rides de sable est en réalité d'une complexité infinie ; on pourrait la décomposer en millions de grains de sable, et chacun de ceux-ci se décomposerait à son tour en atomes, protons, électrons. Mais l'explication simple de tout le phénomène est le vent. Ainsi l'explication simple de l'évolution est la volonté créatrice. Tout se passe comme si un être supérieur avait cherché à se réaliser et n'y était parvenu qu'en abandonnant en route, comme fait le vent par frottement sur les eaux et le sable, une partie de sa force. Notre corps est l'image en creux de notre faiblesse, la frontière qui sépare notre volonté libre de la matière.

La création est donc comme un jaillissement de force qui partirait d'un centre unique et qui s'épanouirait en séries diverses, toutes arrêtées tôt ou tard par les résistances de la matière, comme les fusées d'un bouquet explosent et s'éteignent. Mais le jaillissement de la création est continu. Bergson appelle *Dieu* ce centre de jaillissement. « Dieu ainsi défini n'a rien de tout fait ; il est vie incessante, action, liberté. La création, ainsi conçue, n'est pas un mystère ; nous l'expérimentons en nous dès que nous agissons librement. »

Et quel est le but de cette création continue ? Poser une telle question, c'est retomber dans les erreurs du finalisme et vouloir que Dieu ait un plan. Mais le Dieu de Bergson n'est pas géomètre ; il est poète. Que la création soit un but en elle-même, et peut-être le seul, la nature nous en avertit par la joie qui accompagne pour l'homme tout acte de création. « Celui qui est sûr, absolument sûr, d'avoir produit œuvre viable et durable, celui-là n'a plus que faire de l'éloge, et se sent au-dessus de la gloire, parce qu'il est créateur, parce qu'il le sait, et parce que la joie qu'il en éprouve est une joie divine. »

# IV

# MORALE
# ET RELIGION

Parmi les données de la conscience, on trouve, chez presque tous les hommes, un sentiment d'obligation morale. Nous savons sans raisonnement, sans contrainte, qu'il est mal de faire certains actes dans certaines circonstances. Nous sommes souvent prêts à sacrifier notre intérêt personnel pour conserver la paix de l'esprit et du cœur, que donne seule « une bonne conscience ». D'où nous vient ce sentiment ? L'originalité de Bergson moraliste est de répondre que ce sentiment vient de deux sources différentes, et qu'il y a deux morales.

La première est la morale des sociétés. L'homme, comme le loup et le chien, est un animal social. Il ne peut vivre qu'en groupe. L'importance du groupe varie au cours de l'histoire. C'est tantôt une famille, tantôt une tribu, tantôt un ordre, tantôt une secte, tantôt une nation. Mais toujours l'homme, ne pouvant vivre sans le groupe, a besoin de son approbation. En fait le jugement du groupe, connu par instinct, est sans cesse présent dans la conscience de chacun de ses membres. Cet instinct de la horde peut être plus fort que l'instinct de conservation lui-même. Il explique que le bon loup, ou le bon soldat, préfère la mort à la fuite. Robinson lui-même, seul dans son île, demeure un être moral. Car l'homme isolé considère que cette situation anormale ne saurait durer et se prépare à affronter, au temps du retour, le jugement de la horde.

Que cette morale sociale soit liée à l'approbation ou à la désapprobation d'un groupe est clairement montré par l'état de guerre ou de révolution. Alors, certains de l'appui de la horde, des êtres humains à l'ordinaire moraux sont prêts à commettre, lorsqu'il s'agit d'êtres humains opposés au groupe, les actions les plus cruelles et les plus basses. Si tous ne le font pas et si certains conservent, même en temps de luttes, un esprit de charité, cela tient à ce qu'il existe une autre forme de conscience morale.

Cette seconde morale sera exprimée par des mots comme : dévouement, don de soi, esprit de sacrifice, charité. Mais si elle restait à l'état de tels concepts, elle inspirerait peu d'actions. Bien plus puissant est l'exemple. Cette morale plus générale et plus haute a besoin, pour convaincre, de *s'incarner*, en des personnes privilégiées. Chacun de nous, aux heures où ses maximes habituelles de conduite lui paraissaient insuffisantes, s'est demandé ce que tel de ceux qu'il admire ou vénère eût attendu de lui en pareille circonstance. « Fondateurs et réformateurs de religions, mystiques et saints, héros obscurs de la vie morale, tous sont là ; entraînés par leur exemple, nous nous joignons à eux comme à une armée de conquérants. » La démarche qui nous conduit à les imiter n'est jamais intellectuelle. « Ce n'est pas en prêchant l'amour du prochain qu'on l'obtient... Il faut ici passer par l'héroïsme pour arriver à l'amour. » Le renversement de vie qui conduit un homme à la charité a toute la rapidité de l'intuition. C'est un coup d'Etat intérieur. « Tant que vous raisonnerez sur l'obstacle, il restera où il est... Mais vous pouvez rejeter l'ensemble en bloc, si vous le niez. »

La première morale, la morale sociale, est celle du repos. Elle a des règles fixes, ou du moins valables pour une période donnée. La seconde est la morale du mouvement. Elle est une poussée, un progrès ; elle veut être, et elle est, de plus en plus exigeante. Elle court au dénuement et même au martyre. Comme toute création libre, elle donne la joie. La morale des Evangiles est le meilleur exemple de morale dynamique. Le Sermon sur la Montagne, par ses oppositions, définit à la fois la morale de la cité et la morale sublime : « On vous dit que... Et moi je vous dis que... » D'où deux méthodes pour dresser les individus moraux ; adoption et enracinement des habitudes du pays, du groupe, et telle est la morale sociale qui nous est enseignée dans les familles ; imitation d'un personnage considéré comme modèle spirituel et coïncidence plus ou moins complète avec lui. C'est la morale mystique et c'est celle du chrétien.

Par là nous arrivons aux idées de Bergson sur la religion. Nous y retrouvons les deux termes qu'il oppose en toute sa doctrine. Une fois de plus, il distingue une religion statique et une religion dynamique, le « tout fait » et le « se faisant », le discours et la réalité. La religion statique est celle qui projette au-dehors, sous forme de dieux ou de saints, les puissances qui devraient intérieurement régler notre conduite. L'humanité invente des fables, et cette fonction fabulatrice est une réaction défensive de la nature contre le scepticisme dissolvant de l'intelligence. « La religion renforce et discipline. Pour cela des exercices continuellement répétés sont nécessaires... C'est dire qu'il n'y a pas de religion sans rites et sans cérémonies... Ces actes religieux émanent sans doute de la croyance, mais ils réagissent aussitôt sur elle et la consolident ; s'il y a des dieux, il faut leur vouer un culte, mais du moment qu'il y a un culte, c'est qu'il existe des dieux... »

Dans la religion dynamique, l'âme se laisse pénétrer par un être qui peut immensément plus qu'elle. Elle devient « amour de ce qui n'est qu'amour. A la société elle se donne par surcroît, mais à une société qui est alors l'humanité entière, aimée dans l'amour de ce qui en est le principe », c'est-à-dire aimée en Dieu. Le vrai mysticisme, cette communion totale du saint avec Dieu est rare, mais il y a au fond de la plupart des hommes quelque chose qui lui fait écho. Nous sentons qu'il y a en nous une puissance mystérieuse et infinie. Nous ne prenons contact avec elle qu'en de rares moments d'exaltation (qui sont presque toujours des moments de sacrifice et d'humilité), mais nous savons qu'elle existe et nous lui faisons place dans notre pensée. D'où une religion mixte qui est celle de la plupart des hommes, et où le dieu antique, celui de la fonction fabulatrice, tend à se confondre avec lui « qui illumine et réchauffe de sa présence des âmes privilégiées ».

Et qu'est-ce, aux yeux de Bergson, que le mysticisme de ces âmes privilégiées ? « C'est une prise de contact et par conséquent une coïncidence partielle avec l'effort créateur que manifeste la vie. Cet effort est de Dieu si ce n'est pas Dieu lui-même. » Les grands mystiques chrétiens ont connu l'extase de cette coïncidence avec leur Dieu. Leurs sentiments sont pour le philosophe une expérience à l'aide de laquelle il peut tenter de comprendre la nature de Dieu. Bergson, comme d'ailleurs Alain, pense que la supériorité du christianisme sur les religions qui l'ont précédé, c'est que Dieu, pour être perçu et senti, doit se faire homme. « La création apparaît comme une entreprise de Dieu pour créer des créateurs, pour s'adjoindre des êtres dignes de son amour.»

Ici le savant matérialiste protestera et arguera de la misère de l'homme, de sa petitesse au regard de l'univers infini, de la naïveté qu'il y a à prêter tant d'importance à ce ciron. Mais le savant matérialiste ne regarde-t-il pas l'univers par le mauvais bout de la lorgnette ? La moindre personne humaine n'est-elle pas d'une complexité aussi infinie que l'univers lui-même, et d'ailleurs cet univers existe-t-il autrement que perçu par une conscience ? Ce qui comprend et imagine le monde n'est-il pas un monde ? Une telle idée de la place de l'homme dans l'univers peut sembler singulièrement optimiste. Elle est pourtant confirmée par l'intensité des joies parfaites auxquelles peuvent atteindre les grandes âmes.

On voit à quel point cette philosophie est homogène. Elle est tout entière sortie d'une brève et vive intuition. Au début de sa vie Bergson, excellent géomètre, avait été tenté de croire aux disciplines mécanistes, alors à la mode. Un jour, alors qu'il était professeur à Clermont-Ferrand, comme il venait de faire à ses élèves une leçon sur Zénon d'Elée et de leur exposer le problème d'Achille et de la tortue, il continua, pendant sa promenade, à méditer sur cette curieuse et antique difficulté et prit contact, par une soudaine illumination, avec l'intuition de la durée pure. Le bergsonisme était né.

A partir de ce moment, il est en possession de sa méthode. Et d'ailleurs, plutôt qu'une méthode, celle-ci est « la ligne même du mouvement qui conduit la pensée dans l'épaisseur des choses ». Elle consiste, quel que soit le problème, à aller chercher au-delà du vêtement tout fait des doctrines et des mots, le corps nu de la réalité. Bergson veut bâtir, pour les faits, une philosophie sur mesure et reprendre, les uns après les autres, tous les grands problèmes de la philosophie. Les a-t-il résolus ? Certes non, et nul ne les résoudra. Comme toute doctrine humaine, celle-ci a ses lacunes et ses faiblesses, mais « une grande philosophie », dit admirablement Péguy, « n'est pas celle contre laquelle il n'y a rien à dire, mais celle qui a dit quelque chose. »

HENRI BERGSON ÉCOUTANT UN DISCOURS
« *Un jaillissement de force...* ».
*(Photographie Bibliothèque Littéraire J. Doucet (Fonds Bergson), Photo J.-P. Vieil)*

**MARCEL PROUST**

*« Un jeune homme toujours malade, inconnu du public... ».*

LE « COMBRAY » DE PROUST. MAISON DE TANTE LÉONIE.

« *Marcel Proust passait ses vacances non loin de Chartres, à Illiers...* ».

*(Photo Lapad-Viollet)*

PAUL VALÉRY

« *Valéry passa vingt ans dans une méditation solitaire.* »

**PAUL CLAUDEL**

*« Il saura parler du pain, de la soupe, en petit-fils de paysan qui a fait (ou vu) cuire l'un et tremper l'autre... ».*

*(Collection Viollet)*

ALAIN EN 1948
« *Le style du propos était sévère, la pensée haute et sans flatterie...* ».
*(Collection M. Buffard, Photo J.-P. Vieil)*

ALAIN EN 1929 DANS LA COUR DU LYCÉE HENRI IV AVEC LE PROVISEUR
*« Il enseigne d'abord au lycée Condorcet, puis au lycée Michelet et enfin au lycée Henri IV…».*
*(Collection M. Buffard, Photo J.-P. Vieil)*

FRANÇOIS MAURIAC - PARIS 1939

« Il était un homme divisé contre lui-même... ».

(Photo Roger Viollet)

**GEORGES DUHAMEL EN** 1955

*Le visage rond de Georges Duhamel, son teint rose, son regard aigu et doucement railleur derrière les lunettes d'écaille font plutôt penser à Holbein... ».*

*(Photo Gerald Maurois)*

ANTOINE DE SAINT-EXUPÉRY

*« Le chef n'a pas le droit d'hésiter ni même de laisser voir son angoisse... ».*

(Collection Viollet)

JACQUES DE LACRETELLE

*« Un écrivain français au sens le plus complet et le meilleur du mot... ».*

*(Photo A.F.P.)*

JULES ROMAINS EN 1948

« De tous les écrivains français de notre temps, Jules Romains est celui qui a osé entreprendre la construction la plus vaste... ».

(Photo Roger Viollet)

PORTRAIT DE JULES ROMAINS PAR ROGER BEZOMBES
*« Un poète de la vie moderne... ».*

*(Photo N.O.A. Viollet)*

ANDRÉ MALRAUX VERS 1936
« *Le monde s'est mis un jour à ressembler à mes livres...* ».

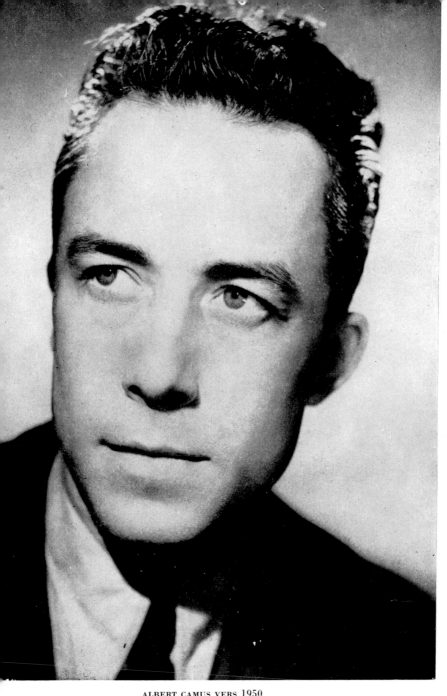

ALBERT CAMUS VERS 1950
« Il pensait avec courage, force et précision... ».

(Photo A.F.P.)

L'ACCIDENT D'ALBERT CAMUS

« Je pense que Sisyphe est mort heureux laissant le rocher au plus haut... »

(Photo A.F.P.)

# PAUL VALÉRY

# I

# L'HOMME

C'est un fait remarquable qu'entre la carrière surprenante et simple de Valéry, et celle du grand écrivain qu'il rappelle le plus, je veux dire Descartes, il y ait tant de traits de ressemblance. Tous deux sont venus à la prose par le double chemin de la poésie et de la science. Descartes commença, comme Valéry, par être « amoureux de la poésie » ; il le resta et son dernier ouvrage fut une pièce de vers qu'il écrivit à Stockholm. Descartes ne voulait pas faire métier d'homme de lettres et s'engagea comme soldat volontaire pour rouler « çà et là dans le monde, tâchant d'y être spectateur plutôt qu'acteur dans la comédie qui s'y joue ». Valéry, lui aussi, refusa longtemps d'être dans le monde autre qu'un spectateur. Descartes se retira en Hollande « dans le désert d'un peuple affairé » pour mettre en ordre ses idées : « Il ne tient qu'à moi », disait-il, « de vivre ici inconnu à tout le monde ; je me promène tous les jours à travers un peuple immense, presque aussi tranquillement que vous pouvez le faire dans vos allées ; les hommes que je rencontre me font la même impression que si je voyais les arbres de vos forêts et les boqueteaux de vos campagnes. Le bruit même de tous les commerçants ne me distrait pas plus que si j'entendais le bruit d'un ruisseau. » N'est-ce pas déjà Monsieur Teste ?

Comme Descartes, Valéry passa vingt ans dans une méditation solitaire et, comme Descartes, ne consentit qu'après vingt ans à communiquer au lecteur une part de ses recherches. Si vous ajoutez que tous deux ont montré ce courage de l'esprit qui consiste à rebâtir, en commençant par les fondations, tout l'édifice de la pensée, vous conviendrez que le rapprochement entre les deux hommes n'est pas artificiel et que nous avons peut-être le droit d'esquisser, puisque lui-même nous en fournit les matériaux, le Discours de la Méthode valérienne.

# II

# LA VIE

Mais il faut dire quelques mots de l'homme qui fut le lieu de ces pensées. Paul Valéry est né à Sète, en 1871. Il a été élevé au collège de Sète, puis au lycée de Montpellier. Voici son propre souvenir : « J'ai des maîtres qui règnent par la terreur. Ils ont des lettres une conception caporale. La stupidité, l'insensibilité me semblent inscrites au programme. Médiocrité d'âme et absence totale d'imagination chez les meilleurs de la classe. J'y vois les conditions du succès scolaire. D'où un état d'esprit désastreux, opposition, contre-pied systématique à l'enseignement. »

Cette « opposition à l'enseignement » n'est peut-être pas nécessaire à la formation d'un esprit hors du commun, mais elle fait naître, par le sentiment d'insatisfaction qu'elle engendre, le besoin de reconstruire. Le « premier de la classe » est souvent un adolescent qui accepte de ses maîtres une nourriture déjà mâchée. S'il n'a la chance de rencontrer parmi eux un Socrate ou un Alain, qui refusent d'enseigner une vérité toute faite, il court grand risque de s'endormir et d'entrer fort jeune dans le Peuple des Morts. L'élève rebelle, mécontent de la vérité officielle, cherche son salut par d'autres chemins, parfois le trouve.

Valéry travaillait, mais autrement que ne pensaient ses professeurs de Montpellier. En apparence il suivait les cours de la Faculté de Droit ; en fait il regrettait de n'être pas marin (longtemps le regret resta si vif qu'il ne pouvait rencontrer un officier de marine sans un mouvement de tristesse) et il découvrait les poètes nouveaux : Baudelaire, Verlaine, plus tard Rimbaud et Mallarmé. Déjà

« l'art lui semblait la seule chose solide », la métaphysique « niaiserie », la science « une puissance trop spéciale » et l'activité pratique « une déchéance, une ignominie conduisant à une existence soucieuse ». Il connaissait quelques hommes de lettres : Pierre Louÿs, rencontré à Montpellier, puis André Gide, qui lui avait été amené par Louÿs. Gide lut à Valéry les *Cahiers d'André Walter*, qui surprirent beaucoup celui-ci. Valéry ne désirait pas écrire. Il avait composé quelques vers qui, très vite, furent publiés par de jeunes revues et loués par des connaisseurs. Mais devenir un écrivain « de métier » lui semblait à la fois au-dessus et au-dessous de ses forces. Il aurait voulu se fixer « un but impossible à atteindre », souhait qui fut aussi, et presque sous la même forme, celui de Gœthe.

Une année de service militaire. Il admire le style du Règlement. « Impossible d'être précis sans être obscur si l'on veut réduire le nombre des mots et des phrases au minimum. » — « Le dimanche, je sauve mon âme en faisant des vers. » A vingt et un ans, il part pour Paris. Il n'a aucun projet, aucun plan d'existence. Il vient de traverser une crise de désespoir sentimental qui aggrave son désespoir intellectuel. « J'avais vingt ans et je croyais à la puissance de la pensée. Je souffrais étrangement d'être et de ne pas être. Parfois je me sentais des forces infinies, elles tombaient devant les problèmes, et la faiblesse de mes pouvoirs positifs me désespérait. J'étais sombre, léger, facile en apparence, dur dans le fond, extrême dans le mépris, absolu dans l'admiration, aisé à impressionner, impossible à convaincre... J'avais cessé de faire des vers, je ne lisais presque plus. »

Contre ce romantisme trop lucide pour devenir lyrique, comment lutter ? La lecture d'Edgar Poë lui inspira l'idée de chercher le salut dans une pleine *conscience de soi*. Les maux dont il souffre sont des maux de l'esprit. Ne peut-on les dissiper en analysant avec une extrême précision le mécanisme qui les produit ?

Ainsi, traversant comme Gide la crise tragique de l'adolescence, Valéry cherche la libération, non comme Gide par la sensualité, non comme Byron par la poésie, non comme presque tous les hommes par l'action, mais comme Descartes par le renoncement et par l'avancement de soi-même. Il s'installe à Paris, rue Gay-Lussac, dans une chambre où Auguste Comte a passé ses premières années. Là il couvrira d'innombrables cahiers de notes sur le temps, sur le rêve, sur l'attention, sur la vérité dans les sciences, plus généralement sur le fonctionnement de l'esprit humain. Sans doute il va chez Mallarmé qu'il admire et qu'il aime, chez Huysmans, chez Marcel Schwob, mais il n'est plus dans l'état où l'on « fait de la littérature ». Même l'art de Mallarmé l'intéresse surtout par son côté logique et esthétique. Comment construire de tels poèmes ? « Je pourchasse le vague et l'arbitraire comme un préfet pourchasse les Romanichels. »

Monsieur Teste fut engendré pendant cette « ère d'ivresse de sa volonté ». Une revue, *Le Centaure*, lui avait demandé un texte. Il reprit un manuscrit à peine commencé, où il avait essayé d'écrire les Mémoires de Dupin (le héros policier d'Edgar Poë). C'était ce manuscrit qui commençait par la phrase : « La bêtise n'est pas mon fort. » Il le continua en se servant de notes prises sur lui-même :

« J'étais affecté du mal aigu de la précision. Je tendais à l'extrême du désir insensé de comprendre... Tout ce qui m'était facile m'était indifférent, et presque ennemi... Je suspectais la littérature et jusqu'aux travaux assez précis de la poésie... Je rejetais non seulement les Lettres mais encore la Philosophie presque tout entière, parmi les Choses Vagues et les Choses Impures auxquelles je me refusais de tout mon cœur... Monsieur Teste est né quelque jour d'un souvenir récent de ces états. C'est dire qu'il me ressemble d'aussi près qu'un enfant, semé par quelqu'un dans un moment de profonde altération de son être, ressemble à ce père hors de soi-même. »

En somme, Teste, c'est une projection de la jeunesse de Valéry, adolescent absolu, extrême, qui, n'ayant pas encore découvert la valeur des conventions humaines, et que l'arbitraire est la seule forme vraie de la nécessité, refusait toute action, fût-elle d'artiste. Comprenez bien, ce n'est pas ici le refus de l'impuissance, c'est le refus de l'excès de puissance.

« Ce qu'ils nomment un être supérieur, c'est un être qui s'est trompé. Pour s'étonner de lui, il faut le voir, — et pour être vu, il faut qu'il se montre. Et il me montre que la niaise manie de son nom le possède. Ainsi, chaque grand homme est taché d'une erreur. Chaque esprit qu'on trouve puissant, commence par la faute qui le fait connaître. »

Et puisque tout grand homme est un faux grand homme (car s'il l'était authentiquement, il eût pris soin de nous le laisser ignorer), Valéry se divertit à rêver que les têtes les plus fortes doivent être inconnues : il se plaît à imaginer, pour un solitaire de génie, une vie qui est un peu celle qu'il se fait alors à lui-même, un peu celle de Mallarmé sans les disciples et sans la poésie, un peu celle de Descartes ou de Spinoza avant la gloire.

Comment décrire Monsieur Teste ? Son trait le plus remarquable est justement de n'en avoir aucun. « Personne ne fait attention à lui. Il parle sans gestes, il ne sourit pas, il ne dit bonjour ni bonsoir, il rature ses pensées toutes vives et il ne se contente pas de les trouver... Le difficile est de s'ajouter ce qu'on trouve. » L'idée n'est rien, tant qu'elle n'est pas devenue corps, habitude. Qu'a trouvé Monsieur Teste ? Des méthodes extraordinaires pour atteindre un peu plus de précision de pensée, un vocabulaire d'où il a banni beaucoup de mots parce qu'il les juge vagues ou mal définis. Lui, Teste, ne dit jamais rien de vague ; sa puissance d'esprit est telle que s'il l'avait voulu, il eût triomphé en toutes disciplines. Pour être un génie reconnu par les hommes, il lui manque seulement la faiblesse.

Que peut être Edmond Teste souffrant, amoureux ? Sans doute il sentirait comme tout homme les mouvements agréables ou pénibles de son corps, mais de tels mouvements son esprit étudierait les règles et les ordonnerait. Le narrateur l'accompagne à l'Opéra, revient avec lui jusqu'à sa maison ; il occupe un très petit appartement garni. Pas de livres, pas de table de travail, un morne mobilier « abstrait ». C'est le logis « quelconque », « analogue au point quelconque des théorèmes, et peut-être aussi utile ». Teste, en effet, qui a « tué la marionnette », ne peut habiter qu'un lieu « pur et banal». Là, comme il est vieux et malade, Teste entre en crise de souffrance, et naturellement il *pense* sa souffrance :

« Attendez... Il y a des instants où mon corps s'illumine... C'est très curieux. J'y vois tout à coup en moi... Je distingue les profondeurs des couches de ma chair, et je sens des zones de douleur, des anneaux, des pôles, des aigrettes de douleur. Voyez-vous ces figures vives ? Cette géométrie de ma souffrance ? Il y a de ces éclairs qui ressemblent tout à fait à des idées.

« Que peut un homme ? Je combats tout, hors la souffrance de mon corps, au-delà d'une certaine grandeur... »

Donc Teste souffre. Puis la douleur se calme. Il s'endort en analysant le sommeil et le rêve. Il ronfle doucement. Le narrateur prend la bougie et sort à pas de loup.

# III

# LA GLOIRE

Quand *La Soirée avec Monsieur Teste* fut écrite, Valéry n'avait que vingt-quatre ans. Mais déjà il était Valéry. Les traits de Teste sont les traits essentiels de Valéry: besoin de rigueur, horreur du vague et de cette apparente clarté dont se contentent presque tous les hommes, et, conséquence de ce besoin de rigueur, besoin de remettre en question le langage et d'exiger des mots un contenu précis.

Ce souci de la rigueur l'amène alors à s'intéresser à un homme illustre qui l'éprouva comme lui : c'est Léonard de Vinci. Là encore la hasard d'une requête le fit sortir de son silence. Un jour, chez Marcel Schwob, il avait parlé de Léonard si brillamment que Léon Daudet, qui était présent et qui s'occupait alors de *La Nouvelle Revue,* lui fit demander par Madame Adam un article sur ce sujet. Ce fut l'*Introduction à la Méthode de Léonard de Vinci.* A la vérité Vinci y est surtout un prétexte et sous ce nom Valéry traite ses problèmes particuliers.

Après 1895 il poursuit, dans une obscurité qu'il a choisie, des recherches qui n'ont d'autre objet que de reformer son esprit et son langage. Pour vivre, il cherche des postes. Il travaille au service de presse de la *Chartered Company,* avec Cecil Rhodes, puis au ministère de la Guerre, où il est longtemps employé par le bureau du matériel de l'Artillerie, et enfin à l'Agence Havas. Il avait accepté, pour toujours semblait-il, d'être l'inconnu : « Un homme qui renonce au monde se met dans la condition de le comprendre. »

Pourtant tels sont les mystérieux cheminements du génie qu'il n'était pas tout à fait aussi inconnu qu'il le croyait. Ces quelques poèmes publiés dans de petites revues, cette *Soirée avec Monsieur Teste,* il y avait, dans les lycées et dans les Universités, des jeunes hommes qui les copiaient. Certains savaient ses vers par cœur et il en existait, comme pour les poèmes homériques, une tradition orale. D'autres essais n'étaient connus que de lui seul, comme ce *Manuscrit trouvé dans une cervelle* qui n'a pas été et ne sera pas publié.

« Oubli. Travail personnel. Notes accumulées dans des cartons. Mariage. La vie. Les enfants... »

Vingt ans se passent ainsi parmi les hommes et loin d'eux, dans « le désert d'un peuple affairé ». En ordonnant les notes qu'il accumule, il aurait la matière de plusieurs grands livres. L'un serait un *Dialogue sur les Choses Divines.* Un autre, *Gladiator,* un essai sur la nature de l'entraînement, sur la virtuosité. Il y a des notes sur l'amour, sur l'érotisme, sur la douleur, sur la famille. Toutes sont intéressantes, quelques-unes ravissantes. Si on les réunissait en les classant, les Français seraient stupéfaits de découvrir qu'ils possèdent une nouveau trésor classique. Il ignore lui-même sa force. Pourtant elle est grande. « Pendant combien d'années martelé sur l'enclume de la forge, son esprit est devenu l'épée de Siegfried (1) », invincible, au moins pour les mortels.

Peu de temps avant la guerre, André Gide qui venait, avec quelques amis, de fonder la *Nouvelle Revue Française,* demanda la permission de réunir en un volume les vers anciens de Valéry. Celui-ci refusa, mais ses amis insistèrent. Ils firent rechercher tous les numéros de revues où ces vers avaient paru et ils établirent un texte dactylographié qu'ils soumirent à l'auteur : « Contact avec mes monstres », note Valéry. « Dégoût. Je me mets à les tripoter. Retouches. »

Il corrige donc ses monstres avec un souci de musique et de plénitude, puis, prenant goût à ce travail, pense qu'il les pourrait compléter par un court poème, quarante à cinquante vers, qui serait son adieu à la poésie. Il commença ce travail en 1913. Il le poursuivait quand survint

(1) *CHARLES DU BOS : Approximations.*

la guerre. Il continua dans le même état d'esprit qu'un moine du sixième siècle qui composait des hexamètres latins pendant les invasions, avec ces soins infinis d'un homme qui croit écrire le testament d'une civilisation et d'une langue. Enfin, en 1917, le poème fut achevé. C'était *La Jeune Parque.*

Le succès fut grand, non par l'étendue, mais par la qualité. Alors les Vers Anciens furent republiés à leur tour, puis s'ouvrirent les cartons de notes et les Français, ou du moins les plus sages d'entre eux, surent qu'ils possédaient à la fois un grand poète et un grand prosateur. Comme il arrive toujours, sur celui qui avait choisi l'obscurité, le monde projeta sa plus vive lumière. Je ne raconterai pas cette part de la vie de Valéry. Non qu'elle soit moins belle ; il est impossible d'accepter la gloire avec plus de modestie, de simplicité, de gentillesse et d'ironie, mais le temps héroïque est celui de *Monsieur Teste* et de *La Jeune Parque.* Comme dit Valéry, « le reste est vacarme ». J'ai trouvé indispensable, avant d'exposer de mon mieux ce qu'est la méthode de Valéry, de vous y amener par cette noble introduction qu'est sa vie, car vous savez ainsi que cette méthode, cette rigueur obstinée, cette volonté de faire table rase et de reconstruire ne sont pas seulement le jeu d'un esprit, mais la recherche d'une volonté. Valéry, comme Descartes, a vécu sa méthode et par là Monsieur Teste, aisément, l'emporte sur Monsieur Bergeret.

# IV

# INTRODUCTION
# A LA MÉTHODE
# DE PAUL VALÉRY

### 1. *La Rigueur*

« Non pas la sympathie, Nathanaël, mais l'amour »,
lisons-nous à l'entrée des *Nourritures Terrestres*... Au
seuil d'une Introduction à la Méthode de Paul Valéry,
je voudrais écrire : « Non pas la clarté, Erixymaque, mais
la rigueur. » Car ce n'est pas un mot clair que la clarté.
Qu'est-ce qui est clair ? Il y a des critiques et des lecteurs
qui trouvent Valéry obscur. « Je suis désespéré », dit-il,
« d'affliger ces amateurs de lumière ; rien ne m'attire
que la clarté. Hélas ! je vous avoue que je n'en trouve
presque point. Les ténèbres que l'on me prête sont faibles
et transparentes auprès de celles que je découvre un peu
partout. Heureux les autres, qui conviennent eux-mêmes
qu'ils s'entendent parfaitement ! Je suis fait, mon ami,
d'un malheureux esprit qui n'est jamais bien sûr qu'il a
compris sans s'en apercevoir ; je discerne fort mal ce qui
est clair sans réflexion de ce qui est positivement obscur.»
Une obscure clarté émane souvent d'œuvres qui passent
pour faciles et lumineuses. Quand, dans son discours de
réception à l'Académie française, Valéry eut à parler
d'Anatole France, ce ne fut pas sans ironie qu'il décrivit
la clarté de celui-ci :
« On aima tout de suite un langage qu'on pouvait goûter sans trop y penser, qui séduisait par une apparence si
naturelle et de qui la limpidité, sans doute, laissait trans-
paraître parfois une arrière-pensée, mais non mystérieuse... Il y avait dans ses livres, un art consommé de l'effleu-

rement des idées et des problèmes les plus graves. Rien n'y
arrêtait le regard, si ce n'est la merveille même de n'y
trouver nulle résistance.

« Quoi de plus précieux que l'illusion délicieuse de la
clarté qui nous donne le sentiment de nous enrichir sans
effort, de goûter du plaisir sans peine, de comprendre sans
attention, de jouir du spectacle sans payer ?

« Heureux les écrivains qui nous ôtent le poids de la
pensée et qui tissent d'un doigt léger un lumineux déguisement de la complexité des choses. Hélas ! Messieurs,
certains, dont il faut bien déplorer l'existence, se sont
engagés dans une voie toute contraire !... Ils ont placé le
travail de l'esprit sur le chemin de ses voluptés ; ils nous
proposent des énigmes, ce sont des êtres inhumains ! »

Je me souviens qu'un jour Valéry, faisant une conférence au Vieux-Colombier, dit à peu près ceci :

« Obscur ? Moi ? On me le dit et je fais effort pour le
croire. Mais je me trouve moins obscur que Musset, que
Hugo, que Vigny. Vous semblez étonnés ? Considérez Musset. Je ne sais si quelqu'un de vous peut expliquer ces
vers :

> *Les plus désespérés sont les chants les plus beaux*
> *Et j'en sais d'immortels qui sont de purs sanglots.*

« Pour moi, j'en suis incapable ! Comment un pur sanglot peut-il être un chant immortel ? Cela me paraît
inintelligible. Un chant est un rythme ; un pur sanglot est
informe. Si obscur que je puisse être, je n'ai jamais rien
écrit d'aussi obscur. »

A ce moment, dans le public, se leva un jeune homme
qui semblait irrité :

« Enfin, Monsieur », dit-il, « vous moquez-vous ? Je ne
vois rien d'obscur dans ces deux vers et je me fais fort
de vous les expliquer. »

« Je vous en prie, Monsieur », dit Valéry, « et vous
cède ma place avec bonheur. »

Il se leva, et alluma une cigarette. Le monsieur irrité
monta sur la scène... Il ne parvint pas à satisfaire, en expliquant Musset, le besoin de rigueur de Valéry, ni même
celui, moins exigeant, du public.

D'ailleurs, dans un poème, la clarté ni la rigueur ne sont nécessaires. « J'aime la majesté des souffrances humaines », qui est un vers de Vigny, ne paraît pas à Valéry un vers « explicable », car les souffrances humaines n'ont pas de majesté. La rage de dents et l'anxiété n'ont rien d'auguste. Mais c'est un beau vers parce que « majesté » et « souffrances » forment un bel *accord* de mots *importants*.

De même Hugo :

« Un affreux soleil noir d'où rayonne la nuit... »

Impossible à penser, ce négatif est admirable.

Valéry, poète, s'accorde le droit d'être obscur, ou plus exactement d'être « musical » comme il s'accorde aux autres poètes. Mais dès que Valéry, prosateur, essaie de construire des suites d'idées, il cherche la rigueur. Il souhaite n'employer aucun mot qu'il n'ait défini, et ne pas supposer en eux qu'il emploie plus que ne contenaient les définitions acceptées. Enfin il tente de communiquer au langage de la prose ce que celui-ci peut porter de la précision mathématique.

« Je me méfie de tous les mots, car la moindre méditation rend absurde ce que l'on dit... J'en suis venu, hélas ! à comparer ces paroles par lesquelles on traverse si lentement l'espace d'une pensée à des planches légères jetées sur un abîme, qui souffrent le passage et point la station. L'homme en vif mouvement les emprunte et se sauve, mais s'il insiste le moins du monde, ce peu de temps les rompt et tout s'en va dans les profondeurs... »

Rien n'arrête Valéry, chasseur d'exactitude. C'est en cela que j'appelle sa recherche « héroïque ». Il n'accepte pas les vérités faciles, il ne se laisse pas arrêter par les opinions universelles, ni par l'autorité des experts. Sur chaque sujet, il se pose à lui-même la grande question : « De quoi s'agit-il ? » Comme Descartes, il recommence toute recherche et s'impose un doute méthodique. Mais j'ai tort de dire *s'impose,* car ce doute est sa nature même.

2. *La Table rase*

Que savons-nous ? Que nous a-t-on enseigné dans les écoles, hors les langages et les sciences exactes ? Une mé-

taphysique ? Valéry se demande, non s'il en veut suivre une particulière, mais si quelque connaissance métaphysique est possible : « Nous ne pouvons connaître que
ce qui est impliqué par notre être... Si donc on suppose
qu'il y a une essence des choses, un *mot* de la charade
Univers — une réponse au Tout — ce mot ne sera jamais,
pour nous, qu'un incident particulier de notre fonctionnement. »

Avant de chercher une explication du monde considéré
comme un Tout, il faudrait croire qu'une telle explication
peut exister. Valéry ne le croit pas. Quand il fait la table
des « désirs idiots de l'nomme », il inscrit : « Connaître
l'avenir, être immortel, croire qu'il existe une réponse unique. » S'il existait une « suprême pensée, l'ayant connue
nous n'aurions plus qu'à mourir, puisqu'elle n'aurait point
de suivante ». Sur ce sujet il faut lire la belle préface
d'*Eurêka* : « Le problème de la totalité des choses et celui
de la provenance de ce Tout procèdent de l'intention la
plus naïve ; nous désirons de voir ce qui aurait précédé
la lumière. »

Il suffirait, sur ce Tout de l'Univers, d'avouer notre
ignorance qui est évidente, mais l'homme projette en ido-
les ses sentiments. « Il met l'amour sur un piédestal, la
mort sur un autre. Sur le plus haut, il met ce qu'il ne sait
pas et ne peut savoir et qui n'a même point de sens. »
Les discussions des philosophes ne portent pas sur la nature des choses, mais sur les rapports de certains mots,
assez largement abstraits pour être vides et indéfinissa-
bles. Réalistes et nominalistes, idéalistes et matérialistes,
sont des camps dans les jeux de l'esprit. Dans ces parties d'échecs chacun fait manœuvrer ses pions suivant des
conventions acceptées. « A la fin rien n'a été prouvé sinon que A est plus fin joueur que B. »

A quoi les philosophes répondront que, médire de la
philosophie, c'est encore philosopher. Mais je ne crois pas
que Valéry leur permettrait de se sauver par ce détour.
Car les philosophes disputent pour faire triompher un
mot d'un autre et l'attitude, toute différente, de Valéry
est de nier qu'aucun de ces mots réponde à une définition
précise. « Avec les philosophes il ne faut jamais craindre
de ne pas comprendre. Il faut craindre énormément de
comprendre. »

« Ce que l'on pense *réellement* quand on dit que l'âme est immortelle peut toujours être représenté par des propositions moins ambitieuses... On peut considérer toute métaphysique de ce genre comme infidélité, impuissance de langage, tendance à augmenter apparemment la pensée et, en somme, à recevoir de l'expression que l'on a formée plus que l'on n'a donné et dépensé en la formant. » — « Temps, espace, infini sont des mots incommodes. Toute proposition qui se précise les abandonne. » La plupart des problèmes dits *métaphysiques* sont en réalité des problèmes de langage et fort naïfs. Se demander, comme font certains philosophes, si le réel existe, c'est se demander si le mètre étalon déposé à Meudon est un mètre.

Que nous a-t-on encore enseigné ? L'histoire... « L'histoire est le produit le plus dangereux que la chimie de l'intellect ait élaboré. Ses propriétés sont bien connues. Il fait rêver, il enivre les peuples, leur engendre de faux souvenirs, exagère leurs réflexes, entretient leurs vieilles plaies, les tourmente dans leur repos, les conduit au délire des grandeurs ou à celui de la persécution et rend les nations amères, insupportables et vaines. »

Pour dicter leur conduite aux peuples, l'histoire a-t-elle au moins une certitude ? Aucune. Elle est impossible à connaître. Les historiens de la Révolution Française s'accordent entre eux « précisément comme Danton s'accordait avec Robespierre, quoique avec des conséquences moins rigoureuses car la guillotine, heureusement, n'est pas à la disposition des historiens ».

Le grand peintre Degas a raconté à Valéry qu'il accompagna un jour sa mère chez Mme Le Bas, veuve du fameux conventionnel. Voyant dans l'antichambre les portraits de Robespierre, de Couthon, de Saint-Just, Mme Degas ne put se tenir de s'écrier avec horreur :

« Quoi ?... Vous gardez encore ici les visages de ces monstres ? »

« Tais-toi, Célestine », répliqua ardemment Mme Le Bas. « Tais-toi... C'étaient des saints... »

On peut imaginer le même dialogue entre Michelet et Joseph de Maistre ; entre Taine et M. Aulard. « Chaque historien de l'époque tragique nous tend une tête coupée qui est l'objet de ses préférences. »

Pourtant, il y a des faits historiques sur l'authenticité

desquels tous les historiens sont d'accord. Charlemagne fut couronné empereur en l'an 800 et la bataille de Marignan fut livrée le 15 septembre 1515. Oui, mais le *choix* parmi les événements et les documents permet à l'historien de raconter l'histoire suivant ses préjugés et ses partis pris. L'histoire justifie tout ce que l'on veut. Elle n'enseigne rigoureusement rien, car elle contient tout et donne des exemples de tout. Rien de plus ridicule, dit Valéry, que de parler des « leçons de l'histoire ». On en peut tirer toutes les politiques, toutes les morales, toutes les philosophies.

En particulier c'est folie de penser que l'histoire puisse jamais permettre de prévoir l'avenir. « L'histoire, nous disent les vieillards, est un perpétuel recommencement. » D'abord cela est contestable. En admettant que cela soit vrai « en gros », c'est assez faux dans les détails pour rendre toute prévision absurde. Parlant aux lycéens de Janson-de-Sailly, Valéry essaie de leur décrire ce qu'il était à leur âge, en 1887, et de leur montrer que de l'image du monde perçu par lui en ce temps, il était impossible de déduire ce que ce monde deviendrait.

« En 1887, l'air était réservé aux oiseaux. Les corps solides étaient encore solides, les corps opaques étaient encore opaques... Newton et Galilée régnaient en paix ; la physique était heureuse et ses repères absolus. Le Temps coulait des jours paisibles... L'Espace jouissait d'être infini, homogène. Tout ceci n'est plus que songe et fumée. Tout ceci s'est transformé comme la carte de l'Europe, comme l'aspect de nos rues... Le plus grand savant, le politique le plus calculateur de 1887 eussent-ils pu même rêver ce que nous voyons à présent après quarante-cinq misérables années ? On ne conçoit même pas quelles opérations de l'esprit traitant toute la matière historique accumulée en 1887 auraient pu déduire de la connaissance même la plus savante du passé une idée, même grossièrement approximative, de ce qu'est 1932. »

Les sciences dites exactes permettent la prévision à l'intérieur d'un système fermé et à une certaine échelle, mais en histoire il ne dépend pas de nous d'isoler les systèmes et l'échelle nous est imposée. Aussi toute prophétie est-elle un mensonge. « Nous entrons dans l'avenir à reculons. » L'histoire n'est pas une science ; elle est un art ; elle a sa place parmi les Muses. Comme telle, Valéry la juge aimable, mais il faut la maintenir à sa place. Dès que l'on prétend se servir de ce passé inconnu pour régler ses actions en vue d'un avenir imprévisible, l'on se perd. Si Bonaparte n'avait pas été obsédé par l'histoire de César, il ne se serait pas fait proclamer empereur. « Il était amateur passionné de lectures historiques et cet homme, fait pour créer, s'est perdu dans les perspectives du passé. Il a décliné dès qu'il a cessé de dérouter. »

Cependant Valéry reconnaît l'utilité, en quelque sorte négative, de la méditation sur le passé. « Il nous montre l'échec fréquent des prévisions trop précises et au contraire les grands avantages d'une préparation générale et constante qui, sans prétendre créer ou défier les événements — lesquels sont invariablement des surprises — permet à l'homme de manœuvrer au plus tôt contre l'imprévu. » Mais de telles leçons semblent morales plutôt que scientifiques.

La grande erreur du dix-neuvième siècle, enivré par les succès pratiques des sciences exactes, a été de confondre les méthodes de ces sciences avec celles de fausses sciences qu'il a baptisées psychologie et sociologie. « Il y a science des choses simples et art des choses compliquées. Science quand les variables sont énumérables et leur nombre petit, leurs combinaisons nettes et distinctes. » Tandis que dans les sciences de la nature, à la vision naïve des objets était substitué un contrôle objectif, dans les « sciences » historico-politiques, nous avons voulu faire coexister des méthodes subjectives avec des conclusions objectives. L'histoire et sa fille, la politique, doivent être abaissées et rasées aussi soigneusement que la philosophie. « On ne peut faire de politique sans se prononcer sur des questions que nul homme sensé ne peut dire qu'il connaisse. Il faut être infiniment sot ou infiniment ignorant pour oser avoir un avis sur la plupart des problèmes que la politique pose. » Et ailleurs : « La politique fut d'abord l'art d'empêcher les gens de se mêler de ce qui les regarde... A une époque suivante on y joignit l'art de contraindre les gens à décider sur ce qu'ils n'entendent pas. »

Que reste-t-il sur notre table ? La science ? Elle est un ensemble des recettes et procédés qui réussissent toujours, et, comme telle, utile et respectable, mais « tout le reste est littérature ». La science n'apporte pas l'explication du monde comme l'avaient cru, assez naïvement, les hommes de la génération de Zola. Elle ne l'apportera jamais. Nul n'expliquera l'Univers, parce que l'Univers n'est qu'une expression mythologique. « Comment acquérir le concept de ce qui ne s'oppose à rien, qui ne rejette rien, qui ne ressemble à rien ? S'il ressemblait à quelque chose, il ne serait pas tout. »

Que reste-t-il encore ? Le bon sens ? « Le bon sens est la faculté que nous eûmes jadis de nier et de réfuter brillamment l'existence des antipodes... Le bon sens est une intuition toute locale. Les sciences chaque jour l'ahurissent, le bouleversent, le mystifient... Le sens commun n'est plus invoqué que par l'ignorance. La valeur de l'évidence moyenne est tombée à rien... Presque tous les songes de nos fables — le vol, l'apparition de choses absentes, la parole transportée — et maintes étrangetés qui n'avaient même pas été rêvées sont à présent sorties de l'impossible et de l'esprit. Le fabuleux est dans le commerce. » Le bon sens est aujourd'hui clairement déshonoré. Il n'y a pas de quoi se vanter s'il est si bien partagé.

Ainsi la pensée rigoureuse rejette successivement tout ce qu'elle engendra. N'y a-t-il pas, s'est demandé Charles du Bos, au fond de l'intelligence valérienne, un nihilisme ? « Dans l'ordre intellectuel, il n'est pas de spectacle empreint d'un tragique plus auguste que celui de la faculté de penser aboutissant par son acuité même au néant et à l'autonégation. C'est vraiment ici le règne de la solitude et de la netteté désespérée. » Mais nous allons voir que dans cette solitude Valéry bâtira sa cité, qui est celle des hommes civilisés.

### 3. *Les Conventions*

Voici la table rase, le tableau noir lavé. Qu'allons-nous construire sur la table ou inscrire sur ce tableau ? Car il y a « quelque chose ». Les hommes pensent, accordent parfois leurs pensées et leurs actes ; les sociétés humaines vivent et durent. On trouve dans ce chaos de ruines les matériaux d'un ordre. « Quels sont ces matériaux ? », demandons-nous à Valéry. Il nous répondra, je crois : « Des conventions ou, si vous préférez, des fictions. »

Qu'est-ce qu'une convention ? C'est une règle acceptée par un ou plusieurs hommes. Un seul homme qui fait une réussite ne peut jouer que parce qu'il a accepté une convention. Deux hommes qui jouent à l'écarté... Cet accord n'est pas l'expression d'une vérité absolue. Sa seule valeur est d'être accepté. Par exemple il est convenu entre nous que, pendant une heure, je parle et que vous écoutez. Cet accord établit un ordre dans cette salle. Nous aurions pu accepter une autre convention : vous auríez chanté en chœur et j'aurais écouté. Cette convention eût établi un autre ordre. Mais pourquoi de telles conventions sont-elles respectées ? Parce que dans cette salle quelques-uns représentent les lois. Non par leur force. Ils ne pourraient vous contraindre au calme. Mais par une fiction acceptée. Or le propre des sociétés humaines, c'est qu'elles ne peuvent exister que par de telles fictions. « Car il n'y a point de puissance capable de fonder l'ordre sur la seule contrainte des corps par les corps. »

Les instincts sont vaincus par des idées, par des images et par des mythes. Le mouvement d'une société vers la civilisation, pense Valéry, c'est un mouvement vers le règne des symboles et des signes. Toute société repose sur un langage, qui est la première et la plus importante des conventions, sur des écritures, sur des habitudes, sur des conventions observées. Toute société est un édifice d'enchantements. Nous ne nous apercevrons pas du caactère fictif de nos lois parce que beaucoup d'entre elles se sont ajoutées à nous et sont devenues des instincts. Nous ôtons notre chapeau, nous prêtons serment, nous applaudissons, nous payons, nous acceptons de la monnaie. Chacun de ces actes suppose des fictions innombrables, antiques. Mais la vie d'un peuple dont l'histoire a été longue est tissée de liens si nombreux qu'aucun des citoyens ne connaît plus leurs origines.

Qu'arrive-t-il alors ? C'est que, dans l'ordre, la liberté de l'esprit devient possible. Dans l'état de barbarie, pas de liberté. Imaginez une famille de grands singes ou d'hommes des cavernes ; les jeunes mâles obéissent au père parce qu'ils ont peur de lui ou parce que le danger extérieur les presse. C'est l'état de fait. Mais dans une famille de Paris et de nos jours, le danger semble lointain ou, s'il devient proche, il n'est pas de ceux que conjure la force du père. Alors la jeunesse discute. Pourquoi l'obéissance au père ? Ce n'est qu'une convention ? » Quoi de plus vain qu'une convention ? » pense la jeunesse, « pourquoi la respecter ? » Ainsi dans la France du dix-huitième siècle, on commença de se demander : « Pourquoi ce Roi ? »

Créatrices d'ordre, mères des libertés, les conventions sont bientôt menacées par l'ordre et la liberté qu'elles ont formés. Les hommes oublient ce que sont le désordre et la douleur. L'esprit critique grandit. Il mine, puis détruit les conventions. La barbarie renaît et avec elle l'état de fait. « C'est la Révolution ou la Guerre. Bientôt par l'effet de l'une ou de l'autre, l'individu sera de nouveau assez malheureux pour désirer la police ou la mort. »

Donc, ce qui pour les hommes est le plus nécessaire, c'est la plus arbitraire de leurs créations. Le plus solide soutien des civilisations, c'est un édifice d'enchantements. Ce qui est utile dans la morale, ce ne sont pas les règles (variables suivant temps et lieux) qu'elle propose ; c'est qu'elle propose des règles. Ce qui est nécessaire à la vie d'un pays, ce n'est pas qu'il soit monarchique, républicain, aristocratique ; c'est que des conventions politiques soient acceptées par la majorité des citoyens. Ce qui fait que les mathématiques forment un système de vérités qui semblent nécessaires, c'est qu'elles sont au monde ce qu'il y a de plus arbitraire. Ce qui fait la nécessité belle d'un poème, c'est l'arbitraire des règles qui ont permis de le composer.

Idée neuve, importante et propre à notre temps. Toujours, ou presque toujours, les hommes ont poursuivi la vérité absolue, le mot de la charade, la suprême pensée. Le savant moderne, semblable à Valéry, ne croit plus qu'il puisse expliquer l'Univers, ni même qu'il y ait une explication. Il fait sur le monde certaines hypothèses qui permettent de grouper commodément les phénomènes observés. Il ne dit pas que ces hypothèses soient vraies. Il est certain qu'elles seront un jour dépassées ou remplacées. Mais, pour un temps, elles permettent de vivre. « L'homme moderne a une idée de lui-même et du monde qui n'est plus une idée déterminée ; il ne peut pas ne pas en porter plusieurs ; il ne pourrait presque vivre sans cette multiplicité contradictoire de visions. »

Ainsi la pensée de Valéry a suivi la marche naturelle de toute intelligence vigoureuse. Ayant fait dans l'adolescence table rase, il rétablit dans la maturité les conventions jadis écartées, mais le progrès de son esprit se marque en ceci : qu'il les rétablit en tant que conventions et non plus en tant que vérités absolues. En quoi l'attitude de Valéry me paraît originale, différente à la fois de celle de Bourget, qui respecte la convention comme si elle était vérité transcendante, et de celle de Gide, qui garde à l'égard de la convention l'attitude hostile et défiante d'un adolescent impénitent.

### 4. *L'Œuvre d'art*

Pourtant ce serait un paradoxe insoutenable que de considérer l'univers comme fait seulement de conventions humaines. Il y a une réalité antérieure aux fictions et aux mythes. Mais comment la pensée peut-elle atteindre cette réalité qui, par définition, lui est étrangère ? Je crois que Valéry, comme Proust, répondrait volontiers : Par l'œuvre d'art, et singulièrement par la poésie entendue dans un sens extrêmement général.

Le langage humain tend à l'abstrait et s'éloigne toujours davantage du concret. La poésie permet à l'esprit de reprendre contact avec une réalité antérieure aux monstres mécaniques que cet esprit engendra et qui sont nos hypothèses et nos connaissances. Par quels moyens, par quels *charmes* la poésie peut-elle jouer ce rôle ?

La fonction du poète est de rendre aux mots leur valeur harmonique et de recréer autour d'eux, en les associant, en les déplaçant, en les surprenant en des positions inaccoutumées, l'air de mystère qui les entourait à leur naissance. « On ne fait pas un poème avec des idées ni avec des sentiments ; on fait un poème avec des mots. » Valéry aime à représenter le poète comme un artisan conscient, méthodique, qui « fabrique » un poème comme on construit une machine pour produire un résultat défini. Poë, Baudelaire, Mallarmé, telle est la lignée des poètes « conscients » que continue si parfaitement Valéry. « Un

poème doit être une fête de l'intellect. » Il ne peut être
autre chose. Ici nous retrouvons l'idée de convention. Un
poème est une fête, un jeu si bien réglé que l'on ne puisse
le concevoir différent. « L'impression de Beauté, si follement cherchée, si vainement définie, est peut-être le sentiment d'une *impossibilité de variation.* » C'est par là
qu'elle apaise et qu'elle plaît. Elle apaise et fixe l'esprit.
Elle « retrouve » et arrête le Temps. Un roc s'effrite sous
l'action des vagues, mais quels éléments ensemble conjurés
arracheraient un mot à quelques-uns des meilleurs poèmes
de Baudelaire ? Ici encore l'arbitraire a créé la nécessité.
Cette idée de la poésie semble exclure celle d'inspiration.
Valéry raille volontiers le lyrisme, qui n'est que « le développement d'une exclamation » — « Qui ne rougirait d'être
la Pythie ? » — « L'inspiration est l'hypothèse qui réduit
l'auteur au rôle d'observateur. » Formules paradoxales
auxquelles Valéry, en d'autres jours, apportera les correc-
tions nécessaires. Il est vrai que la recherche d'une forme
par un artisan est le premier objet de tout art. Sans
métier, pas de génie. Mais le besoin de cette recherche ne
naîtrait pas sans des sentiments tristes ou joyeux. « L'inspiration dans la poésie et dans tous les arts est profondément cachée », mais elle existe. Sans le Temps Perdu pas
de Temps à retrouver.

Cela, Valéry lui-même le sait bien, et même il l'a dit
mieux que personne : « L'Ecrivain se récompense comme
il peut de quelque injustice du sort. » Bien qu'il veuille
être, jusque dans ses poèmes, rigueur, objectivité, méthode, il est impossible de le connaître sans mesurer sa
sensibilité qui est vive. Il ne peut faire qu'elle n'affleure
dans ses écrits. « A l'extrême de toute pensée est un soupir. » Monsieur Teste, bien qu'il eût dominé la mécanique,
connaissait la souffrance. Il ne faut pas imaginer Valéry
comme une pure, mais inhumaine intelligence. Au contraire, aucun homme de ce temps n'est plus sensible, plus
fidèle, ni plus généreux. Mais s'il connaît la douleur, il ne
s'y complaît pas comme un Pascal. « Qu'est-ce que nous
apprenons aux autres hommes en leur représentant qu'ils
ne sont rien ? Que la vie est vaine, la nature ennemie, la
connaissance illusoire ? A quoi sert d'assommer ce néant
qu'ils sont ou de leur redire ce qu'ils savent ? » Je voudrais, en terminant, vous laisser de lui une image tout

humaine. Voyez-le chaque matin, à cinq heures, qui revient, malgré la fatigue et la nuit, aux besognes qui furent celles de toute sa vie. Il fait réchauffer son café, car à cette heure nul autre n'est levé, puis « laisse tomber sur nous ses copeaux de prose. accidents d'un travail sublime. C'est une belle chose que la puissance de l'esprit. On s'apercevra dans quelques siècles que personne n'eut plus d'influence sur notre temps que cet homme si simple (1). »

(1) *ALAIN*

# V

Le dix-neuvième siècle a été, avec des repentirs et des retours, le siècle de la science positive et de ses filles actives, les machines. Nous avons vu quels espoirs avait fait naître ce « triomphe des recettes ». Espoirs intellectuels : on espérait trouver « le mot de la charade Univers ». Espoirs sociaux : on eût volontiers peint aux plafonds des palais nationaux la Science faisant le bonheur de l'Humanité.

Aux grands espoirs succèdent les grandes déceptions. Enhardis par le succès des méthodes scientifiques, grisés par les progrès des sciences exactes, des écrivains croient pouvoir appliquer ces méthodes à l'étude de l'homme. Au dix-neuvième siècle, les valeurs spirituelles sont dédaignées par beaucoup de philosophes, cela sans preuve et même contre les preuves, car l'observation montre chez l'homme l'importance de l'esprit autant que celle des rapports physico-chimiques. L'attitude de l'homme envers lui-même change. Il ne croit plus en son propre pouvoir. « L'individu de la période scientifique perd la faculté de se sentir centre d'énergie. » Alors que l'ascète hindou, le saint catholique, croient à un mystérieux pouvoir de l'homme sur son corps et sur le monde extérieur, le savant du dix-neuvième siècle admet que tout, en nous, se passe mécaniquement. Décourageante humilité, car elle enlève à l'homme sa foi en l'homme.

Le propre de la pensée de 1900, c'est la lassitude. France, Lemaître, Barrès sont des sceptiques. Je sais bien qu'ils se sont tous trois, à droite ou à gauche, raccrochés, pour éviter le vertige, à des garde-fous assez fragiles. Mais c'était plus par besoin de trouver un appui que par choix libre de cet appui.

Après un siècle de découvertes qui nous ont livrés à des invasions assez barbares de spécialistes, l'humanité a besoin de poètes, c'est-à-dire d'hommes capables de reprendre contact, par un meilleur emploi des mots, avec les données élémentaires des problèmes. L'Europe se meurt d'un langage mal fait. Il est trop tôt encore pour dégager le caractère propre de notre temps, mais ce sera sans doute, si notre aventure ne s'achève en désastre, non d'avoir renié l'œuvre du dix-neuvième siècle, mais d'avoir reconnu la valeur, au-delà de la science ou à côté d'elle, d'une connaissance poétique éclairée par l'intelligence.

Aussi est-il assez naturel que le meilleur esprit de ce temps soit un poète et que ce poète soit Valéry.

# ALAIN

Nous sommes assez nombreux dans le monde à penser qu'Alain fut, et demeure, l'un des plus grands hommes de notre temps. Pour moi, je dirais volontiers : *le plus grand* et ne consentirais à mettre sur le même rang, parmi ses contemporains, que Valéry, Proust et Claudel.

# I

# LA VIE

Il était né Emile Chartier, à Mortagne, le 3 mars 1868, et commença ses études au collège catholique de cette ville. Ses maîtres lui reconnaissaient tous les talents. Il eût été physicien, poète, musicien, romancier s'il l'avait voulu ; il ne souhaita que rester libre et penser juste. Après un regard à Polytechnique, vite détourné, il décida d'entrer à l'Ecole normale (Lettres) « parce que c'était plus facile » et obtint une bourse au lycée Michelet, à Vanves. Là il suivit les cours de Jules Lagneau, professeur de philosophie, « mon grand Lagneau, le seul dieu, à vrai dire, que j'ai reconnu ».

Lagneau était un profond penseur et un caractère inflexible dont le cours ne se composait que de deux leçons, l'une sur la perception, l'autre sur le jugement. Il marqua son élève pour la vie. Chartier fut reçu à Normale en 1889. Brunetière, qui régnait alors sur l'Ecole, encouragea cordialement les violences du jeune philosophe qui, ayant passé avec aisance le concours d'agrégation, commença au collège de Pontivy sa carrière de professeur. A Pontivy, puis à Lorient, il fallut s'initier au métier qui est difficile. Alain faisait un cours libre, improvisé, enrichi d'exemples empruntés aux poètes, aux romanciers et à la vie quotidienne, qui enthousiasmait ses élèves. Très vite, ils eurent pour lui la vénération que lui-même avait eue pour Lagneau. Ce fut à Lorient que l'Affaire Dreyfus le jeta dans la politique. Il se découvrit radical, c'est-à-dire citoyen obéissant mais non respectueux, « le citoyen contre les pouvoirs ». Il parla dans les Universités populaires, puis, afin de soutenir le journal radical de la ville, lui donna des chroniques.

Nommé au lycée Corneille de Rouen, il y conquit aussitôt le même prestige. Ce fut dans *La Dépêche de Rouen et de Normandie* qu'il commença, vers 1906, à écrire, sous le nom d'Alain, des *Propos* quotidiens, billets de cinquante lignes, qui ont été le plus extraordinaire phénomène du journalisme contemporain. Il est admirable qu'un journal politique ait pu, chaque matin, durant des années, publier un texte hardi, souvent difficile, non seulement sans rebuter les lecteurs, mais en les enchantant. Le style des *Propos* était sévère, la pensée haute et sans flatterie. Pourtant on lisait. Plus d'un coupait et conservait ces chefs-d'œuvre, par un obscur pressentiment du génie. Plus tard, les meilleurs des *Propos* furent réunis en volume sous le titre : *Les Cent Un Propos d'Alain* (1908, 1909, 1911, 1914, 1928). Il donnait aussi à la *Revue de Métaphysique et de Morale,* sous le pseudonyme de Criton, de remarquables dialogues.

En 1902, le succès de son enseignement lui valut d'être appelé à Paris où il enseigna d'abord au lycée Condorcet, puis au lycée Michelet et enfin au lycée Henri IV, où il occupa la chaire de préparation à l'Ecole normale et forma de nombreuses générations de jeunes Français. Il eut aussi une classe de jeunes filles, au collège Sévigné. Ses cours étaient si beaux que des élèves de l'Ecole normale, et même des disciples plus âgés, venaient y assister. Les êtres les plus divers sont sortis de ses mains ; des écrivains : Simone Weil, Jean Prévost, Pierre Bost, Henri Massis, Samuel de Sacy, Maurice Toesca ; des hommes politiques comme Maurice Schumann ; des hommes d'action et des professeurs comme Michel Alexandre, qui se fit plus tard l'éditeur des *Propos.*

« A tous les hommes qu'il a formés », écrit Gilbert Spire, « Alain a inculqué un certain nombre de principes, certaines convictions indépendantes des appartenances, des étiquettes religieuses ou politiques. Nous avons appris de lui que la probité et le courage sont les premières vertus de l'esprit, que chacun a l'intelligence qu'il mérite, que la sottise guette chacun de nous par humeur, par infatuation, par peur ou par manque de foi en soi-même ; que les questions les plus simples sont difficiles si on y regarde de près, que les problèmes les plus ardus se simplifient si l'on procède par ordre, avec ténacité, enfin que la liberté est la vertu première de l'homme. » Il est important de rappeler qu'Alain fut, avant tout, un professeur de philosophie, et qui savait son métier.

En 1914, homme déjà mûr et libéré de ses obligations militaires, il voulut s'engager. Il était hostile à toute guerre, mais pensait qu'il fallait avoir fait la guerre pour avoir le droit de la juger. Il refusa d'être officier et fit toute la campagne comme canonnier dans l'artillerie lourde. Sur cette dure vie, il écrivit deux beaux livres : *Mars ou la guerre jugée* (1921) et *Souvenirs de guerre* (1937). Ce fut pendant les loisirs forcés de ses campagnes qu'il composa le *Système des Beaux-Arts* et les *Quatre-vingt-un chapitres sur l'Esprit et les Passions*.

Le voilà devenu auteur. Un de ses amis, Michel Arnauld, avait apporté à Gallimard un choix des *Propos* de Rouen ; *Mars* et le *Système des Beaux-Arts* furent offerts au même éditeur et aussitôt acceptés. Alain avait repris ses cours à Henri IV et à Sévigné. Peu à peu, la fureur de *Mars* s'apaisa : « Je me réconciliais », dit-il, « avec l'homme. J'aimais ce poète dans le mal comme dans le bien. Je commençais à comprendre comment malheur et bonheur sont changés en poèmes et que mythologie, art et religion font notre habit de tous les jours... » Son enseignement était devenu délié, promeneur, avec de grands bonheurs d'expression. Un livre exprime cette paix retrouvée : *Les Idées et les Ages,* livre de bonne humeur, qui a la saveur des « retours » de guerriers, dans Homère.

A partir de ce moment, les grands livres se succèdent. Dans *Les Dieux,* Alain expose ses idées sur les religions. Il voit en elles la projection par l'homme, sur un univers qui ne veut rien, de ses propres passions, craintes et espérances. Il montre que les religions successives, depuis la magie des contes jusqu'au christianisme, sont, non les étapes, mais les étapes de l'homme, car toutes survivent encore en chacun de nous. Dans les *Entretiens au bord de la mer,* le plus difficile peut-être mais aussi le plus profond de ses ouvrages, il expose sa métaphysique. Dans *Idées,* il étudie Platon, Descartes, Hegel, non point en les résumant, mais en les repensant. « Retrouver ce que les meilleurs ont voulu dire, cela même c'est inventer. »

Alain, qui n'a jamais voulu admettre que la philosophie fût une discipline distincte des autres pensées de l'homme, religion ou art, a toujours été grand lecteur des romanciers et admirable critique littéraire. Les *Propos de Littérature* (1934) sont complétés par un *Stendhal*, par *En lisant Dickens,* et surtout par *Avec Balzac* qui est de loin le meilleur livre écrit sur le sens véritable de la *Comédie humaine* et sur ses beautés les plus secrètes. Il faut noter qu'Alain a toujours voulu être lecteur d'un petit nombre d'œuvres, qu'il relisait sans cesse et connaissait à merveille. Il a fait route en compagnie de quelques grands esprits ; le reste n'a pas existé pour lui.

A côté des maîtres du passé, il avait accordé une grande place à Claudel et à Valéry. Avec ce dernier il avait, par le truchement d'Henri Mondor, formé une amitié et il a commenté, en de curieuses *marginalia, Charmes* et *La Jeune Parque.* Je crois qu'Alain fut lui-même, essentiellement, un poète, mais choisit de s'exprimer en prose parce que la prose, plus sévère, interdit de prendre les chants pour des pensées. Il fut aussi moraliste et l'on trouve, dans ses *Aventures du Cœur,* une analyse des passions : amour, ambition, avarice, qui laisse bien loin derrière elle ce qu'ont écrit sur ces sujets La Rochefoucauld, La Bruyère et même Stendhal.

Au moment où il prit sa retraite, il souffrait depuis longtemps de rhumatismes déformants. Cette maladie s'aggrava rapidement et pendant toute la dernière partie de sa vie il dut vivre en reclus dans sa petite maison du Vésinet, ne pouvant se déplacer que de son lit à la table sur laquelle il écrivait (ou lisait) tout le jour. Il ne se plaignait jamais et gardait un esprit si alerte que ses visiteurs avaient l'impression d'être eux-mêmes réveillés et rajeunis par cet homme de quatre-vingts ans. Beaucoup de ses anciens élèves, devenus ses disciples, venaient fidèlement chaque semaine au Vésinet. Comme, en 1914, il avait voulu faire la guerre en simple soldat parce que telle était sa doctrine ; comme, au temps de l'Affaire, il avait défendu la République ; ainsi, dans l'extrême vieillesse, malade, paralysé, souffrant, il montra la sérénité stoïque d'un Epictète.

Toute sa vie, Alain avait écarté les honneurs officiels. Il avait refusé les décorations, les titres et même les chaires de Sorbonne. Trois semaines avant sa mort lui fut offert un hommage spontané : le Prix National des Lettres, qui était décerné pour la première fois. Ses funérailles, au Père-Lachaise, furent simples mais émouvantes. Les générations étaient mêlées, les sentiments unanimes. L'homme n'était plus ; l'œuvre commençait à peine sa glorieuse existence. L'auteur de ce livre eut l'honneur de parler ce jour-là au nom des amis d'Alain. On reproduit ici ce discours parce qu'il évoque avec une émotion vraie cette grande figure.

# II

# SUR LA
# TOMBE D'ALAIN

« Nous sommes réunis en ce lieu funèbre pour honorer notre maître et notre ami. Les morts cessent d'être morts lorsque, pieusement, les vivants les raniment. « C'est par les vivants que les morts revivent, qu'ils reconnaissent, qu'ils parlent, comme Homère l'a fortement exprimé, par ce sang frais que boivent les ombres et qui leur rend pour un temps la mémoire. » Nous nous sommes, depuis notre adolescence, nourris de la pensée d'Alain. Le jour est venu où l'ombre d'Alain doit se nourrir de notre pensée. C'est parce qu'il est présent en chacun de nous qu'il entre ici dans l'éternité.

Tout ce que nous avons aimé en lui, tout ce que nous avons admiré, demeure. Nos idées, nos écrits, nos sentiments, nos actes, et jusqu'à nos rêves portent sa marque magistrale. Nous sommes ici, nombreux, qui fûmes les témoins de cette grande vie ; nous en transmettrons le souvenir et l'exemple aux générations qui nous suivront. Socrate n'est pas mort ; il vit en Platon. Platon n'est pas mort ; il vit en Alain. Alain n'est pas mort ; il vit en nous.

Il y a des hommes qui ne commencent à vivre que par la mort. Alain aimait le mot légende, la légende étant ce qu'il faut dire, l'histoire d'une existence après que le temps et l'oubli l'ont purifiée. Mais la vie de notre maître était déjà sa légende. Nous le trouvâmes toujours égal à ce que nous attendions de plus noble. Toujours la hauteur de la pensée, la beauté du style, le courage des décisions nous comblèrent. « Lagneau fut aimé de moi », disait-il de son propre maître. Alain fut aimé de nous, avec dévotion.

Disciples aux cheveux blanchis nous nous plaisions à venir, dans la maison du Vésinet qui était pour nous l'un des hauts lieux de l'esprit, nous asseoir en face du sage. La vieillesse lui avait été dure. Ses membres noués et raidis refusaient de le servir. Il souffrait. Mais il ne se plaignait jamais. Son sourire d'accueil affirmait l'amitié la plus constante. Le vieux maître, fidèle à la méthode socratique, secouait par quelque bourrade affectueuse l'esprit du visiteur et des éclairs d'esprit sur la nature, que jetait son génie poétique, jaillissaient. La femme admirable qui, par ses soins et sa tendresse, rendit moins douloureux ce long supplice, assistait à l'entretien, attentive et discrète. Bientôt accouraient d'illustres ombres, Descartes, Stendhal, Balzac, Auguste Comte. Rencontres inoubliables.

Dimanche dernier lorsque nous entrâmes dans la petite chambre, le corps de notre maître, amaigri par un long jeûne, était étendu sur le lit. Il y avait, sur ce visage à jamais immobile, modelé par la mort, je ne sais quel air de malice puissante et affectueuse. J'ai cru, pendant un instant, revoir le jeune professeur mystérieux et joyeux qui, voilà près de cinquante ans, à Rouen, était entré dans notre classe et avait écrit au tableau noir : « Il faut aller à la vérité avec toute son âme. » Je suis resté longtemps au pied de ce lit. Il est naturel que la méditation se porte vers les morts qui furent nos modèles pour leur demander exemples et conseils. Qu'exigeait celui-là et quel serment fallait-il prêter à cette grande âme ?

Je pense que ce serment tient en un mot : espérance. Alain nous demande d'avoir confiance en l'homme, ce qui conduit à respecter ses libertés ; confiance en notre esprit pour aller, d'erreur en erreur, vers la vérité ; et confiance en notre volonté pour trouver des passages à travers l'immense univers des forces qui, lui, ne veut rien. Qui sait à la fois douter et croire, douter et agir, douter et vouloir est sauvé. Tel était son message ; telle est la figure que nous devons maintenir vivante en nous pour que ne meure point l'esprit d'Alain. L'adieu que nous lui adressons est une promesse. Nous jurons d'être, autant que nous en serons capables, fidèles à ses leçons et à son exemple.

A quoi nous arriverons plus aisément si nous savons faire durer entre nous, qui fûmes ses élèves et ses amis, la belle fraternité qui nous réunit aujourd'hui autour de lui. Nous savons qu'il aimait les commémorations, où les grands morts guident les vivants, et qu'il louait le geste pieux d'ajouter une pierre à la pyramide sur un tombeau. Etre ou ne pas être, Alain et nous, il faut choisir. Il dépend de nous qu'Alain continue d'être. Nous posons aujourd'hui la première pierre de ce monument de l'esprit. »

# III

# LES PROPOS

L'œuvre d'Alain peut être divisée en deux groupes qui diffèrent non point par la doctrine ni par la méthode, mais par la composition. Le premier se compose de la masse immense des *Propos*, le second des livres composés, comme les *Dieux*, le *Système des Beaux-Arts*, *l'Histoire de mes pensées* ou les *Entretiens au bord de la mer*.

Le propos, genre littéraire, fut inventé par Alain. Poème en prose de deux pages, composé chaque soir pour un journal quotidien, « génie ou pas génie » eût dit Stendhal. Le génie était ce qui manquait le moins. « Sans l'obstination à écrire à jour fixe, ces sommaires poèmes n'auraient jamais été écrits. » Chaque auteur, comme chaque coureur a sa longueur. Tel champion de cent mètres s'essoufflerait sur une distance plus longue. Alain déployait avec aise sa foulée dans le propos. Il s'imposait de remplir exactement ses deux pages, certain que cette contrainte le soutiendrait, comme la strophe porte le poète.

Autre règle : ne pas retoucher. Tout mot formé de sa forte et large écriture devait rester. A la phrase de s'accommoder de ce qui précédait. L'œuvre devenait modèle pour l'œuvre. Elle s'acheminait d'un train sûr vers la ligne d'arrivée et refoulait toutes les idées qui l'eussent retardée. Celles-ci venaient alors gonfler un trait ou une métaphore. « De là, dit Alain, une sorte de poésie et de force. Les musiciens qui composent une fugue sont ainsi quelquefois soulevés par la *strette* qui est le moment où tout se rassemble jusqu'à passer dans un anneau. Tout arrive comme en foule, et il faut serrer, et il faut passer, et faire vite. Tel est mon tour d'acrobate, autant que j'en puisse juger ; au reste je ne l'ai pas réussi une fois sur cent. »

Cette course au galop, qui se terminait chaque jour par le saut d'un obstacle, celui du trait final, se poursuivit jusqu'à la guerre de 1914 dans *La Dépêche de Rouen*. Nul n'avait jamais osé journalisme de cette qualité ; je ne crois pas qu'on puisse revoir son pareil. Les lecteurs admiraient. Beaucoup lisaient les propos d'Alain avant les nouvelles. Après la guerre, le ton changea. L'homme de troupe en avait gros sur le cœur et sur l'esprit. Publiés en cahiers, les propos s'allongèrent. Cependant l'acrobate restait fidèle à son tour, le philosophe à ses thèmes. Et à son style. Car là était le tout du tout. « Notre ambition fut de changer la philosophie en littérature et, au rebours, la littérature en philosophie. » Objectifs tous deux atteints. Alain conserva toujours une particulière tendresse pour les propos des premières années. Dans une dédicace, il me disait : « Cette belle édition me ramène au meilleur temps des *Propos*. Ceux-ci sont métaphoriques. Le lecteur a beaucoup à deviner. Je retrouve dans ces pages une naïveté qui n'est plus en moi. » Et sur un recueil plus tardif : « Je vois ici une diminution de poésie et plus de sérieux apparent. Cela s'appelle vieillir et c'est tant pis. » En quoi il était injuste. Les derniers propos me plaisent autant que les premiers. Ils sont plus sombres ; les temps l'étaient aussi.

Il me semble même que l'une des beautés des « propos » d'Alain est qu'ils ondulent avec les années et les âges. On y voit monter et descendre le bouclier d'Orion. Les saisons y mènent leur ronde. Les fêtes défilent en leur ordre. Pâques, la Pentecôte, la Fête-Dieu, la Toussaint, Noël sont chaque fois prétexte à des méditations toujours neuves. On entrevoit, à l'arrière-plan, des saisons à une autre échelle que commande la précession des équinoxes, et le Grand Froid qui ramènera le centre des civilisations à Babylone et à Tyr.

Un lecteur blasé pour avoir trop cherché « ce qui au monde vieillit le plus vite : la nouveauté » a besoin d'une cure de belles œuvres. Il lui faut revenir aux livres éprouvés qui délivrent de choisir et nous laissent penser. « Gymnastique contre la vraie guerre qui est en nous, dit

Alain, l'Iliade aussi bien. » J'ajoute : « Les Propos aussi bien. »

En cette longue série de *Propos,* Alain a ses thèmes favoris. Il s'intéresse à toutes choses et parle du dressage des chevaux comme des passions de l'amour, des ruses politiques, de l'art du peintre, de la guerre et de Dieu. Mais il étaie chaque sujet de quelques idées centrales qui sont comme l'armature de sa pensée et auxquelles il revient sans cesse pour un coup de marteau mieux dirigé. Il se répète ? Bien sûr, il se répète. « On dit que je me répète, écrivait Voltaire, eh bien ! je me répéterai jusqu'à ce qu'on se corrige. » Alain, lui, se répète pour *se* corriger, pour dire avec plus de force ou plus de poésie ce qu'il tient pour essentiel.

Toujours en s'appuyant sur le monde réel. Un oiseau, un arbre, un homme au travail, le soleil plus grand à l'horizon, un beau monstre rencontré dans Retz ou Saint-Simon, voilà les supports de sa pensée. L'univers des choses ne peut exister sans l'esprit. Mais inversement le monde réel est le seul régulateur de nos pensées. Le dialecticien voudrait vivre dans un monde séparé, celui des idées, mais il n'y a qu'un monde et nous sommes, comme dit Platon, fils de la terre, attachés aux arbres et aux roches. Aucun penseur, hors Platon, n'est aussi solidement installé que celui-ci parmi les travaux et les arts. Il aime à expliquer les pensées par le corps. Il sait que l'impatience d'un homme vient quelquefois de ce qu'il est resté trop longtemps debout. « Ne raisonnez point contre son humeur et offrez-lui un siège. » Il note que les hommes à lunettes mènent le monde, car on ne peut prendre leur regard. « On se trompe aux reflets du verre. Cela donne temps. » Il fut ravi quand je lui dis que Disraëli, qui ne fumait pas, accepta de Bismarck un cigare afin de ne pas laisser à l'autre l'avantage des pauses du fumeur. Il pensait que la poésie ne suit jamais quand la pensée marche la première.

Les corps expriment des natures. Regardant un mouflon ou un bouc, Alain se dit que, comme le mouflon sera toujours mouflon, et le bouc toujours bouc, l'avare sera toujours avare et le courtisan toujours courtisan. Gobseck n'a pas besoin de la vertu de Popinot, et d'ailleurs en est incapable. Mais Gobseck est capable de la particulière vertu de Gobseck. Justement parce que les natures sont immuables, on peut se fier aux natures. Alain excelle, comme Balzac, à montrer que le métier façonne l'homme, et comme Montesquieu, à démontrer le mécanisme qui transmet aux peuples les caractères des terres qu'ils habitent. Les profonds estuaires anglais comparés aux lagunes de Venise annoncent de meilleurs voiliers et des marins plus hardis. « Ainsi le continent pousse ces troupeaux d'idées nébuleuses vers les îles de toutes parts baignées ; et c'est Darwin le marin qui les tond. »

Comme la mer le corps humain a ses marées sur lesquelles il faut bien que la pensée s'élève et redescende. Après la colère vient un reflux qui est la fatigue. C'est ainsi, et nul ne peut faire que l'homme n'ait point de passions. Cela ne signifie pas qu'il ne puisse se gouverner par de petits mouvements suffisants. La barque à voile, si le marin sait naviguer, se sert des vents et des marées pour arriver au point choisi. Le politique chevronné connaît la force aveugle des foules; il se garde de les heurter de front, mais tire des bordées et se rapproche des plages. « Il faut se tenir ferme entre deux folies, l'une de croire que l'on peut tout, et l'autre de croire qu'on ne peut rien. »

« Tous ces propos sont à la fois de volonté et sur la volonté. » *De volonté* par le ferme dessein de recommencer chaque matin et de ne plus toucher à ce qui a été fait. Sur *la volonté* par l'exemple répété de la puissance de l'homme sur les choses et sur lui-même. Cet immense univers autour de nous n'est ni hostile ni favorable. Tout homme y peut agir si seulement il sait vouloir. Et il n'y a qu'un moyen d'agir qui est d'agir. Vouloir, c'est recommencer et continuer. « Je ferai », ce n'est rien. « Je fais », voilà une décision. La seule. Le bon paysan ne gémit pas sur les chardons ; il les coupe. Une œuvre commencée parle bien plus haut que les motifs et les désirs. « Heureux qui voit dans le travail de la veille les marques de sa propre volonté. »

On a tiré naguère de la masse des propos un traité du bonheur. Ce ne fut pas une faute. Les « *Propos sur le bonheur* » ont sauvé bien des lecteurs de désespoirs que nuls maux réels ne justifiaient. Mais, isolés, ces propos sur la conduite de la vie prenaient un air de recettes. Ils sont plus beaux réintégrés dans un vaste paysage d'idées. Baignés dans les mythes antiques, imprégnés de christianisme, ils s'épanouissent. Nous voyons mieux par tant de remarques sur les apparences comment l'imagination nous trompe et comment, par exemple, il est faux de dire que nous pensons avec crainte à notre mort, car cette pensée serait sans objet : nous ne pouvons nous penser nous-mêmes que vivants. Que l'accident imaginé soit presque toujours pire que les souffrances causées par l'accident réel, que le malade souffre autrement que l'homme bien portant, et de manière que celui-ci ne peut concevoir, autant de clous qu'il faut enfoncer profondément, car ils supportent la paix de l'esprit.

Un trait remarquable des *Propos*, c'est qu'Alain, si attentif à dénoncer les apparences, s'attache aussi à montrer ce qu'elles contiennent de vérité. Les religions, et singulièrement le christianisme, sont ici décrites par un esprit sans peur mais non sans foi. Les cérémonies du culte, y a-t-il plus puissant remède aux folies de l'imagination ? « Le catéchisme est le premier essai de l'école universelle. Et quoiqu'elle parlât par figures, la doctrine était émouvante et persuasive par l'idée qui y était cachée, qui n'est autre que l'idée de l'esprit humain. Nos mœurs sont encore, et heureusement, pénétrées et vivifiées de ce puissant système auquel nous devons la dignité de la femme, l'esprit chevaleresque, et l'idée d'un pouvoir spirituel au-dessus des rois et des nations. »

# IV

# LA POLITIQUE
# D'ALAIN

Mais attention ! Ce penseur qui accepte et loue les cérémonies, tient avant tout à conserver intacte sa liberté d'opinion. Beaucoup des propos sont politiques. Alain avait là-dessus des idées fermes. Ses passions eussent fait de lui un Julien Sorel, exaspéré par les Importants. Son bon sens l'amenait à reconnaître les nécessités du pouvoir, non à les adorer. Il faut qu'une société soit gouvernée. Celle qui ne l'est pas périt. Il faut commencer par obéir. Toute désobéissance, fût-elle pour la justice, fait durer les abus. « Aimez-vous ce métier de gendarme ? » est-il demandé dans L'Otage. « Non pas, répond le préfet, mais il faut faire ce que l'on fait. » Alain, qui admire Napoléon, constate qu'il épluchait les comptes et se défiait des voleurs, mais s'en servait. Le fait est que l'Ogre de Corse avait des coups de botte pour tout le monde : maréchaux, évêques, ministres, femmes parées, et que l'homme de troupe apercevait en cela une sorte de justice.

La politique de Turelure, et de Napoléon, est un métier comme le dressage des chevaux. La politique de l'esprit, elle, sauve la liberté du jugement et, tout en accordant l'obéissance, refuse le respect. Révolutionnaire ? On ne pourrait dire qu'Alain le fût. Il pensait qu'après tout bouleversement les pouvoirs reparaissent inchangés et que tout Important, si on lui lâche la bride, tend à devenir un tyran. A quoi le remède ne peut être que la vigilance des citoyens qui se méfient, avec raison, de leurs mandataires. Même l'exécutif doit être le représentant du citoyen contre les puissantes administrations qui ruineraient l'Etat si on les laissait faire. Alain redoute quiconque dépense l'argent des autres. Un de ses héros favoris dans les *Propos,* est Castor, l'homme d'affaires prudent, un peu avare, qui fait tout lui-même. Il y avait du Castor en Napoléon qui comptait les obus dans les caissons.

Un gérant ou un intendant, dit Castor, vous ruinera toujours. Il vendra mal parce qu'il est d'accord avec l'acheteur ; il achètera mal parce qu'il reçoit une prime pour les mauvais marchés qu'il fait. « Vous serez ruiné ; vous l'êtes ; votre bien s'effrite. Ou bien il faut revenir à la méthode de l'avare qui voit tout par lui-même. Et un gérant n'est encore rien. Que dire d'un peuple de gérants formant une administration bien payée et mal surveillée ? » La sévère loi selon laquelle le propriétaire oisif est ruiné par son intendant agit alors sous la majestueuse apparence de l'Etat. « Un beau jour, votre gérant aux mille visages vous annonce que vous avez perdu les quatre cinquièmes de votre bien et que lui, gérant, sera payé cinq fois plus, comme il est juste. »

Tel était Alain économiste, observateur à la Balzac et comprenant fort bien pourquoi le général de Montcornet est grugé par ses paysans tandis que Grandet s'enrichit. De Marx, il tenait l'idée que le politique est commandé par l'économique. « La pensée d'un homme en place, c'est son traitement. » Alain parle souvent de bourgeois et de prolétaires, mais ne donne pas à ces mots le même sens qu'un marxiste. Pour lui, le bourgeois est quiconque vit de plaire et de persuader, comme le marchand, l'avocat ; le prolétaire, celui qui vit de *faire,* comme le maçon et le tisserand. L'ordonnateur des pompes funèbres, ministre des signes, est le bourgeois par excellence. Il y a, au contraire, une habileté manuelle qui dispense tout à fait des signes. « Assurément, ce n'est pas par des regards impérieux que l'on peut fermer un robinet ou faire marcher une montre. » Ni diriger une usine. Un ingénieur devient moins bourgeois à mesure qu'il sait mieux son métier. Ni Louis Renault, ni Boucicaut ne furent jamais tout à fait bourgeois.

Très jeune, voyant un vieil homme, que d'ailleurs il aimait bien, saluer aux plats compliments de quelques renards d'administration, Alain avait dit à Alain : « Jeune homme, écoute-moi bien ; tu ne salueras jamais comme cela. Il faut faire maintenant un grand serment. » La plupart saluent un chapeau sur un bâton comme dans Guillaume Tell, et encore avec effusion et fierté. Alain n'a jamais salué le chapeau de Gessler. Telle était son irréligion. J'ai déjà dit comment il était religieux. Le « grand serment » est un de ses traits. « Il faut jurer », disait-il. « Si l'idée change avec l'événement, la pensée n'est plus qu'une fille. »

Ce mélange d'obéissance et d'irrespect fut difficile à sauver quand le philosophe se fit canonnier. Il le sauva pourtant. Soldat volontaire, discipliné, qui jugeait ses chefs et ne flattait point, il apprit à haïr la guerre, non pas tant pour ses dangers (il était courageux par nature et doctrine), que pour l'esclavage où elle rejette les citoyens qui s'étaient crus libres. Il en vint à penser que la guerre et sa préparation sont les plus grands maux de nos sociétés. En temps de guerre les tyrans sont au-dessus de tout contrôle. Et même en temps de paix, qui décide des armements? Qui des effectifs ? Qui des alliances ? Un petit cercle d'hommes que l'on dit compétents et qui mettent des lieux communs en discours. Des millions d'autres, sur lecture d'une affiche, graisseront leurs bottes.

Les propos d'après-guerre sont colorés par une grande et juste colère. Avant tout, il importait de contrôler le danger de guerre faute de quoi tout autre contrôle serait vain. L'argent nous tient, le riche nous tient ? Oui, bien sûr. Mais il faut voir la différence. On peut changer de maître ; on peut se moquer du maître ; on peut discuter. « Les syndicats sont puissants ; ce qui fait voir que le pouvoir capitaliste n'est nullement comparable au pouvoir militaire. Ce qui reste d'esclavage en notre temps tient à la guerre et aux menaces de guerre. C'est là que doit se porter l'effort des hommes libres, seulement là. » Les hommes libres ne surent pas comprendre cet impératif catégorique. Les peuples libres se querellèrent sottement entre eux et permirent ainsi la renaissance de l'éternel tyran. Alain n'avait cessé, semaine après semaine, de défendre la paix et la République « trois fois reniée, trois fois maudite, trois fois trahie chaque jour, et par ses meilleurs amis, avant que le coq ait chanté. Soit. Mais que le chant du coq alors nous avertisse. » Il souhaitait des négociateurs qui ne fussent pas des acteurs tragiques cher-

chant l'applaudissement et demandait que l'opinion dés-
honorât ceux qui étaient prêts, si bravement, à se battre
par procuration. « Les héros savent bien que Messieurs
les fifres et mirlitons ne les accompagneront que jusqu'au
dernier gendarme. Ils savent bien que les plus grands
crieurs reculeront jusqu'à Bordeaux. »

Le sage ne fut pas écouté. Bordeaux revit les grands
crieurs. Que le chant de ces coqs nous avertisse.

# V

# LE SYSTÈME
# DES BEAUX-ARTS

Pour comprendre le rôle des beaux-arts dans la cité, il faut penser à cet ombrageux sac de peau, frémissant comme l'encolure d'un cheval de sang, et si prompt à projeter parmi les choses ses émotions et ses terreurs. L'imagination est maîtresse d'erreurs et la rêverie toujours dangereuse si on ne lui donne un objet. Le rôle des beaux-arts est de lui assurer des objets réels et stables. Beaucoup croient qu'un certain délire conduit aux arts ; cela n'est vrai que si ce délire est surmonté. Le beau se détache du convulsif en se servant de cet excès de force pour imposer une forme à la nature. Le son musical est un cri, mais gouverné. Le roman est une passion, mais ordonnée. Le sculpteur agreste, effrayé par le tronc grimaçant, y achève la forme du dieu et, en la fixant, s'en délivre. On devient artiste en faisant soi-même ce que l'on veut voir ou entendre. Il n'y a pas d'autre moyen de faire apparaître un bison ou une hutte que de dessiner l'un ou de bâtir l'autre. Donner aussi un objet aux rêveries est sain, parce que l'indétermination des pensées est un mal plus grave que l'idée d'une nécessité inflexible. Sur un obstacle ferme qui, comme le monde réel, ne m'aime ni ne me hait, je puis penser. Aussi est-ce un caractère de l'œuvre d'art que l'on ne peut ni veut y rien changer. La cathédrale de Chartres et le sonnet de Baudelaire sont tels qu'ils sont. C'est ainsi.

L'artiste, comme le spectateur, est soumis à cette nécessité qu'il ne peut voir son œuvre que s'il la fait. Essayer de tirer l'œuvre de la seule rêverie est toujours la ruine de l'artiste. Dans l'imagination du romancier errent des fantômes de romans, mais on n'y peut pas plus compter les chapitres que les colonnes dans l'image du Panthéon L'artiste a besoin de la résistance de la nature, comme la colombe légère de celle de l'air, et c'est en ce sens que la nature est le maître des maîtres. Un événement réel est pour le romancier comme ces blocs de marbre que Michel-Ange allait voir et qui devenaient pour lui matière et premier modèle. C'est la résistance des choses qui, jointe à l'émotion, engendre l'œuvre. L'idée abstraite, celle du roman à thèse, ne produit que littérature industrielle. Ici encore, de bas en haut, cela va ; de haut en bas, jamais. Le peintre de portraits ne part pas d'une idée claire ; l'idée lui vient à mesure qu'il peint ; elle lui vient même ensuite, comme au spectateur. Il faut que le génie s'étonne lui-même.

La pensée toute nue n'évoque aucune forme. C'est l'agitation du corps, secoué par les émotions, qui en amenant des contacts, des expériences, donne à l'artiste son bloc de marbre. L'homme déchiré par les passions grogne, gémit, râle et crie ; voilà la manière du musicien. Ou bien il s'agite et imprime sa forme en creux dans le moule : c'est la grotte, la maison, le lit, les gradins, le stade. « L'art est l'homme ajouté à la nature », dit Bacon. Les arts, à leur source, sont une discipline du corps humain et, comme le veut Aristote, une purgation des passions. Or on peut concevoir deux manières de discipliner les émotions. L'une est de discipliner notre corps, ses mouvements et ses cris, d'où une première série d'arts : danse, chant, musique, poésie ; l'autre est de modeler le monde pour donner aux émotions un objet : architecture, sculpture, peinture, dessin. Entre les deux séries, le spectacle : cortèges, cérémonies, théâtres, où le corps est à la fois spectacle et spectateur.

La danse villageoise éclaire admirablement l'idée aristotélicienne de purification. Le délire de l'amour se traduit d'abord par une sorte de timidité, qui fait craindre un refus, à partir de laquelle se développent les passions les plus folles. Laissée à elle-même, cette émotion peut conduire au désespoir et à la violence. Par la danse, l'amour prend forme. Les gestes désirés deviennent permis parce qu'ils sont réglés. L'accord de tous les danseurs intègre le

**113**

désir animal dans l'ordre humain. Par des mouvements réglés et rythmés, l'amour se laisse penser ; il prend de l'assurance ; il cesse de balbutier. La danse exclut le désordre et la fureur. Il y a de l'immobile dans la plus belle danse amoureuse, comme on le voit en Espagne.

De la même manière, un beau portrait purifie l'idée du modèle en supprimant les humeurs, les tempêtes diffuses et en ne gardant que le permanent. Ce n'est pas le portrait qui ressemble au modèle, mais le modèle au portrait. Alain ici rejoint Kant. Le beau, enseigne Kant, est ce qui, dans l'objet, nous fait sentir l'harmonie de nos deux natures, c'est-à-dire la haute et la basse, l'idée et la passion. Le beau est intelligible sans réflexion, dit encore Kant. C'est que l'idée y est incorporée dans un ordre de nature. La cathédrale est un signe absolu que le croyant comprend sans preuves.

Le sublime naît quand la fausse infinité de la nature : orage, tempête, montagne, désert, est dominée, toisée par l'esprit. Le roseau pensant de Pascal est sublime. Les torrents chaotiques de Beethoven ou de Wagner, endigués par le rythme, éclairés par des éclairs des thèmes, sont sublimes. Mais il y a sublime aussi quand les orages des passions sont dominés par le philosophe ou le romancier. Il n'y a pas de sentiment esthétique pur. Ce sont nos passions : amour, ambition, avarice, qui deviennent esthétiques par la purification. L'homme ne doit pas venir au beau déjà purifié. Sinon il sera esthète et non artiste. Nul ne peut admirer le sublime, ni le créer, s'il ne se trouve pris dans un mouvement de malheur dont il attend quelque extrême terrible. Il faut que le beau ait un contenu d'émotions sauvées qui soit un tumulte menaçant, puis se change en apaisement et délivrance. De quoi les tragédies de Racine sont un bel exemple. *Candide,* où la violence et l'horreur affleurent sous le *prestissimo* du récit, est beau comme Mozart est beau. L'éloquence est belle si elle est la mise en ordre de la rumeur en chacun. L'oraison funèbre et la messe de *Requiem* exigent de l'orateur et du musicien la même douleur dépassée.

La poésie jette quelque lumière sur le mystère des beaux-arts. Ce qui est beau ici n'est pas le sujet ; un mauvais poète composera sur Nausicaa un mauvais poème. Ce n'est pas l'idée : Hugo fera un poème sublime d'un lieu commun. Ce qui fait la beauté, c'est l'imprévu qui naît de la chanson même, du nombre, de la rime. Dans tous les arts, c'est de l'exécution que naît le beau, et non point du projet. C'est en cherchant les mots selon la mesure que le poète a des bonheurs d'expression et découvre sa pensée. Aussi faut-il que sa matière résiste. Le grand poète ne s'affranchit pas des règles sévères du poème. Valéry faisait des vers réguliers, comme Michel-Ange acceptait les blocs de marbre. La contrainte est de nature et soutient l'esprit. Le style plat est celui qui, n'étant que d'entendement, nous fait oublier l'harmonie de la nature et de l'esprit. C'est pourquoi le poète est le premier penseur. L'extravagance guette celui qui cherche le vrai par le haut, par la logique. Aussi Homère est-il à sa place dans une classe de philosophie. La vérité de l'homme par l'harmonie en l'homme, telle est la leçon de la poésie.

Sur le roman, Alain, le meilleur lecteur qu'eurent jamais Balzac, Stendhal, Sand, Tolstoï, doit être lu dans son propre texte. Disons seulement qu'en l'art du roman, comme dans celui des jardins, il fait voir un double mouvement. L'essence du romanesque, c'est la volonté d'un héros qui a choisi son destin. L'amour romanesque est ce genre d'amour qui est choisi. Mais les rêveries et sentiments du héros ne suffiraient pas à faire vivre le roman. Les confessions abstraites ennuient. Il faut qu'elles soient portées par un monde extérieur solide. « Comment les forces extérieures reprennent l'audacieux, comment sa volonté devient destin pour d'autres plus faibles, ou plus attachés à la coutume, et comment par là toutes les puissances humaines mécaniques saisissent et déchirent le romanesque de leurs crochets », voilà le sujet de la *Chartreuse*, du *Lys dans la vallée*, et de tous les grands romans. C'est pourquoi les longues préparations par lesquelles Balzac établit, au début d'un roman, ses maisons et ses villes, Guérande avant *Béatrix*, et Saumur avant *Grandet*, sont nécessaires, comme aussi le peuple des automates, les Hochon, les Cibot, les Listomère. Ceux-là sont objets. Un seul personnage est vu de l'intérieur et pense pour le lecteur. Quelquefois c'est le héros, comme Stendhal. Et quelquefois c'est l'auteur lui-même qui se place au point de vue de Dieu. Enfin méditez cette formule : « Le roman est le poème du libre arbitre. »

Qu'est-ce que l'imagination du romancier ? Voit-il, entend-il les êtres qu'il a créés ? Il n'y a pas d'images sans perception, ni de perception sans support de nature. En fait Stendhal trouvait le sujet du *Rouge* dans un procès réel, celui de la *Chartreuse* dans une chronique italienne. Balzac se servait de personnages rencontrés : Thiers, la Duchesse de Castries, Liszt et Madame d'Agoult, le policier Vidocq. Mais ces données de nature sont, pour le romancier, ce que le bloc de marbre est pour le sculpteur. Dès qu'il commence à les dégrossir, il découvre dans l'œuvre esquissée d'autres apparitions ; cependant il trouve dans le monde extérieur, par les rencontres de la vie, des éléments bons à incorporer à cette pâte qu'il pétrit. L'imagination ne peut créer que par ce travail des mains et de la plume. Un roman rêvé n'est pas plus un roman qu'une statue rêvée n'est une statue. Les beaux-arts s'expliquent par ce fait que l'exécution ne cesse de surpasser la conception. On nomme inspiration ce mouvement de nature qui dépasse notre espérance.

Il faut encore dire ceci : que cette œuvre d'Alain sur l'art est une œuvre d'art.

# VI

# LES DIEUX

De même que la science est une réflexion sur la perception, la philosophie est une réflexion sur la religion. Il s'agit, en ceci comme en toutes choses, de montrer qu'il y a une vérité de chaque religion et que les étages inférieurs sont nécessaires pour porter les étages supérieurs. « Si je pouvais penser tous les dieux en Dieu et comme Dieu, tous les dieux seraient vrais. » Ici, Spinoza.

De quoi sont nées les religions ? De ceci que nous cherchons nos propres émotions, nos espoirs et nos craintes dans l'image du monde qui ne peut répondre. « C'est de là que nous formons cette présence cachée et embusquée qui nous fait croire que tout est plein de dieux. Mais les dieux refusent de paraître ; et c'est par ce miracle qui ne se fait jamais que la religion se développe en temples, statues et sacrifices... » Car il faut bien faire apparaître quelque chose. Ainsi l'invisible, en réfléchissant nos appels, redouble de présence. Les puissantes œuvres, sanctuaires, cathédrales, où l'on pressent quelque chose qui vaut la peine de deviner, sont aussi des centres de prières et de pèlerinages. Les œuvres du langage, quand elles font l'objet d'un culte, comme la Bible, sont autant d'énigmes et non moins dignes d'être devinées que les statues des dieux. La pieuse méthode d'Alain consiste à supposer vraies toutes les religions et à chercher en quoi elles furent vraies.

Il remonte donc un à un tous les étages de l'homme, celui d'Aladin ou de la magie, celui de Pan ou des dieux agrestes, celui de Jupiter ou des dieux de la cité, celui de

Jéhovah et enfin celui de Christophore. La religion agreste et la religion politique survivent en tout homme, mais sont désormais subalternes. Loin de la puissance de Jupiter, on voit aux carrefours un homme supplicié sur deux bois en croix. Cette grande image, qui est devenue celle de la religion de l'esprit, doit être expliquée. Le premier et suprême paradoxe, c'est que l'esprit n'est point. L'immense existence contient tout ce qui est. L'esprit ne peut rien. Il n'est ni dedans ni dehors ; il est le tout du tout. L'esprit est un et indivisible. Ceux qui entrevirent ces choses sans les démêler encore des apparitions et puissances, formèrent la violente, sublime et fanatique religion de l'Esprit. Hegel a nommé le peuple juif le peuple de l'Esprit. Dans la Bible, au début, il n'y a rien et l'esprit crée comme on pense. Les faux dieux sont immolés ; il reste le vide du désert et la formidable absence, partout présente. Le seul crime est d'oublier que l'homme n'est rien devant l'Eternel. Après ce transport de la nature à un dieu vide, auquel, par une survivance de la religion politique, est attribuée la toute-puissance, il ne reste rien à dire. Que ta volonté soit faite, ton amère volonté ! La métaphore est essentielle à la religion de l'esprit qui ne peut être idolâtre et doit ramener les images au niveau de l'apparence. Tel est le sens des métaphores de la Bible et des paraboles des Evangiles. La parole abstraite n'entre pas en l'homme. L'événement, l'exemple, l'image soutiennent le discours et nous rendent assurés par tout notre être. Hors des tragiques problèmes qui nous prennent à la gorge, nous pensons facilement et légèrement, et même n'importe quoi.

L'erreur moderne, qui occupe peut-être quatre mille volumes, est de rechercher si la religion a été révélée, où et quand, et par quels témoins nous le savons. Cette preuve ne peut être donnée, car toute preuve de l'existence est une preuve d'expérience, et il n'y a pas d'expérience du passé. Ce qui importe, ce n'est pas si Jésus a dit telle chose tel jour, mais que cette chose est vraie. Il faut croire, et commencer par là, et s'y tenir : « L'intelligence doit suivre la foi, ne jamais la précéder et ne jamais la rompre. » Considérez longtemps la croix aux quatre chemins. C'est ce que j'appelle prier. Il importe beaucoup qu'une religion soit idolâtre. En de pures idées elle n'est plus religion et elle n'est pas grand-chose. La religion de l'esprit écarte les dieux de la nécessité : ceux du ventre, il faut qu'ils reviennent sous la forme du Diable. Le Diable à mille formes nous suit partout comme il suit Faust, car il est en nous. Que le Diable, que les dieux inférieurs existent, cela est évident ; ils ne sont qu'existence. Jésus disait : « Mon royaume n'est pas de ce monde », mais l'empire du Diable est de ce monde, et il est donné de toute éternité, car l'univers est sans valeur toujours. L'esprit est trompé s'il ne croit seulement à lui-même. On ne rend pas justice au christianisme si l'on ne pense à toutes les religions troubles qu'il a dépassées et condamnées.

Marc-Aurèle et Epictète avaient déjà poussé à l'extrême le souci de ne pas déshonorer la partie gouvernante de l'homme, mais ils sont païens pourtant car ils se connaissent et se disent fils du monde. « Tout ce que m'apportent tes saisons est pour moi un fruit, ô Nature. » Par ce biais, ils s'accommodaient des Olympiens, qui sont les noms des forces naturelles. Mais le Christ est fils de l'Homme. Cette religion est humaine et non inhumaine. L'Homme et Dieu sont intimement ensemble dans l'homme libre. Il faut ici revenir à l'ascension réelle qui fait toutes nos pensées. « Jupiter est un homme mais n'arrive pas encore à être un dieu, sinon par rapport au serpent, à la vache, au loup, au singe, à l'éléphant. Jupiter n'est pas assez dieu ; il n'est pas non plus tout à fait homme car il ne se dépasse point et jamais ne juge. Il est bonhomme, comme sera toujours César incontesté. Et c'est parce qu'il n'est pas assez homme qu'il n'est pas encore digne d'être dieu. Jéhovah, tout au contraire, n'est plus homme du tout et sa manière d'être incompréhensible n'est pas celle de l'homme, mais plutôt celle de l'indescriptible qui se cache dans les bois ou dans les nuages. Cet esprit pur ne peut plus s'incorporer; il est coupé de l'homme, et revient sur l'homme en prodige extérieur. Il fallait, de ces oscillations, revenir plus près de l'homme vrai. La religion s'est donc incarnée... Tel est le second moment de l'esprit, et par un mouvement double, qui nous élève de l'athlète au saint, et qui nous ramène du pur esprit à l'esprit fraternel... »

Regardez l'enfant dans la crèche : « Cette faiblesse est Dieu. Cette faiblesse qui a besoin de tous est Dieu. Cet être qui cesserait d'exister sans nos soins, c'est Dieu. Tel est l'esprit, au regard de qui la vérité est encore une idole. C'est que la vérité s'est trouvée déshonorée par la puissance ; César l'enrôle et la paie bien. L'enfant ne paie pas ; il demande et encore demande. C'est la sévère règle de l'esprit que l'esprit ne paie pas, et que nul ne peut servir deux maîtres... »

Les idées en résumé ne sont même plus des idées. Cel-les d'Alain surtout qui valent, non par la charpente logi-que mais par les métaphores et paraboles, par la profonde poésie. Il faut toujours rappeler que son cours commen-çait, comme celui de Lagneau, par une leçon de trois mois sur la perception, source de nos connaissances comme de nos erreurs. J'ai essayé, non de les ordonner en système, mais bien plutôt d'inspirer au lecteur le désir de visiter les riches vergers où fut cueillie cette corbeille, et celui de transformer sa vie en s'inspirant de cette sagesse qui enseigna aux hommes l'espoir plutôt que la crainte.

# PAUL CLAUDEL

La voix de Claudel aide ceux qui connaissent l'homme-Claudel à entrer de plain-pied
dans l'œuvre. Cette voix est vigoureuse, âpre,
dominatrice, et pourtant savoureuse et cor-
diale. Elle mâche les mots avec force, elle
détache les syllabes, elle se meut parmi les
phrases et ses propositions comme le soc de
charrue parmi les mottes de terre brune.
Elle creuse dans le champ des idées un sil-
lon inflexible et profond, mais les pierres et
les bêtes des champs, et les plantes arra-
chées, grouillent, dans cette ligne droite,
d'une vie chaotique. Elle est une voix très
française, mais provinciale, champenoise,
paysanne. « Qui a mordu à la terre », dit
Claudel, « il en conserve le goût entre les
dents ».

# I

# L'HOMME

Claudel a mordu à la terre. Il est né au confins de la Champagne, dans un village de l'Aisne, Villeneuve-sur-Fère-en-Tardenois. Nom de lieu qui a sa beauté et trouverait assez bien sa place dans un verset de *La Jeune Fille Violaine*. Le grand-père maternel de Claudel était un paysan, son père un conservateur des hypothèques. Enfant, il fut élevé à Villeneuve-sur-Fère. Assis dans la fourche d'un pommier, il regardait la vaste plaine blanche et la route royale de Reims. La Cathédrale allait être un jour au bout de ses pensées comme à la fin de ce ruban poudreux.

A son enfance campagnarde, il doit de connaître les travaux des champs, les plantes, les oiseaux. Quand il empruntera plus tard des images aux semailles, à la moisson, aux métiers villageois, elles seront justes et précises. Claudel ne sera jamais un poète des cafés parisiens, ni un poète de salon, fût-ce du salon précieux de Mallarmé. Il saura parler du pain, de la soupe, en petit-fils de paysan qui a fait (ou vu) cuire l'un et tremper l'autre. Solidement lié à sa terre, il pourra, sans danger de dépaysement, voyager par toute la planète.

Il a l'esprit cosmique. «*La scène de ce drame est le monde*», dit-il en commençant le *Soulier de Satin*. «Il avance en esprit, comme son Amalric, au milieu des continents.» «*A gauche Babylone et tout le bazar, les fleuves qui descendent de l'Arménie ; à droite l'Equateur, l'Afrique... et tout à coup le grand magasin du Louvre, bondé d'étoffes et de savon, c'est l'Inde qui est devant nous.*»

De l'univers il ne cesse de prendre des vues d'aigle. « Tel le Saint-Jacques du *Soulier,* il regarde du haut du firmament les sillons des vaisseaux sur les océans (1). » Diplomate, il voyagera par toute la terre. Partout il restera un Français du Tardenois, cultivé, profond, hardi, mais qui garde pour mesurer le monde le mètre-étalon d'une cervelle champenoise.

Un Français. Un paysan. Mais aussi, et surtout, un catholique. Le catholicisme de Claudel ne date pas de son enfance. Celle-ci fut soumise aux rites : baptême, première communion, mais assez tôt fermée aux croyances. Né en 1868, Paul Claudel vécut son adolescence entre 1880 et 1890. C'était une époque de matérialisme scientifique. Au-dessus des poulaillers universitaires tournoyaient Taine et Renan. Le mécanisme universel apparaissait comme évident. Un jour, pensaient certains professeurs de 1880, un jour il sera possible, en faisant tourner les roues d'une machine infiniment complexe, de reconstituer tel moment du passé, de préfigurer tel moment de l'avenir.

Au lycée Louis-le-Grand, l'élève Paul Claudel eut pour professeur de philosophie Burdeau, moraliste républicain, jacobin kantien, de qui Maurice Barrès a fait un dur portrait dans *Les Déracinés* sous le nom de Boutillier. Claudel adopta (temporairement) la philosophie de son maître : « La forte idée de l'individu et du concret était obscurcie en moi. J'acceptais l'hypothèse moniste et mécaniste dans toute sa rigueur, je croyais que tout était soumis aux « lois » et que ce monde était un enchaînement dur d'effets et de causes que la science allait arriver après-demain à débrouiller parfaitement. »

Plus tard sa rancune contre cette mécanique verbale allait être violente et injuste. Renan dont il avait alors aimé la *Vie de Jésus* ne sera plus, dans ses écrits, que « le hideux, l'ignoble Renan ».

*Restez avec moi, Seigneur, parce que le soir approche et ne m'abandonnez pas !*

*Ne me perdez point avec les Voltaire, et les Renan, et les Michelet, et les Hugo, et tous les autres infâmes !*

(₁) MARCEL THIÉBAUT.

*Leur âme est avec les chiens morts, leurs livres sont joints au fumier.*

Comment le Claudel de dix-huit ans échappa-t-il à ce qu'il nomme « le bagne matérialiste » ? D'abord par la rencontre, en juin 1886, de Rimbaud : « La première lueur de vérité me fut donnée par la rencontre des livres d'un grand poète, à qui je dois une éternelle reconnaissance et qui a eu dans la formation de ma pensée une part prépondérante, Arthur Rimbaud. » Puis un jour, celui de Noël 1886, « il rencontra le Christ ».

« *Tel était* », écrit-il, « *le malheureux enfant qui, le 25 décembre 1886, se rendit à Notre-Dame pour y suivre les offices de Noël. Je commençais alors à écrire, et il me semblait que dans les cérémonies catholiques, considérées avec un dilettantisme supérieur, je trouverais un excitant approprié à la matière de quelques exercices décadents. C'est dans ces dispositions que, coudoyé et bousculé par la foule, j'assistai, avec un plaisir médiocre, à la grand-messe. Puis, n'ayant rien de mieux à faire, je revins aux Vêpres. Les enfants de la maîtrise en robes blanches, et les élèves du Petit Séminaire de Saint-Nicolas-du-Chardonnet qui les assistaient, étaient en train de chanter ce que je sus plus tard être le* Magnificat. *J'étais moi-même debout dans la foule près du second pilier à l'entrée du chœur, à droite, du côté de la sacristie. — Et c'est alors que se produisit l'événement qui domine toute ma vie. En un instant mon cœur fut touché et je crus. Je crus, d'une telle force d'adhésion, d'un tel soulèvement de tout mon être, d'une conviction si puissante, d'une telle certitude ne laissant place à aucune espèce de doute que, depuis, tous les livres, tous les raisonnements, tous les hasards d'une vie agitée, n'ont pu ébranler ma foi ni, à vrai dire, la toucher. J'avais eu tout à coup le sentiment déchirant de l'Innocence, de l'éternelle enfance de Dieu, une révélation ineffable. En essayant, comme je l'ai fait si souvent, de reconstituer les minutes qui suivirent cet instant extraordinaire, je retrouve les éléments suivants qui cependant ne formaient qu'un seul éclair, une seule arme, dont la Providence divine se servait pour atteindre et s'ouvrir enfin le cœur d'un pauvre enfant*

*désespéré : « Que les gens qui croient sont heureux ! —
Si c'était vrai, pourtant ? — C'est vrai ! Dieu existe, il est
là, c'est quelqu'un, c'est un être aussi personnel que moi !
Il m'aime, il m'appelle... » Les larmes et les sanglots
étaient venus, et le chant si tendre de l'Adeste ajoutait
encore à mon émotion. »*

Toujours Claudel sera fidèle à cette idée qu'une conversion ne peut être que soudaine ; toujours ses héros seront
sauvés par un choc qui, retournant la tapisserie du monde,
leur montrera le dessin sublime dont ils n'ont vu jusqu'alors que l'envers inintelligible ; toujours dans son
œuvre reviendra l'image de l'éclair qui jette une brève
lueur blanche sur la cour de ferme, sur la plaine, sur la
route poudreuse. La Grâce, comme l'inspiration du poète,
lui semble être un retournement total, instantané de
l'âme. L'esprit suit alors, plus lentement. Dialogue d'Animus et d'Anima.

Chez Claudel, entre l'illumination d'Anima et l'acceptation d'Animus, quelques années s'écoulèrent. Puis le
catholicisme devint le centre de sa vie. Cela implique
certains traits constants. Le catholique est toujours un
réaliste; nous trouvons dans l'œuvre de Chesterton comme
dans celle de Claudel cette vigoureuse acceptation du réel
à laquelle se refusent les idéalistes laïques. L'Eglise est
loin de nier le Mal ; elle le tient pour nécessaire ; elle en
tire parti. « Le mal est dans le monde », dit Claudel
« comme un esclave qui fait monter l'eau. » Le catholique
a des points de repère fermes. Enfermé dans une armature de cérémonies et de pratiques, il est soutenu par
elles, et cette armature est une armure. Il sait, à n'en
point douter, ce qui est bien et ce qui est mal, ce qui est
blanc et ce qui est noir. Comme artiste, il est privilégié
parce que les drames spirituels des hommes, pitoyables
aventures animales aux yeux des sceptiques et des cyniques, deviennent aux yeux du catholique la tragédie essentielle et la raison d'être du monde.

L'originalité de Claudel, c'est que chez lui le réalisme
catholique prend pour objet, non seulement la vie individuelle, mais la vie sociale, économique. Ayant passé par
l'Ecole des sciences politiques il entre d'abord dans le
service consulaire, plus tard dans le service diplomatique.

Il parcourt toute la terre, rien que la terre. Il réside à New York, à Boston, en Chine, au Japon, à Hambourg, au Brésil ; il sera vers la fin de sa carrière ambassadeur de France à Tokio, à Washington, à Bruxelles. Et ce qu'il veut chanter dans ses vers, c'est, un peu comme Walt Whitman, toute cette activité des hommes, ces chemins de fer, ces bateaux, ces banques, ces guerres mêlées aux passions de l'individu, ces travaux de la terre, ces églises construites, cette vie quotidienne et surnaturelle. A sa Muse, dans l'une des *Cinq Grandes Odes,* il demande de lui permettre cette rude, et terrestre, et charnelle, et catholique poésie :

*Laisse-moi être nécessaire ! Laisse-moi remplir une place reconnue et approuvée,*
*Comme un constructeur de chemins de fer, on sait qu'il ne sert pas à rien, comme un fondateur de syndicat !...*
*Laisse-moi chanter les œuvres des hommes et que chacun retrouve dans mes vers ces choses qui lui sont connues,*
*Comme de haut on a plaisir à reconnaître sa maison, et la gare, et la mairie, et ce bonhomme avec son chapeau de paille, mais l'espace autour de soi est immense !*
*Car à quoi sert l'écrivain, si ce n'est à tenir des comptes ?*
*Que ce soit les siens, ou ceux d'un magasin de chaussures, ou de l'humanité tout entière...*

Etre un bon comptable de l'humanité tout entière, ce sera l'objectif de Claudel poète, cependant que Claudel consul écrira sur le commerce de Hambourg ou de Rio des rapports dont la précision devait lui valoir le respect du Quai d'Orsay et de son chef, Philippe Berthelot, curieux homme cynique et tendre, patron fidèle, grand commis, géant par le front, l'intelligence et l'orgueil. Mais il n'est pas contradictoire que le poète catholique soit un économiste précis. « Mon désir est d'être », disait Claudel, « le rassemblement de la terre de Dieu. »

# II

# L'INSTRUMENT

Etre le rassemblement de la terre de Dieu... Chanter les louanges du vaste empire de Dieu... Tel est le thème. Mais quel sera l'instrument ? L'instrument de Claudel sera un instrument nouveau, inventé par lui, une forme originale du drame et du poème. Pourtant, comme toute chose créée par un mortel, ce drame claudelien a des ancêtres. Qu'admirait Claudel au moment où il se mit à chercher sa voie propre ? D'abord Rimbaud. Mais aussi les plus grands des Anciens, la Bible (et en particulier les prophètes et les psaumes), Eschyle (et il traduira l'*Orestie*), le latin d'Eglise et la liturgie catholique, Shakespeare, Dante, et, parmi les catholiques plus proches, Coventry Patmore. A la Bible, à l'Eglise, à Dante, il doit l'idée d'écrire en versets et je ne serais pas surpris si le fait d'avoir été un traducteur, du grec et de l'anglais, lui avait inspiré une certaine indulgence, et même un amour, pour la phrase de guingois, escarpée, pour l'adjectif inattendu, pour les tournures maladroites. Mallarmé, autre traducteur, avoue l'influence sur son langage du déplacement des mots dans un texte étranger. Dans la prose de Claudel on voit parfois passer, près de l'ombre de Rimbaud, celles, géantes, d'Eschyle ou de l'Ecclésiaste.

Au début de son œuvre, il écrit des vers réguliers :

*La rougeur de l'amour et celle de la honte*
*Couvrent ma face d'où j'ai retiré mes mains.*
*Je me tiendrai debout, bravant les yeux humains,*
*Comme un homme marqué de qui nul ne prend*
*[compte...*

*L'inexorable amour me tient par les cheveux.*
*Puisque je suis à toi, découvre-moi ta face !*
*Puisque tu tiens mes mains, que veux-tu que je*
*[fasse ?*
*Toi qui m'as appelé, dis-moi ce que tu veux.*

Ces *Vers d'Exil* ne sont pas sans beauté, mais à des maladresses de coupe, à des césures pénibles aux lèvres du
lecteur, on y devine une lutte constante entre l'ouvrier et
l'outil. La régularité du vers classique exaspère Claudel et
même cette régularité qui se veut irrégulière du vers
romantique. Le mouvement lyrique de Hugo ne lui déplaît
pas, mais il ne voit pas pourquoi Hugo se croit obligé de
lier ce mouvement au rythme de l'alexandrin ou de tel
autre vers régulier. Tout le problème, pense-t-il, pour le
poète français, classique ou romantique, semble être de
trouver des mots pour remplir toutes les files des syllabes, toutes les notes de la marche militaire des phrases.

*Taratata, Taratata, Taratata,* est un alexandrin convenable, et en beaucoup de cas ce que Hugo met à la place
de *Taratata* ne vaut pas mieux, et même vaut moins. (Il
faut ici que je raconte comment, à la fin de sa vie, j'entendis Mounet-Sully, qui n'avait plus aucune mémoire, ni
même assez d'oreille pour saisir la voix du souffleur, jouer
le rôle de Ruy Blas. Avec une admirable dignité, d'une
voix superbe, animé d'une passion farouche, Mounet-
Sully hurlait, tous les trois ou quatre vers : « Taratata,
Taratata, Taratata », ou bien : « Tarata, Tarata, Tarata, Tarata ! » Et c'était très beau. C'était même tout
aussi beau. Ce qui est une grande et terrible leçon).

Que doit faire le poète s'il est las du vers régulier ?
Chercher une inspiration, pense Claudel, dans la musique
de la phrase française parlée. Ecoutez, par exemple, dit-
il, « causer derrière un mur deux dames de la province
ou de Paris... Quel dialogue entre ces voix ! Quelle originalité et quelle verdeur dans les attaques ! Quel tour toujours nouveau ! Quelles coupes !... Quelles élégantes
ondulations de la phrase, ponctuée au mépris de la grammaire, et que termine un cri de fauvette ! Ah ! Il n'y a
plus besoin de mesurer et de compter ! Quel soulagement !
Comme l'esprit jouit de cet affranchissement de l'oreille !

Qu'est-ce qui va arriver ? Quelle musique toujours changeante et toujours imprévue, et quelle joie de se sentir ainsi gracieusement porté sans que l'on sache comment par-dessus tous les obstacles ! Et comme le vers alexandrin à côté de ces roulades d'oiseau paraît quelque chose de barbare, à la fois enfantin et vieillot, quelque chose de pionnesque et de mécanique, inventé pour dépouiller les vibrations de l'âme, les initiatives sonores de la simple Psyché, de leur accent le plus naïf et de leur fleur la plus délicate.

*Le lecteur, qui littérairement en est resté à l'époque des crinolines et du linge empesé, fronce le sourcil au seul nom de liberté et je l'entends qui s'écrie : « Mais c'est de la prose, ce que vous dites là ! » Non, ce n'est pas de la prose, cher Monsieur, ça n'a aucun rapport, ce sont des vers dont chacun est distinct, dont chacun a une figure sonore différente et contient en lui-même tout ce qu'il faut pour être parfait, en un mot c'est de la poésie latente, brute encore, mais infiniment plus vraie, jaillie d'une source infiniment plus profonde que toutes les malherberies à la mécanique. La prose n'est que l'artifice sculptural du bonhomme tiède à sa table de travail qui n'a plus conscience de sa respiration et du bruit que l'on fait en parlant et qui, dans le sommeil du ver à soie, fait sortir de sa filière un long ruban de stiques coagulés. — Comment faire, se dira l'apprenti dont je parle, pour garder cette franchise, cette liberté, cette vivacité, cet éclat du langage parlé, et cependant pour lui donner cette consistance et cette organisation intérieure qu'exige l'inscription sur le papier ? Comment ouvrir à la Muse un chemin de roses ? Comment l'enivrer sans la rassasier jamais d'une musique qui ait à la fois l'intérêt de la recherche et la douceur de l'autorité ? Comment garder le rêve en écartant le sommeil ? Comment soutenir son pas d'un nombre à la fois sensible et introuvable comme le cœur ? et nous débarrasser une fois pour toutes de cet abominable métronome dont le battement de tournebroche couvre notre jeu et de la voix de cette vieille maîtresse de piano qui ne cesse de hurler à notre coude : Un — deux — trois — quatre —cinq — six !*

Que propose Claudel à l'amateur de musique verbale qui se refuse au métronome des coupes classiques ? Il le prie de remarquer certains faits : a) Il existe des rythmes naturels du langage, celui des mouvements du cœur, celui de la respiration, et il est naturel que la coupe du vers, au lieu de se faire suivant les lois rigides de la prosodie, tienne compte du souffle. b) La langue française n'est pas accentuée, comme l'anglais ou le latin, et par conséquent ne saurait avoir une prosodie de même nature que ces langages. « La phrase française est composée d'une série de membres phonétiques, avec insistance de la voix sur la dernière syllabe ». Exemple : « Celui qui règne dans les *cieux* et de qui relèvent tous les *empires,* à qui seul appartiennent la gloire, la majesté et l'*indépendance,* est aussi le seul qui se glorifie de faire la leçon aux *rois...* » Autre exemple, que Claudel appelle « un beau vers », emprunté au Code Pénal : « Sera mis de plus, pendant la durée de sa peine, en état d'internement *légal...* » c) Le vers n'est pas un groupe de mots ayant un nombre de pieds déterminé, mais un groupe de mots formant un tout et séparé du groupe suivant par un blanc dans la pensée comme sur le papier. Nous pensons par bonds successifs et la théorie des *quanta* est vraie de la pensée. Tenir compte de ces bonds successifs, c'est écrire en vers (ou en versets, tels les Prophètes ou les chœurs grecs) ; essayer au contraire de cimenter l'édifice de la pensée, de remplir les creux et de lier le tout par un enduit de logique, c'est écrire en prose. « Le vers composé d'une ligne et d'un blanc est cette action double, cette respiration par laquelle l'homme absorbe la vie et restitue une parole intelligible ». Tout langage parlé est fait de vers à l'état brut. Le langage qu'emploie Claudel, c'est, croit-il, le langage de tous les jours :

*Les mots que j'emploie,*
*Ce sont les mots de tous les jours, et ce ne sont point*
*les mêmes !*
*Vous ne trouvez point de rimes dans mes vers ni aucun*
*sortilège. Ce sont vos phrases mêmes. Pas aucune de vos*
*phrases que je ne sache reprendre !*
*Ces fleurs sont vos fleurs et vous dites que vous ne les*
*reconnaissez pas.*

*Et ces pieds sont vos pieds, mais voici que je marche
sur la mer et que je foule les eaux de la mer en triomphe !*

Telle est l'origine du vers claudelien qui, pour beaucoup de lecteurs, est une convention plus difficile à accepter que le vers régulier parce qu'ils y sont moins
habitués mais qui, à la lecture, porte à merveille la voix
et le souffle. C'est en tels versets que sont écrites toutes
les pièces de Claudel et la plupart de ses poèmes.

« Shakespeare », me dit un jour Paul Valéry, « c'est
un auteur dramatique qui a eu une idée extravagante,
celle de faire réciter sur la scène, par ses personnages,
dans les moments les plus pathétiques, des pages entières
de Montaigne. Cela aurait pu choquer, ennuyer. Point du
tout. Les spectateurs ont été épatés et enchantés ». De la
même manière, on pourrait dire de Claudel qu'il fait réciter par ses personnages, en certaines scènes, de longues
paraphrases du Cantique des Cantiques ou des Psaumes.
Mais ce serait une erreur que de tenir le verset claudelien pour le seul moyen de communication de la pensée
de Claudel. Lisez *Connaissance de l'Est,* l'*Introduction à
la Peinture hollandaise,* ou *Positions et Propositions,* et
vous découvrirez un grand prosateur.

# III

# LES THÈMES
# ET LES ŒUVRES

*Tête d'Or* est le premier drame dans la jeunesse de Claudel. C'est le drame de la mort. Simon Agnel, Hercule aux cheveux d'or, ayant perdu la femme qu'il aime, s'allie avec un adolescent, Cébès, et entreprend avec lui la conquête du monde. Un vieil empire est sur le point d'être détruit par les Barbares. Simon Tête d'Or se met à la tête des troupes et sauve la civilisation, mais Cébès meurt au moment de la victoire. Puisqu'il a perdu la maîtresse et l'ami, Tête d'Or devient impitoyable et il entreprend de dominer toute la terre. Bientôt l'Europe est conquise. Au Caucase, Tête d'Or va rencontrer l'Asie. Et là encore il est victorieux. Mais il paie la victoire de sa vie. Un commandant, sur le champ de bataille, dit les derniers mots du drame et le triomphe de la Mort :

*Trois rois morts ! des événements étranges !*
*Les lois de l'usage brisées, la faiblesse humaine sur-*
*montée, l'obstacle des choses*
*Dissipé ! Et notre effort arrivé à une limite vaine*
*Se défait lui-même comme un pli*

*Tête d'Or*, c'est le drame de la violence, le drame du Conquérant. Marcel Thiébaut raconte qu'assistant à une représentation de *Tête d'Or*, il lui parut soudain impossible que Claudel n'eût pas songé à Bonaparte. Alexis Léger, à qui il en parla, lui dit que, dans sa jeunesse, Claudel était obsédé par Bonaparte. A la question un jour posée : « Quel est le héros de roman que vous préférez ? », il devait répondre : « Napoléon Bonaparte ». Le Conquérant Tête d'Or — Bonaparte — Claudel s'empare du pouvoir. Tête d'Or a son duc d'Enghien : le vieux roi. La violence est partout dans l'œuvre de Claudel. « Dans ma famille, dit-il, nous étions violents, hargneux. » Pour lui il limita la violence à de dures boutades. « Il a l'air d'un marteau-pilon », disait Gide. Et Henri Mondor : « Le courage de fustiger ne lui fut jamais contesté. »

*La Ville* est une composition schématique difficile. Les forces qui composent une ville s'incarnent en quatre personnages : les deux frères Besme, qui sont le magistrat et l'ingénieur ; Avare, le tribun ; Cœuvre, le poète. A côté d'eux Lâla, qui est la Femme. Avare, en prêchant la liberté suscite l'émeute. La ville est détruite avec les frères Besme. Elle mettra quinze ans à se relever de ses ruines et à recréer une hiérarchie salutaire à la tête de laquelle sera le fils de Cœuvre et de Lâla, devenu chrétien.

*La Jeune Fille Violaine*, plus tard refaite par Claudel sous le titre de *L'Annonce faite à Marie*, est l'un des deux ou trois, parmi les drames de Claudel, qui ont atteint et touché le public du théâtre. Il se passe, dans un Moyen Age de vitrail en ce pays de Fère-en-Tardenois où Claudel lui-même naquit. La douce Violaine est l'une des deux filles du vieil Anne Vecors, maître de Combernon. Elle aime un voisin, Jacques Hury, qui répond à son amour mais qu'aime aussi sa sœur Mara, la noire, la méchante. Anne Vercors a décidé de donner Violaine à Jacques Hury, de faire de celui-ci le maître de Combernon et de partir lui-même en pèlerinage pour la Terre Sainte. A ce moment passe à Combernon Pierre de Craon, architecte des Cathédrales, poète de la pierre. Seul avec Violaine, il lui avoue qu'il est lépreux, et, dans un moment de sacrifice spontané, elle l'embrasse au coin de la bouche. Mara, qui a vu ce baiser, dénonce Violaine à Jacques Hury. Violaine est maintenant lépreuse. Mara possédera la terre et l'homme, cependant que Violaine ira vivre aveugle, dans une cabane de lépreuse. Un jour, l'enfant de Jacques et de Mara étant mort, la mère épouvantée court avec le cadavre jusqu'à la cabane de Violaine. Alors le miracle se produit, miracle qui est pour la vierge à la fois « le signe de la sainteté, le don de la maternité et l'annonce de la

mort prochaine ». Mara, jalouse jusqu'au crime, tue la
sœur qui vient de lui rendre son enfant. Et pourtant
Mara sera pardonnée :

> « *Je suis ta femme* », dit-elle à Jacques Hury, « *et tu
> ne peux point faire que je ne le sois point !*
> *Une seule chair inséparable, le contact par le milieu de
> nous-mêmes, et la confirmation, cette parenté mystérieuse
> entre nous deux,*
> *Qui est que j'ai eu un enfant de toi.*
> *J'ai commis un grand crime, j'ai tué ma sœur, mais je
> n'ai point péché contre toi. Et je dis que tu ne peux rien
> me reprocher. Et que m'importent les autres ?...* »

*L'Echange* fut écrit au temps du premier séjour en
Amérique de Claudel, et c'est une curieuse image d'Epinal américano-européenne. Claudel lui-même en définit
le sujet : « L'esclavage où je me trouvais en Amérique
m'était très pénible, et je me suis peint sous les traits
d'un jeune gaillard qui vend sa femme pour recouvrer sa
liberté. J'ai fait du désir perfide et multiforme de la liberté une actrice américaine, en lui opposant l'épouse
légitime en qui j'ai voulu incarner *la passion de servir*.
Tous ces rôles sortent tout entiers du thème, comme
dans une symphonie on confie une partie aux violons et
telle aux bois. En résumé, c'est moi-même qui suis tous
les personnages : l'actrice, l'épouse délaissée, le jeune
sauvage et le négociant calculateur. » Louis Laine meurt
au moment où il vient de vendre au négociant américain,
Thomas Pollock Nageoire, sa femme Marthe et celle-ci,
honnête paysanne, rend à Thomas Pollock Nageoire les
dollars trouvés dans la poche du mort :

> *MARTHE. — Reprenez cela, Thomas Pollock, cela vous
> revient. Voyez si le compte y est...*
> *THOMAS POLLOCK NAGEOIRE. — Je reprendrai ce
> papier, car il ne faut pas le jeter.*
> *Et l'argent est une chose pour ceux qui savent s'en ser-
> vir.*
> *La journée est finie et une autre est commencée.*
> *Voici que je me lève. O que les jambes me semblent
> pesantes !*

*Douce-amère, quel que soit le mal que je vous ai fait,
pardonnez-moi.*

*Qu'allez-vous faire maintenant ?*

MARTHE. — *Je vais faire ma robe de deuil, car je suis
veuve.*

THOMAS POLLOCK NAGEOIRE. — *Est-ce que je puis
vous aider en quelque chose ?*

MARTHE. — *Thomas Pollock, je suis plus riche que
vous ne l'êtes...*

*Non, je ne sais ce que je ferai.*

*C'est assez du jour présent, c'est assez que de vivre au-
jourd'hui, et de faire ce qu'on a à faire avec soin.*

*Je coudrai, travaillant à l'ouvrage que j'ai sur les ge-
noux.*

THOMAS POLLOCK NAGEOIRE. — *Voulez-vous me
donner la main ?*

MARTHE. — *Aidez-moi à le rapporter dans la maison.*

*Partage de Midi* est lié à un épisode, brûlant et secret,
de la vie de Claudel. Au cours d'un voyage en Orient, il
aima, avec toute sa sombre violence, une femme mariée,
donc interdite au catholique. Il passa outre, dans un
mélange d'horreur et de joie ; il lui fallut longtemps pour
surmonter cette tempête ; il se délivra de ce souvenir
par deux drames. Dans *Partage de Midi*, le premier acte
se passe dans l'océan Indien, à bord d'un bateau qui va
en Chine. Mesa, homme qui est au midi de la vie, se
trouve à bord de ce bateau avec Ysé, femme de Ciz. «Mesa,
je suis Ysé, c'est moi... » Ce Tristan et cette Yseult ont
bu le philtre. Mais Ciz, « beau fils, maigre Provençal, aux
yeux tendres, ingénieur à la manque », est loin d'être un
Roi Mark et il y a un quatrième personnage qui n'est
pas dans Wagner : Amalric, l'homme fort, vers lequel
Ysé, est attirée, non par l'amour, mais par le besoin de
protection. En Chine, à Hong-Kong, Mesa et Ysé se retrouvent. Ciz, aussi lâche que Louis Laine dans *L'Echange*,
quitte sa femme au moment où il la sent prête à tomber
dans les bras de Mesa et « ce qui doit arriver arrive à
l'heure dite ». Le péché conduit au crime. Mesa,
sur le conseil d'Ysé, lance Ciz sur une route où
celui-ci ne peut trouver que la mort. Mais Amalric revient et, sans aucun effort, arrache Ysé à Mesa

parce qu'Amalric est la force et la vie. Au dernier acte, Almaric, Ysé et Mesa se retrouvent dans une ville chinoise assiégée. Une seule passe permet de sauver un seul être. Naturellement c'est Amalric qui s'en servira. Mesa et Ysé mourront ensemble, unis enfin.

YSE. — Je consens à toi, Mesa.
MESA. — Tout est consommé, mon âme.

*L'Otage* est le plus clair des drames claudeliens, et pourtant l'un des plus mal compris. Nous sommes au temps de l'Empire et des polices secrètes. Le pape, prisonnier de l'Empereur, vient d'être enlevé par Georges de Coûfontaine, héros fidèle au passé, à son Eglise et à son Roi. Coûfontaine a caché le Pape dans la vieille demeure familiale qu'habite, seule, Sygne de Coûfontaine, sa cousine. Sygne et Georges, dévoués à la même cause, s'aiment et s'engagent par don féodal de leurs gants à s'épouser. Mais voici que le Baron Turelure, préfet de l'Empire, plébéien, fils de la servante de Sygne et d'un sorcier de village, pourvoyeur de guillotine, assassin des moines de Coûfontaine, découvre la retraite du Pape. Il livrera le souverain pontife à moins que Sygne ne consente à devenir Baronne Turelure. Abandonner Georges de Coûfontaine pour s'unir à ce qu'elle méprise le plus au monde, cette idée fait horreur à Sygne. Mais son confesseur lui montre que, sauver le père de tous les hommes, est le plus grand devoir. Elle épouse Turelure, a de lui un fils, mais n'accepte jamais humblement, généreusement, de tout cœur le sacrifice et meurt en haïssant Turelure. De quoi Claudel la blâme. Si elle avait aimé son terrible époux, Sygne aurait pu le sanctifier, ainsi que Clotilde Clovis.

*L'Otage* est le point de départ d'une trilogie qui comprend encore *Le Pain Dur* et *Le Père Humilié.* Ces deux drames conduisent l'histoire des Atrides Coûfontaine-Turelure jusqu'au temps de l'enfance de Claudel. Le Baron Turelure, devenu Comte de Coûfontaine, est président du Conseil des ministres sous Louis-Philippe. Son fils, le fils de Sygne, mais plus Turelure que Coûfontaine, épouse une Juive, Sichel, de laquelle il a une fille, Pensée. Et Pensée, demi-juive, aimera le neveu du Pape. Il y a dans le *Père Humilié* de grandes beautés de détail, mais le dessin en est moins pur que celui de *l'Otage*.

A la trilogie des Coûfontaine, Claudel avait donné huit années de sa vie. Toute la période qui suit sera consacrée au *Soulier de Satin.* « J'ai travaillé à ce livre pendant cinq ans », dit Claudel. « C'est le résumé de toute mon œuvre poétique et dramatique. J'y développe la vie d'un conquistador de la Renaissance. Je considère la Renaissance comme l'une des périodes les plus glorieuses du catholicisme, celle où l'Evangile termina ses conquêtes dans l'espace et dans le temps, où, attaquée dans un petit coin par les hérétiques, l'Eglise se défend avec l'univers, où les humanistes retrouvent l'antiquité pendant que Vasco de Gama retrouve l'Asie, que Christophe Colomb voit un monde *nouveau* jaillir pour lui du sein des eaux, que Copernic ouvre la Bible du ciel, que Don Juan d'Autriche refoule l'Islam, que le protestantisme est arrêté à la Montagne-Blanche et que Michel-Ange élève la coupole de Saint-Pierre, *Le Soulier de Satin,* c'est *Tête d'Or* sous une autre forme. Cela résume à la fois *Tête d'Or* et *Partage de Midi.* C'est même la conclusion de *Partage de Midi.* »

Et en effet le *Soulier de Satin,* c'est le *Partage de Midi* recevant un dénouement chrétien. Là « l'ordre s'est fait. La séparation de ceux qui s'aiment ne fait pas obstacle à leur amour. » Rodrigue et Prouhèze savent qu'ils ne se retrouveront pas en ce monde... Mais Rodrigue, en vivant son torturant amour découvre l'apaisement du sacrifice, et la grâce. La femme n'est qu'un appât offert pour que l'homme accède au parfait amour, celui de Dieu. Le combat qu'alluma le désir d'un corps finit par une lutte « pour la vie ou la mort éternelle ». A ce moment, il paraîtrait vain à l'amant qu'on lui rendît celle qu'il aime, puisque ce ne peut être que « la même chose encore capable de lui échapper ». Et pourtant, en ce monde, aucune action ne tombe dans le néant ; « quand deux âmes se sont unies, il en peut rester une trace dans l'éternité (1). »

(1) *MARCEL THIÉBAUT*

# IV

# LA PHILOSOPHIE

Quel est le sens profond des drames claudeliens ? C'est le salut par le sacrifice. Violaine devient une sainte capable de miracles. Pourquoi ? Parce qu'elle a été jusqu'au bout du sacrifice, parce qu'elle a accepté la chose la plus terrifiante et la plus immonde : Le Baiser au Lépreux, parce qu'elle a sacrifié son amour terrestre pour Jacques Hury à l'amour divin. Rodrigue, le conquistador, héros du Soulier de Satin, ne se sent libre que le jour où il devient captif : « C'est fini des œuvres serviles ! On a mis aux fers vos membres, ces tyrans, et il n'y a plus qu'à respirer pour vous emplir de Dieu. »

C'est en ce sens que *Le Soulier de Satin* est la vraie conclusion de *Tête d'Or*. Comme Rodrigue, Tête d'Or a eu des ambitions temporelles, mais il n'a pas su les dompter ; il meurt sans être pardonné, sans s'être pardonné à lui-même. C'est en ce sens aussi que la philosophie du *Soulier de Satin* est la même que celle du *Partage de Midi*. Mesa est délivré du péché à la minute où il accepte de se sacrifier pour que vive son rival, Amalric.

Ainsi le mal n'est pas un obstacle au salut. Bien au contraire. « Le mal comporte son bien qu'il ne faut pas laisser perdre. » Dans chaque drame de Claudel, il y a un personnage mauvais dont la méchanceté devient un instrument de salut pour le héros. Si Mara n'était pas si mauvaise, Violaine n'aurait pas l'occasion d'atteindre la sainteté. Si Amalric n'était pas un aventurier, il n'accepterait pas le sacrifice de Mesa. Si l'actrice américaine Léchy Elbernon n'aguichait pas Louis Laine, celui-ci ne vendrait pas sa femme et Marthe n'aurait point chance d'être Marthe si noblement.

En outre il faut penser que l'amour, et même le désir charnel, sont sur le chemin de la perfection parce qu'ils sont l'apprentissage du sacrifice. Un être qui en aime un autre de tout son cœur est prêt à faire pour celui-ci ce que plus tard il fera pour Dieu.

Il ne faut donc pas espérer, ni souhaiter éliminer du monde le mal. On ne recommence pas la création. Mais il faut essayer de vaincre *en nous* les instincts mauvais. Comment ? Par l'ordre, par un courage constant, féroce et joyeux, par une attention inflexible, par l'obéissance, par l'acceptation. « Que votre volonté soit faite et non la mienne », c'est peut-être l'essence de toute sagesse et les philosophes ne font là-dessus que répéter la parole de Dieu. « J'ai pris coutume », dit Descartes, « de vaincre mes désirs plutôt que l'ordre du monde et de considérer que ce qui n'était pas arrivé était au regard de moi absolument impossible. » Nous avons tous le devoir d'être des saints. « Soyez parfaits comme votre père céleste est parfait. » *Nous avons tous le devoir d'aller jusqu'au bout du sacrifice.*

Comme la grâce et comme l'inspiration, le soudain retournement, la brusque illumination qui conduit au sacrifice se produit dans le temps d'un éclair. Il y a « la minute du saint ». Le baiser de Violaine à Pierre de Craon qui va décider de toute la vie de Violaine, savait-elle une seconde plus tôt qu'elle le donnerait ? Le mouvement naturel des pauvres hommes est de fuir devant le sacrifice, mais la Loi les poursuit aux plus ténébreuses retraites.

> *J'ai fui en vain ; partout j'ai retrouvé la Loi.*
> *Il faut céder enfin ! O porte, il faut admettre*
> *L'hôte ; cœur frémissant, il faut subir le maître,*
> *Quelqu'un qui soit en moi plus moi-même que moi.*

Seulement le sacrifice, pour être salutaire, doit être accepté, voulu, aimé. Sygne de Coûfontaine, bien qu'elle ait accepté d'épouser Turelure pour sauver le Pape, demeure mécontente d'elle-même et meurt tristement. C'est qu'elle a consenti à l'acte, mais non au don total de son amour. « Après tout », écrit Claudel, « si Sygne n'a pas accepté son sacrifice, c'est que sa destinée était finie. Si elle avait eu plus de générosité et plus de sève, elle aurait pu créer une nouvelle race ; c'est Turelure au fond qui a raison. » L'Ancien Régime étant fini, et cela sans remède, le devoir de Sygne était d'apporter au régime nouveau tout ce qui pouvait être sauvé de l'ancien. Elle ne pouvait le faire qu'en s'apportant elle-même, c'est-à-dire en s'oubliant elle-même. L'orgueil en elle a vaincu la foi.

L'orgueil ne peut donner la joie. La force même ne trouve que dans sa défaite la paix et la joie. La joie est la récompense de ceux qui ont accepté le monde réel et abdiqué entre les mains de Dieu. La décision est toujours douloureuse. « Je le sais, c'est un moment de terrible angoisse, mais il le faut. C'est la question qui fait le thème d'un des derniers quatuors de Beethoven : *Muss es sein ?* Et cette grande âme répond sur des notes alternées : *Es muss sein ! Es muss sein !* »

# FRANÇOIS MAURIAC

François Mauriac est un grand prosateur français qui a sa place, l'une des premières, dans la lignée Chateaubriand-Barrès ; c'est aussi un moraliste chrétien qui s'est efforcé de vivre sa foi. Nous ne séparerons pas l'histoire de l'homme de celle de l'écrivain. L'homme, fortement marqué par ses ancêtres bourgeois et provinciaux, s'est peu à peu affranchi de leurs préjugés ; l'écrivain a creusé profondément dans les âmes et y a découvert, sous des lits épais d'immondices, des sources jaillissantes et pures. « Un homme de lettres », a écrit Mauriac, « est tel qu'un terrain où des fouilles sont entreprises ; il est toujours, à la lettre, bouleversé et à ciel ouvert. » Dans la tranchée béante qu'est son œuvre, nous étudierons les couches superposées qu'elle met à nu.

# I

# ENFANCE
# ET JEUNESSE

Né à Bordeaux, élevé à Bordeaux, revenant chaque
automne à Malagar, la maison de famille entourée de
vignobles et voisine de Bordeaux, François Mauriac est,
par beaucoup de traits, un bourgeois de la Gironde, et
s'en loue. Il pense, avec raison, qu'un romancier français,
pour bien connaître son pays, doit demeurer, par ses
attaches, un provincial. « France et Voltaire, les Parisiens de Paris, n'attaquent pas l'homme directement.
Paris enlève à la passion tout son caractère ; chaque jour
Phèdre y séduit Hippolyte et Thésée lui-même s'en moque. La province laisse à l'adultère son romanesque. Paris
détruit les types que la province accuse... » Balzac le
savait bien qui, vivant à Paris, allait chaque année rafraî-
chir en province sa connaissance des passions.

Mais, différent en cela de Balzac qui passait d'Argentan
à Saumur et d'Angoulême au Havre, Mauriac est l'homme
d'un seul terroir. Tous ses romans sont situés autour de
Bordeaux, dans le Sud-Ouest de la France. « Mon destin
tenait », écrit-il, « dans cette ville et dans sa campagne. »
Dans la campagne plus encore que dans la ville, car les
deux familles dont il sort n'appartenaient pas à cette aristocratie d'affaires, orgueilleuse et fermée, qui gouverne à
Bordeaux le mouvement des bateaux et le commerce des
vins, « à cette race de négociants, d'armateurs, dont les
nobles hôtels et les chais illustres sont l'orgueil du Pavé
des Chartrons », race pleine de superbe dont les *Fils,*
depuis le Prince Noir, ont conservé le type et l'accent
britanniques. Ces *Fils,* leurs prénoms anglo-saxons, leurs

naïves préséances, seront, dans ses premiers livres, l'une des cibles que Mauriac percera de flèches très aiguës, mais pour la belle ville de pierre qui évoque, plus qu'aucune autre, la France classique, il n'a que de la tendresse : « Les maisons, les rues de Bordeaux, ce sont les événements de ma vie. Quand le train ralentit sur le pont de la Garonne et qu'au crépuscule j'aperçois l'immense corps qui s'étire et qui épouse la courbe du fleuve, j'y cherche la place, marquée par un clocher, par une église, d'un bonheur, d'une peine, d'un péché, d'un songe. »

Les ancêtres de Mauriac, dans les deux lignées, appartenaient presque tous à cette bourgeoisie rurale dont les sources de richesses, à la fin du dix-neuvième siècle, étaient la culture de la vigne dans la vallée de la Gironde et les forêts de pins dans les Landes, c'est-à-dire le vin, les poteaux de mine et la résine. Comme, à Rouen ou à Mulhouse, un industriel était un homme de tant de *métiers*, ainsi un bourgeois des Landes était coté, classé suivant le nombre de ses pins. Curieuses gens que ces propriétaires du Sud-Ouest. L'œuvre de Mauriac les peint sans indulgence ; il importe, non de les blâmer, mais de les comprendre. Leurs vignes et leurs forêts étaient la chair de leur chair. Contre les héritages divisés, contre le fisc, contre les incendies et les orages, il leur fallait protéger le domaine. Tel était le devoir légué par des siècles de patiente paysannerie. Devoir étroit, souvent contraire à la générosité, à la charité, mais si trente générations n'avaient respecté ce code, la terre française ne serait pas ce qu'elle est. Toute sa vie Mauriac, seigneur de Malagar, regardera dans l'immense vallée de la Gironde les orages tourner autour de la récolte comme des fauves autour d'une douce proie et guettera anxieusement les fumées odorantes qui montent des pins calcinés.

Il avait vingt mois quand il perdit son père et n'a conservé de celui-ci aucun souvenir. Les cinq enfants furent élevés par la jeune veuve, catholique et fort pieuse. La religion, étroitement mêlée à la politique, était, pour les bourgeois du Sud-Ouest, un perpétuel sujet de discorde. Familles anticléricales et familles dévotes s'affrontaient et parfois, dans la même tribu, les deux tendances étaient représentées. Pour François Mauriac et ses frères, quand ils se prosternaient, le soir, autour de la robe de leur mère, il n'était point de place pour le doute. Ils récitaient tous ensemble une belle prière qui commençait par ces mots : « Prosterné devant vous, ô mon Dieu, je vous rends grâces de ce que vous m'avez donné un cœur capable de vous comprendre et de vous aimer », et dont la dernière phrase était : « Dans l'incertitude où je suis si la mort ne me surprendra pas cette nuit, je vous recommande mon âme, ô mon Dieu. Ne la jugez pas dans votre colère... » Quand le petit François pensait à cette prière, il croyait toujours entendre : « Dans l'incertitude où je suis si la mort ne me surprendra pas, ah ! cette nuit... » C'était son premier soupir d'artiste. Remarquable nichée que celle des quatre fils couvés par cette mère inquiète et forte. L'aîné, avoué, allait un jour écrire un roman sous le pseudonyme de Raymond Houssilane ; le second était destiné à devenir prêtre, aumônier du lycée de Bordeaux ; le troisième, Pierre, un médecin illustre de sa région ; le plus jeune, François, l'un des grands écrivains français de son temps.

Ce cadet de la famille était un enfant triste et que tout blessait. « J'avais », dit-il, « l'air pauvre et chétif. » A-t-il, dans ses souvenirs, majoré cette tristesse ? Peut-être, Il ne l'a certes pas inventée. Quand il alla en classe, d'abord chez les Sœurs de la Sainte-Famille, puis chez les Marianistes, il éprouva un sentiment de faiblesse et de crainte. « Terreur des leçons non sues, des devoirs pas finis, de recevoir en pleine figure des balles au jeu de la balle au chasseur... » Il avait besoin, comme Charles Dickens, de grands succès pour le rassurer sur lui-même. Enfant, il ne trouvait apaisement et bonheur que près de sa mère. L'odeur de gaz et de linoléum de l'escalier familial évoquait la sécurité, les douces lectures, l'amour, la chaleur, la paix.

« François dévore les livres ; on ne sait plus que lui donner... » Le soir, quand la famille s'installait autour de la salamandre, il lisait la *Bibliothèque Rose*, Jules Verne, mais aussi l'*Imitation*, « paroles de feu, qui marquent un cœur pour la vie », et beaucoup de vers. Les poètes qui lui étaient permis n'étaient pas les meilleurs. Dans son anthologie, Sully Prudhomme, Alexandre Soumet, voire Casimir Delavigne, encadraient Lamartine, mais un enfant né pour être poète tire de tout quelque poésie. Plus encore qu'à celle des poèmes, celui-là était sensible à celle de la nature, à celle de la vigne, martyre ligotée et livrée aux grêles monstrueuses dans le grand cirque du ciel, à celle des vieilles maisons de famille « où chaque génération, comme une marée ses coquillages, avait laissé des albums, des coffrets, des daguerréotypes, des lampes Carcel », à celle des voix enfantines chantant en chœur dans la nuit, sous les pins. A partir du moment où il connut la légende d'Atys, le bel adolescent aimé par Cybèle et changé par Zeus en un arbre éternellement vert, il vit, dans les feuillages agités par le vent, des chevelures dénouées, et perçut dans la plainte des pins des murmures qui lentement devinrent un poème :

> *Mon simple cœur d'enfant vous pressentait déjà,*
> *O musique inconnue, amour, douceur de vivre...*

Cette crise de paganisme ne pouvait être durable chez un adolescent aussi profondément marqué par une éducation chrétienne et de qui les dimanches, chez les Marianites, étaient ainsi divisés :

7 heures : *Messe de Communion.*
9 heures : *Grand-Messe.*
10 heures 1/2 : *Catéchisme.*
1 heure 1/2 : *Vêpres et Salut du Saint-Sacrement.*

La beauté de la liturgie l'enchantait, mais si ses maîtres l'initiaient aux pratiques d'un culte, ils ne lui enseignaient pas une doctrine et il le leur a plus tard reproché. « Je demande pardon aux Marianites qui m'élevèrent, mais je certifie que chez nous, aux environs de 1905, l'instruction religieuse était à peu près nulle... Je certifie que chez eux pas un élève de ma classe n'aurait su dire, même en gros, à quelles sortes d'objections un catholique devait répondre... En revanche, mes maîtres excellaient à nous envelopper d'une atmosphère céleste qui baignait toutes les heures de la journée. Ils ne formaient pas des intelligences catholiques, mais des sensibilités catholiques... »

Il faut noter chez Mauriac, dès l'adolescence, à côté d'une foi solidement enracinée, une certaine irritation devant ce qui, chez certains dévots, lui paraissait moins émotion religieuse qu'instrument de domination. Plus tard, romancier, c'est avec une affection respectueuse qu'il peindra de saints et nobles prêtres, mais c'est avec dureté qu'il raillera l'onction des prêtres complaisants. Tous ses héros auront horreur du Tartuffe, « de cette gentillesse suspecte et curieuse qui rôde, toute proche encore de l'Inquisition... Du chasseur divin, les traqueurs ne sont pas toujours habiles et souvent effarouchent le gibier qu'ils ont mission de rabattre vers le Maître... » Mais ces mouvements de retraite, ces colères sont de surface ; en Mauriac, le noyau central, le lit de rochers est catholique : « Plus je secouais les barreaux, plus je les sentais inébranlables. »

Pour continuer ses études, il passa par le lycée, puis par la Faculté des Lettres de Bordeaux où il obtint une licence ès lettres. Là il lut Baudelaire, Rimbaud, Verlaine, unit ces admirations nouvelles à celles que déjà il éprouvait pour Racine, Pascal, Maurice de Guérin, et ne trouva pas les poètes maudits très éloignés des poètes sacrés. Il lui fallait maintenant, pour devenir le romancier de Bordeaux, s'évader de Bordeaux. Il partit pour Paris « ville d'individus, où chacun accomplit ses actes dans une sécurité profonde ».

Là, il entra, négligemment, à l'Ecole des Chartes, mais écrire était sa vraie vocation, son seul désir, et ses dons apparaissaient si évidents que sa réussite ne pouvait être douteuse. Tout de suite ce provincial fit la conquête de Paris. L'enfant chétif était devenu un jeune homme de rare et agressive beauté, tête de grand d'Espagne transfigurée par le Greco. Il avait de l'esprit, de la drôlerie, et une certaine méchanceté satirique que Paris était loin de réprouver. Ses premiers vers circulaient parmi des camarades admiratifs. En 1909, il publia un petit recueil de poèmes : *Les Mains jointes.* « J'entrais dans la littérature, Chérubin de sacristie jouant son petit orgue. »

A un seul écrivain, parmi ceux de ses aînés qu'il admirait, il n'avait pas osé envoyer son livre parce qu'il l'aimait plus que tous les autres : c'était Maurice Barrès. Mais Paul Bourget fit lire à Barrès les poèmes de Mauriac et bientôt Mauriac, dans un article de Barrès, put lire ceci : « Depuis vingt jours, je me donne la musique charmante de cet inconnu dont je ne sais rien, qui chante à mi-voix ses souvenirs d'enfance, toute une vie facile, préservée, scrupuleuse, rêveuse, d'enfant catholique... C'est le poème de l'enfant des familles heureuses, le poème des petits garçons sages, délicats, bien élevés, dont rien n'a terni la lumière, mais trop sensibles, avec une note folle de volupté... » A Mauriac lui-même, Barrès écrivait : « Soyez paisible; soyez sûr que votre avenir est aisé, ouvert, assuré, glorieux ; soyez un heureux enfant. »

# II

# L'ENFER

Non, il n'était pas un heureux enfant, le jeune triomphateur au maigre visage dont les premiers romans : *L'Enfant chargé de chaînes, La Robe prétexte, La Chair et le Sang, Genitrix, Le Baiser au Lépreux,* faisaient avec une miraculeuse aisance la conquête du public le plus exigeant. Il était un homme divisé contre lui-même, et la peinture qu'il brossait de la bourgeoisie paysanne, aisée, dévote, de laquelle il sortait, était un tableau noir et tourmenté. Le « Chérubin de sacristie » n'avait pas longtemps chanté sur un mode lyrique et tendre ses rêveries d'enfance ; ce qu'il jouait maintenant, sur des orgues dont le souffle était déjà puissant, c'était la marche funèbre du groupe social auquel l'attachaient les liens de la chair et de la terre.

Ce groupe, lui aussi, était chargé de chaînes, dont la plus lourde était d'argent. Parce que ces hommes et ces femmes descendaient de paysans, parce que leurs ancêtres avaient pendant des siècles convoité et fouillé cette terre, leurs vignes et leurs pins leur étaient plus chers que leur salut. « Cybèle a plus d'adorateurs que le Christ », écrivait sévèrement Mauriac. Il peignait les sinistres manœuvres de monstres inconscients qui, pour sauver un patrimoine, oubliaient toute pitié, toute pudeur. Une de ses héroïnes, Léonie Costadot (*Les Chemins de la Mer*), apprenant que le notaire Révolou est ruiné, déshonoré, acculé au suicide, n'hésite pas à aller, vers minuit, arracher à la malheureuse Lucienne Révolou, sa meilleure amie, une signature qui protégera au moins une part de la fortune des enfants Costadot. Le mariage, dans ces familles, n'est pas l'union de deux êtres, mais l'addition de deux chiffres, la réunion de deux terres. Bernard Desqueyroux n'épouse pas Thérèse ; des pins s'unissent à d'autres pins. Une fille pauvre et belle, convoitée par un célibataire hideux, infirme, mais qui a de grands domaines, ne pense même pas qu'il lui soit possible de se refuser et elle accorde au Lépreux le baiser dont elle va mourir.

A l'intérieur même de la famille, l'argent ronge toute pureté. Des enfants, parce qu'ils guettent un héritage, observent les rides, les syncopes, les essoufflements, cependant que tel père, conscient de cet espionnage, tente par d'ingénieuses et patientes procédures de déshériter les enfants indignes. Les natures les plus nobles finissent par céder à cette contagion d'avidité et de haine. Ceux qui se croient d'abord indemnes montrent bientôt la petite tache de pourriture, qui va s'étendre. Thérèse Desqueyroux avait rêvé d'une autre vie. Malgré elle l'évaluation des propriétés la passionne ; elle aime à rester avec les hommes, retenue par leurs propos touchant les métayers, les poteaux de mine, les gemmes, la térébenthine. Robert Costadot souhaitait d'abord, mollement, rester fidèle à sa fiancée bien qu'elle fût ruinée. Mais sa mère, Catherine de Médicis bourgeoise, veille sur les mariages dynastiques : « C'est une question de moralité qui domine tout ; nous défendons le patrimoine. » Et l'instinct de conservation, l'horreur du risque, l'emportent sur l'amour.

Ce culte de Mammon a ses martyres volontaires. Une matrone, atteinte de cancer, choisit de mourir plus vite pour épargner à la famille les frais d'une opération chirurgicale. Les sentiments battent en retraite devant les intérêts. Un vieux propriétaire terrien, au chevet de son fils agonisant, pense : « Pourvu que ma bru ne se remarie pas ! « Agenouillé près de sa femme, au lit de mort de son beau-père, un gendre se penche et murmure entre deux prières : « La propriété est-elle un acquêt et ton frère est-il majeur ? » Par instinct, par hérédité, les Gallo-Romains de Mauriac sont procéduriers, accrochés à leurs droits, fous de possession. Les jeunes, qui croient échapper à cette atavique folie, en sont atteints à leur tour, contre leur gré : « Leur sale argent ! Je hais l'argent parce qu'il nous tient. Il n'y a pas d'issue. J'ai réfléchi à tout ça : nous n'échapperons pas à l'argent ; nous vivons dans un monde dont l'argent est la substance ! »

Une autre idole, en ces cœurs dévastés, se dresse à côté de l'Argent : c'est le Rang. Une famille bourgeoise doit « garder son rang ». De quoi ce *rang* est-il fait ? Cela est mystérieux pour le profane, mais les initiés ne s'y trompent pas. Un bourgeois, si complètement ruiné qu'il meurt de faim, fait transporter à grands frais sa sœur morte dans le caveau de famille, car la sépulture fait partie du Rang. Le maintien du Rang exige que les parents pauvres soient secourus, « à condition qu'ils n'aient pas l'audace de conserver une servante, ni un salon ». La vie de famille « est la surveillance de chaque membre par tous les autres ». En province, une famille qui tient dignement son rang doit avoir une « chambre à donner », et une fille mûrissante renonce au mariage qui eût été pour elle le salut parce que le nouveau ménage, faute d'argent, devrait occuper la chambre d'amis, ce qui serait déchoir. Sur les autels de l'Argent et du Rang, que de sacrifices humains ! La religion elle-même, pour beaucoup de bourgeois riches, n'est qu'un des éléments du Rang et se mêle sans vergogne à l'argent : « L'œil égaré », dit Mauriac d'une vieille femme, « elle pensait à l'agonie, à la mort, au jugement de Dieu, au partage des propriétés... » Enumération dont les termes sont ordonnés par puissances croissantes.

Hors l'Argent et le Rang, pour quoi vivent ces tristes fanatiques ? L'amour-passion est rare chez eux, mais ils sont hommes et la Chair les tourmente. Les vieux célibataires, héritiers de vignes et de landes, se paient des épouses jeunes et fraîches, ou bien cachent, en quelque appartement secret de Bordeaux ou d'Angoulême, une maîtresse qu'ils entretiennent pauvrement et traitent avec une méprisante dureté. Les adolescents, eux, sont écartelés entre l'appel de la Chair et la terreur du Péché. Ils entrent dans la vie avec un idéal de pureté, mais sont incapables d'y être fidèles : « Est-ce à une vieille métaphysique, à des hypothèses, qu'il faut sacrifier la douceur d'aimer, les caresses, les festins de la chair ? » Et ceux qui cèdent à la tentation sont-ils plus heureux ? Mauriac, avec la dureté du moraliste chrétien, tourne sur un couple d'affranchis qu'il a trouvés dans un roman de Lawrence, la lumière crue de sa vision : « Qu'ils sont tristes !... Ils s'agitent, à même sur la terre battue, dans les crottes de poules... Pourquoi détourner les yeux ? Regarde-les, mon âme : au flanc du garde-chasse, au flanc de la femme, la vieille blessure originelle saigne. »

Toute volupté est décevante. Les femmes cherchent par là, vainement, quelque mystérieuse unité. « Nous empruntons la seule route possible », dit Maria Cross, « mais qui n'a pas été frayée vers ce que nous cherchons... Toujours, entre ceux que j'ai voulu posséder et moi, s'étendait ce pays fétide, ce marécage, cette boue... Ils ne comprenaient pas... Ils croyaient que c'était pour que nous nous enlisions ensemble que je les avais appelés... » Et Thérèse Desqueyroux parlant de son mari : « Il était enfermé dans son plaisir comme ces jeunes porcs charmants qu'il est drôle de regarder à travers la grille, quand ils reniflent de bonheur dans leur auge... C'était moi, l'auge », songe Thérèse.

La possession est impossible pour les charnels : « Ils ne trouvent que ce mur, cette poitrine fermée, monde clos autour duquel nous tournons, satellites misérables... » Et plus déçu que tous les autres est le chrétien charnel, déchiré entre la concupiscence et le désir de la grâce. « Je ne fais de tort à personne », dit la Chair. « Pourquoi le plaisir serait-il le Mal ?... Il *est* le Mal, tu le sais bien. Assieds-toi à une terrasse de café ; regarde couler le flot des visages. O faces déshonorées !... » Les vierges elles-mêmes sentent confusément que tout ce qui touche à la Chair est mauvais. « Nous ne faisons pas de mal », dit la douce Emmanuelle d'*Asmodée,* « ou bien est-ce cela, le Mal ? » Et l'on craint d'entendre Asmodée, au plus profond du jardin, lui répondre dans le murmure des pins : « Oui, c'est le Mal. »

Mais n'existe-t-il pas, pour échapper à l'affreuse solitude et à la malédiction de la luxure, des affections légitimes : la famille, les amis ? « J'entends bien, mais ces affections ne sont pas l'amour et, dès qu'elles touchent à l'amour, les voici plus qu'aucune autre criminelles : inceste, sodomie. » Dans toutes les familles que peint Mauriac rôdent les tentations les plus monstrueuses. Frères et sœurs se guettent, se respirent. Maris et femmes, compagnons de chaîne exaspérés et hostiles, se tailladent les âmes à coups de couteau. « Au fond personne n'intéresse personne ; chacun ne pense qu'à soi. » Et quand un père, une mère, veulent essayer de franchir cette barrière de silence, la pudeur et l'habitude les paralysent. De la promenade entreprise pour tout dire, pour parler de leur fils qui les inquiète, ils reviennent sans avoir rien dit. Relisez l'admirable scène du *Désert de l'Amour* :

*« A ce moment Madame Courrèges demeura stupéfaite parce que son mari lui demandait de faire un tour au jardin. Elle dit qu'elle allait chercher un châle. Il l'entendit monter, puis descendre avec une hâte inaccoutumée.*

*— Prends mon bras, Lucie, la lune est cachée, on n'y voit goutte...*

*— Mais l'allée est blanche.*

*Comme elle s'appuyait un peu à lui, il remarqua que la chair de Lucie avait la même odeur qu'autrefois, quand ils étaient fiancés et qu'ils demeuraient assis sur un banc, ces longs soirs de juin... C'était le parfum même de ses fiançailles que cette odeur de chair et d'ombre.*

*Il lui demanda si elle n'avait pas remarqué ce grand changement dans leur fils. Non, elle le trouvait toujours aussi maussade, grognon, buté. Il insista :Raymond se laissait moins aller ; il avait plus de maîtrise sur soi — quand ce ne serait que ce soin nouveau qu'il avait de sa tenue.*

*— Ah ! oui, parlons-en ; Julie bougonnait hier parce qu'il exige qu'elle repasse, deux fois par semaine, ses pantalons !*

*— Tâche de raisonner Julie qui a vu naître Raymond...*

*— Julie est dévouée, mais le dévouement a des limites. Madeleine a beau dire : ses domestiques ne font rien. Julie a mauvais caractère, c'est entendu, mais je comprends qu'elle soit furieuse d'être obligée de faire l'escalier de service et une partie du grand escalier.*

*Un rossignol parcimonieux ne donna que trois notes. Ils traversaient le parfum d'amande amère d'une aubépine. Le docteur reprit à mi-voix :*

*— Notre petit Raymond...*

*— Nous ne remplacerons pas Julie, voilà ce qu'il faut se répéter. Tu me diras qu'elle fait partir toutes les cui-*

*sinières ; mais bien souvent, c'est elle qui a raison...*
*Ainsi Léonie...*
   *Il demanda, résigné :*
   *— Quelle Léonie ?*
   *— Tu sais bien, cette grosse... Non, pas la dernière...*
*celle qui n'est restée que trois mois ; elle ne voulait pas*
*faire la salle à manger. Ce n'était pourtant pas le travail*
*de Julie...*
   *Il dit :*
   *— Les domestiques de maintenant ne sont pas ceux*
*d'autrefois. Il sentait en lui descendre une marée — un*
*reflux qui entraînait des confidences, des aveux, des aban-*
*dons, des larmes.*
   *— Nous ferions mieux de rentrer.*
   *— Madeleine me répète que la cuisinière lui fait la tête,*
*mais ce n'est pas à cause de Julie. Cette fille veut de*
*l'augmentation ; ici elles n'ont pas autant de bénéfice qu'à*
*la ville, bien que nous ayons de très gros marchés : sans*
*cela, elles ne resteraient pas.*
   *— Je vais rentrer.*
   *— Déjà ?*
   *Elle sentit qu'elle l'avait déçu, qu'elle aurait dû atten-*
*dre, le laisser parler ; elle murmura :*
   *— Nous ne causons pas si souvent...*
   *Au-delà des misérables paroles qu'elle accumulait en*
*dépit d'elle-même, au-delà de ce mur que sa vulgarité*
*patiente avait édifié jour par jour, Lucie Courrèges enten-*
*dait l'appel étouffé de l'enterré vivant ; oui, elle perce-*
*vait ce cri de mineur enseveli et en elle aussi, à quelle pro-*
*fondeur ! une voix répondait à cette voix, une tendresse*
*s'agitait.*
   *Elle fit le geste d'incliner la tête sur l'épaule de son mari,*
*devina son corps rétracté, cette figure close ; leva les yeux*
*vers la maison, ne put se défendre de remarquer :*
   *— Tu as encore laissé l'électricité allumée chez toi.*
   *Et elle regretta cette parole aussitôt, »*
   Ces deux-là n'ont pu, cette nuit-là, traverser le désert
de l'amour.

# III

# LE FAUX
# SALUT

Certains, parmi les lecteurs catholiques de Mauriac, lui reprochaient cette vue pessimiste du monde. Il leur reprochait ces reproches : « Ceux qui font profession de croire à la chute originelle et à la corruption des corps ne supportent pas », disait-il, « les œuvres qui en témoignent. » D'autres blâmaient les écrivains qui mêlent la religion à des conflits où la chair domine. « Ces écrivains », répondait Mauriac, « ne cherchent point à relever leurs histoires d'une pointe de mysticisme trouble, ni à user des choses du ciel comme de condiments. Mais comment peindre les mouvements du cœur sans parler de Dieu ? » Cette « fringale d'absolu », que certains de ses héros portaient dans l'amour, n'était-elle pas d'origine chrétienne, comme aussi leurs scrupules ? Pour ignorer la chair, pour écrire des romans où ne paraîtrait point la corruption de la nature, il faudrait apprendre à détourner son attention de chaque pensée, de chaque regard, ne plus s'épuiser à y déceler l'embryon du désir, l'impureté en puissance. Il faudrait cesser d'être un romancier.

Comment un écrivain ou un peintre, s'il est sincère, changerait-il une manière qui n'est que la forme extérieure, la projection de son tempérament ? Nul ne reproche à Manet d'avoir peint des Manet, au Greco d'avoir peint des Greco. « Ne me parlez pas de la nature ! » disait Corot. « Je ne vois plus que des Corot... » Et Mauriac : « Dès que je me mets au travail, tout se colore suivant mes couleurs éternelles... Mes personnages entrent dans une lumière sulfureuse qui m'est propre, que je ne défends pas, mais qui est singulièrement la mienne. » Tout être humain, sous la plume de François Mauriac, devient un personnage de Mauriac. « Une certaine littérature d'édification », dit Mauriac, « falsifie la vie. Ici le parti pris de faire du bien va à l'encontre du but recherché. » Et un autre grand critique catholique, Charles du Bos : « La vie humaine est la matière avec laquelle et sur laquelle le romancier travaille, et doit travailler... Matière vivante où les éléments impurs fourmillent... Or cette matière vivante, cette impureté des éléments, ce poids humain, la tâche première de tout romancier est de les restituer tels qu'ils sont dans leur vérité. »

Mais est-ce la vérité que peint Mauriac ? Sommes-nous des personnages de Mauriac ? Sommes-nous les frères de ces montres ? Une partie essentielle de l'art mauriacien consiste à nous montrer que les éléments de ces monstres sont présents en chacun de nous. Le crime n'est pas hors de l'humanité. Le crime est universel, quotidien, banal. « Notre premier mouvement », disait Alain, « est de tuer. » Les monstres sont aussi des hommes, et des femmes. Thérèse Desqueyroux est une empoisonneuse, oui, mais jamais elle ne s'est dit : « Je veux être une empoisonneuse. » La monstrueuse action s'est formée en elle, lentement, de son ennui, de son dégoût. Mauriac préfère Thérèse à sa victime, à Bernard Desqueyroux, le mari : « Peut-être mourrait-elle de honte, d'angoisse, de remords, de fatigue, mais elle ne mourrait pas d'ennui... » Quand une empoisonneuse réelle, Violette Nozière, est arrêtée pour avoir tué son père, Mauriac écrit sur elle un article où il s'efforce d'être charitable, équitable, envers la réprouvée. Elle ne l'étonne pas et il s'étonne qu'on s'en étonne.

Nous tous, lecteurs aux vies tranquilles, protestons en toute bonne foi : « Je n'ai aucun crime sur la conscience. » Est-ce si sûr que cela ? Nous n'avons pas tué avec une arme à feu, nous n'avons pas serré une gorge haletante. Mais n'avons-nous jamais écarté de notre vie, impitoyablement, des êtres qu'une phrase de nous pouvait conduire à la mort ? N'avons-nous jamais refusé le secours qui, pour un ou plusieurs êtres, aurait été le salut ? N'avons-nous pas écrit des phrases, des livres, qui étaient des arrêts de mort ? Quand le ministre socialiste Salengro, à la suite d'une campagne de presse, se suicida, Mauriac, dans un article du *Figaro,* exposa, en grand romancier, le drame humain qui était au fond de ce drame politique. Il montra le malheureux ministre, seul dans sa cuisine de Lille, choisissant pour y mourir l'endroit exact où sa femme, tendrement aimée, était morte l'année précédente. Celui qui avait mené la campagne, et qui était responsable de cette mort, se tenait-il pour un assassin ? Non, sans doute, car il n'était pas assez lucide pour mesurer ses responsabilités, mais au regard de Dieu était-il moins coupable que d'autres, qui expient leur crime sur l'échafaud ? Et dans la vie sentimentale, que de crimes ! « Comment des êtres aimés échapperaient-ils à leur métier de bourreaux ? » Tout être qui suscite, consciemment ou inconsciemment, une passion que lui-même n'éprouve pas devient, qu'il le veuille ou non, un instrument de torture.

Les couples qui parcourent les déserts de l'amour ne cessent pas, dans leur frénésie, de se déchirer. L'homme de lettres, obsédé redoutable, qui considère que rien ne l'oblige et que tout lui est dû, est un être aussi dangereux que l'affranchi des barrières. Il se considère comme au-dessus du devoir commun. « Cette élite se nourrit de tout, sauf de pain quotidien. » Il n'hésite pas, si son œuvre l'exige, à torturer ceux qui l'entourent pour en tirer le cri dont il a besoin pour ses bizarres harmonies. Pourquoi cette vivisection serait-elle innocente ? La vérité est que toute âme possède à l'égard de toute autre une effrayante capacité de malfaisance. L'amour du prochain est en nous sans cesse endormi par le poison du désir. Qui sommes-nous donc pour juger le prochain ? L'humilité et la pitié sont les seuls sentiments que, mauvais, nous ayons le droit d'éprouver devant le Mal.

« Et pourtant », proteste l'Optimiste que l'on pourrait aussi appeler l'Angéliste, « et pourtant, il y a des êtres bons, il y a des êtres pieux. » Il y a, répond la lucide acuité de Mauriac, des êtres qui se croient bons, qui se croient pieux, mais s'ils le croient trop facilement, il est possible qu'ils se trompent sur eux-mêmes et qu'ils soient les plus noirs de tous. Mauriac, dans toute son œuvre, poursuit impitoyablement le faux dévot. Nous le trouvons dans son théâtre, et c'est Monsieur Couture, inquiétant personnage du tiers-ordre, qui rôde autour des femmes et

**161**

6

masque ses lubriques approches de religieuses exhortations. Nous le retrouvons dans *la Pharisienne* : Brigitte Pian. Cette chrétienne orgueilleuse croit qu'elle est une grande âme. Elle tisse autour d'elle-même un tissu de perfections. Incapable d'aimer, elle poursuit d'une âpre rancœur les amours des autres. « Ainsi cette âme frigide se glorifie-t-elle de sa frigidité, sans faire réflexion qu'à aucun moment, fût-ce même à ses débuts dans la recherche de la vie parfaite, elle n'avait rien éprouvé qui ressemblât à de l'amour, et qu'elle ne s'adressait jamais au Maître que pour le prendre à témoin de ses mérites singuliers. »

La Pharisienne elle-même s'efforce de ne pas voir les mouvements de haine et de cruauté qui traversent son cœur. Les autres ne s'y trompent pas : « Femme étonnante », dit un prêtre. « Miracle de déformation... Une nature profonde mais, comme un vivier où l'œil suit tous les détours des poissons, ainsi, chez Madame Brigitte, apparaissent à l'œil nu les motifs les plus secrets de ses actes. » Mais, comme nous le faisons tous, elle trouve le moyen de se rassurer et d'interpréter angéliquement ses pires passions. Quelquefois ce n'est pas facile : « Ce qui la troublait, c'était de ne pouvoir se dissimuler la joie qu'elle ressentait de ce malheur, dont elle aurait dû être honteuse et consternée... Il lui fallait trouver une raison qui légitimât son plaisir et le fît entrer dans son système de perfectionnement... » Hélas ! elle la trouvait comme *nous* la trouvons dès qu'il s'agit de sauver de la destruction l'angélique image de nous-mêmes que nous portons si précieusement devant nous.

Il en est de même de Landon, l'immonde et mystérieux Landon des *Chemins de la Mer* : « Comme toutes ses autres passions, la haine qu'il ressentait prenait un aspect de devoir ; son goût pour la vertu le forçait à ce déguisement. Tous les signes affreux qui auraient pu le mettre en garde contre lui-même, c'étaient les autres qui les voyaient : dans son regard louche, dans sa démarche, dans sa voix. Mais au-dedans de lui, les sentiments vertueux le baignaient et il en était dupe... » La pénétration du moraliste catholique rappelle ici, par beaucoup de traits, celle du psychanalyste. L'un comme l'autre savent traduire en sentiments réels les gestes et paroles qui n'en sont que les signes extérieurs. « Aucun de nos abîmes ne m'échappe : la claire connaissance de moi-même fait le jeu du catholicisme... Ah ! poète, gibier pour Dieu ! »

Au début de sa carrière, Mauriac se croyait obligé, à la fin d'un roman, de ramener à Dieu, par un artifice assez transparent, ceux que la concupiscence ou l'avarice en avaient écartés. « Tout ce joli monde », disait un critique, « a été envoyé au Paradis. » Plus tard il devint sans indulgence pour ce *faux salut,* formalité sans pénitence véritable, sans ce profond changement de l'être qui, seul, serait le signe de la Grâce. Il a moins de dureté pour l'extrême déchéance d'un jeune drôle débauché que pour ceux qui sont « la caricature de ce qu'il y a de plus saint au monde ». L'athée lui-même lui semble parfois moins éloigné de Dieu que sa dévote épouse dont chaque mot, chaque action renie le Christ : « Il n'y a pas », écrit à sa femme le héros du *Nœud de Vipères,* « une seule des Béatitudes dont tu n'aies prêché la contrepartie. »

Plus Mauriac avance en maîtrise de son âme et connaissance des êtres, plus il devient dur pour la fausse vertu. Il se juge lui-même, et sa réussite temporelle, avec autant d'implacable lucidité que les autres: « Ayons le courage », écrit-il vers le temps de ses triomphes, « de reconnaître que la réussite est la mesure de la véritable ambition : celle qui a l'habileté de s'ignorer. Ces imprudences, cette ouverture de cœur, cet abandon téméraire, ces professions de foi, ce goût des sujets brûlants, toute cette apparente folie n'est-elle pas le fait d'un homme qui, sachant la vanité des profonds calculs que le réel toujours déjoue, se fie à un instinct en lui — cet instinct des mules dans la montagne, lorsqu'elles longent en paix l'extrême bord de l'abîme ? »

« *Ici l'instinct de conservation se prolonge et s'épanouit en instinct d'avancement, et se manifeste par des réflexes d'une étonnante sûreté. Il n'est pas incompatible d'ailleurs avec une espèce de détachement, une fois la réussite obtenue. Atteindre à tout, non pour en jouir, mais pour n'avoir plus à y penser, c'est la méthode dont usent certains chrétiens qui veulent guérir de l'ambition ; ils croient n'être pas ambitieux parce qu'ils ne prennent conscience des hautes places qu'ils ont obtenues que*

*comme d'une préoccupation écartée. Atteindre aux hon-*
*neurs tout naturellement, sans brigue, de telle sorte qu'au-*
*cun prétexte ne nous détourne plus de l'unique nécessaire,*
*aucun saint, à notre connaissance, n'a suivi cette route*
*pour atteindre à Dieu. Mais peut-être un Bossuet, un*
*Fénelon, ou même un Lacordaire ? »*

Donc Bossuet, Fénelon eux-mêmes... Mais oui, bien sûr,
ils étaient hommes et marqués par le péché originel. En
chacun de nous, évêque, marchand, poète, on trouve « une
bête féroce et un pauvre cœur ». En chacun de nous... Et
longtemps Mauriac se contenta de nous montrer, sans les
juger, ces êtres qui se débattent, entre un confus désir
de pureté et les assauts formidables des tentations. « Impossible », se disait-il, « de peindre le monde moderne
tel qu'il est, sans qu'apparaisse une sainte loi violée. » Il
lui semblait que cette ignominie des âmes privées de la
Grâce, dans un monde athée, était la meilleure des apolo-
gies du christianisme. Puis, vers le milieu de sa vie, un
rayon de soleil perça les ténèbres de son œuvre.

# IV

# NEL MEZZO
# DEL CAMIN

« Il est rare que les lignes de notre univers intérieur se révèlent à nous dès la jeunesse, et c'est la joie du milieu de notre vie que de voir se dégager notre personne enfin achevée, ce monde dont chacun de nous est le créateur, ou plus exactement l'organisateur. Et sans doute il arrive que ce monde achevé se modifie encore. Des tempêtes, des raz de marée, parfois en altèrent l'aspect. Les passions humaines, la grâce divine interviennent ; des incendies qui dévastent, des cendres qui fécondent. Mais après les cataclysmes, les sommets des montagnes réapparaissent, les mêmes vallées s'emplissent d'ombre, et les mers ne franchissent plus les bornes assignées. »

Mauriac a toujours aimé cette image « du flux et du reflux autour d'un roc central — qui exprime à la fois l'unité de la personne humaine, ses changements, ses retours et ses remous. » En son esprit le roc central restait « la sensibilité catholique », et même la foi en lui était intacte, mais il avait pris l'habitude, facile et assez douce malgré son apparente amertume, d'un compromis intermittent entre la Chair et l'Esprit. Leur conflit nourissait son œuvre. Si le chrétien avait souhaité y mettre fin par la victoire de l'Esprit, le romancier et le poète eussent sans doute murmuré des sophismes à son oreille. L'écrivain s'installait donc, en pieux esthète, dans cette paix armée, mais il n'était pas content de lui-même : « Il n'est sans doute pas », écrivait-il, de « pire attitude que celle de l'homme qui renonce à demi... Etre perdus pour Dieu, perdus pour le monde. »

Le grand bouleversement de son univers intérieur se produisit de la manière la plus inattendue. En 1928, André Billy, qui dirigeait chez un éditeur parisien une collection de « suites aux œuvres célèbres », demanda à François Mauriac d'écrire une suite au *Traité de la Concupiscence* de Bossuet. D'où sortit un petit livre, bref mais brûlant : *Souffrances du Chrétien*, que Mauriac appela plus tard : *Souffrances du Pécheur*, et où il traita d' « une revendication assez basse, celle de la Chair ». Basse ? Je ne sais, mais certes pathétique. Ce texte contient de grandes beautés. Le thème, c'est la terrible dureté du Christianisme pour la Chair. Le Christianisme ne fait pas sa part à la Chair, il la supprime. Mauriac, en Tunisie, avait observé l'Islam, « une religion praticable, qui ne demande pas l'impossible, ne détourne pas le pauvre bétail de ses abreuvoirs, ni du fumier qui lui tient chaud. Plus rien de ces exigences chrétiennes... »

Seulement il y avait vu aussi que ces peuples de l'Islam sont rongés par leur instinct d'en bas. Où est la vérité ? « Prouve-moi que tous ces songes sont vains », dit la Chair à l'Esprit, « afin que je puisse forniquer dans mon coin sans crainte d'offenser quelqu'un... » Et les souffrances de l'amour charnel ne peuvent-elles être rédemptrices ? « Au bout de la passion, à travers la fournaise et le feu, les pieds brûlés par la cendre, mourant de soif », peut-être le charnel finira-t-il par rejoindre Dieu. Hélas ! il faudrait pour cela qu'il voulût sincèrement cesser de souffrir, mais cette souffrance n'est-elle pas sa vie ? « La concupiscence, dont l'humanité déchirée est pétrie, ne peut être vaincue que par une délectation plus puissante, ce que le Jansénisme appelait la délectation intérieure de la Grâce... Comment guérir la concupiscence ? Elle n'est jamais limitée à quelques actes : c'est un cancer généralisé ; l'infection est partout. Et c'est pourquoi il n'existe pas de plus grand miracle que la conversion. »

Or, c'est justement ce miracle qui s'accomplit alors dans l'esprit de Mauriac. *Souffrances du Chrétien*, accueilli par les critiques comme un chef-d'œuvre de style et de vigueur, avait douloureusement inquiété les amis catholiques de Mauriac. Il y avait là une complaisance dans le désespoir, une sensualité toute mêlée au sentiment religieux, qui leur paraissaient dangereuses. L'influence de

Charles du Bos, puis celle de l'abbé Alterman, obtinrent de Mauriac un temps de retraite et de méditation. Il en sortit « bouleversé ». Bientôt il se répondra à lui-même et publiera *Bonheur du Chrétien*. Il y condamnera la « pauvre angoisse », le « jansénisme latent », d'un homme divisé contre lui-même qui a choisi de vivre dans la division. A la lugubre monotomie de la concupiscence, il opposera les joies de la naissance à la Grâce. A l'amour humain, qui s'use et s'altère par la présence, l'éternel et renouveau de l'amour divin.

Jusqu'à ce jour, Mauriac n'avait guère été l'homme de la solitude. Il avait, à Paris, mal résisté à l'appel des amitiés, des rencontres, des confidences. Maintenant il acceptait à Malagar, dans la vieille maison toute fermée hors une chambre, une solitude pensive. « J'avais perdu » dit-il, « j'étais sauvé. » Qu'il est doux de ne pas lutter, de donner son consentement ! Certes, il continue de reconnaître les difficultés de la vie chrétienne. « Le chrétien navigue à contre-courant ; il remonte les fleuves de feu : concupiscence de la chair, orgueil de la vie. » Mais Mauriac sait maintenant que la lutte peut être victorieuse, que le chrétien peut trouver la paix de l'esprit, et même la joie. Et c'est alors qu'il change le titre de *Souffrances du Chrétien* en celui de *Souffrances du Pécheur*.

Un autre événement vient achever le miracle de ce qu'il faut bien appeler une conversion, encore que ce soit plutôt un retour. Vers le milieu de son âge, une terrible maladie que l'on crut être (et qui, heureusement, n'était pas) un cancer de la gorge, mit Mauriac aux portes de la mort. Pendant quelques mois ses amis, sa famille le crurent perdu et il se vit, lui qui avait tant douté de l'amour, entouré de tant d'amour qu'il ne put plus douter. « Plus d'un critique et d'un lecteur m'ont reproché, comme une mauvaise action, le pessimisme qui m'a permis de peindre des personnages aussi noirs. Je me le suis reproché moi-même pendant ma maladie, quand je me suis vu entouré de gens si bons, si dévoués. J'admirais mon médecin. Je pensais à ceux qui m'ont aimé depuis que je suis au monde. Et je ne comprenais plus comment j'avais pu décrire une humanité aussi féroce. C'est de ces instants-là qu'est né le désir d'écrire le livre que je compose maintenant. »

Ce livre, *Le Mystère Frontenac,* est en effet le plus tendre, le plus dénoué, le plus frais des romans de Mauriac. C'est la peinture du côté lumineux et doux de la vie de famille, la peinture d'une nichée de frères et de sœurs blottis à l'abri d'une mère qui défend ses petits avec abnégation et grandeur. On y croit reconnaître Mauriac lui-même, poète adolescent, et son frère Pierre, aîné admiratif et affectueux. L'aube de la gloire éclaire les jeunes fronts ; les sous-bois s'illuminent ; le vent se lève. « Dans l'ordre affreux du monde, l'amour introduit son adorable bonheur. »

L'amour ? Peut-il donc être pur ? Et pouvons-nous être sauvés de la corruption de notre nature ? Oui, répondent les derniers livres de Mauriac, si nous commençons par être conscients de cette corruption, si nous reconnaissons, avec honnêteté, toute notre faiblesse de charnels. « Dieu nous aime quand nous nous connaissons dans notre férocité. Sa fureur contre les pharisiens témoigne qu'il nous rejette lorsque nous refusons de nous voir tel que nous sommes... » — « Les saints connaissent leur misère, qui se méprisent parce qu'ils se voient, et c'est pourquoi ils sont des saints... » En épigraphe d'un de ses livres, Mauriac cite sainte Thérèse : « Dieu, considérez que nous ne nous entendons pas nous-mêmes, et que nous ne savons pas ce que nous voulons, et que nous nous éloignons infiniment de ce que nous désirons... » Et Verlaine :

> *Vous connaissez tout cela, tout cela,*
> *Et que je suis plus pauvre que personne,*
> *Mais ce que j'ai, mon Dieu, je vous le donne.*

Tous ces monstres que nous a peints Mauriac, tous ces anges noirs, il ne les renie pas ; il continue à les engendrer. « Il suffit de purifier les sources, disais-je... C'était oublier que, purifiée, la source garde encore en son fond la boue originelle où plongent les secrètes racines de mon œuvre. Même dans l'état de grâce, mes créatures viennent du plus trouble de moi-même. Elles se forment dans ce qui subsiste en moi malgré moi. » Seulement il pense maintenant que les anges noirs peuvent être sauvés, non plus par le plat dénouement d'une conversion inexpliquée, mais par cette conversion, par ce retournement profond qui leur viendra de la connaissance d'eux-mêmes et de l'imitation de Jésus-Christ. « Dans l'acte de se créer, l'opposition entre chrétiens et non croyants ne porte pas sur le pouvoir d'utiliser ce qui est donné mais sur la présence ou l'absence d'un modèle. » S'ils renoncent à l'orgueil, s'ils imitent le Maître avec humilité, les plus coupables participent à la rédemption. Il ne dépend pas d'eux d'être affranchis du péché originel. « Les jeux sont faits depuis longtemps, et depuis ta naissance. » Mais les monstres, s'ils se connaissent comme tels et se font horreur, peuvent devenir des saints. Et même les monstres sont-ils des monstres ?

Dans *Le nœud de Vipères,* l'un des plus beaux de ses livres, Mauriac peint un vieillard haineux, méfiant, fermé, et d'ailleurs violemment antireligieux, qui soudain, vers la fin de sa vie, commence à comprendre qu'il pourrait, par un seul coup d'aile, se délivrer du nœud de vipères qui l'étouffe. Et voici ce que, mourant, il écrit à sa femme qu'il a si durement haïe :

« *Eh bien, je te dois un aveu : c'est au contraire quand je me regarde, comme je le fais depuis deux mois, avec une attention plus forte que mon dégoût ; c'est lorsque je me sens le plus lucide que la tentation chrétienne me tourmente. Je ne puis plus nier qu'une route existe en moi qui pourrait mener à ton Dieu. Si j'atteignais à me plaire à moi-même, je combattrais mieux cette exigence. Si je pouvais me mépriser sans arrière-pensée, la cause serait à jamais entendue. Mais la dureté de l'homme que je suis, le dénuement affreux de son cœur, le don qu'il détient d'inspirer la haine et de créer autour de soi le désert, rien de tout cela ne prévaut contre l'espérance... Vas-tu me croire, Isa ? Ce n'est peut-être pas pour vous, les justes, que ton Dieu est venu, mais pour nous. Tu ne me connaissais pas, tu ne savais pas qui j'étais. Les pages que tu viens de lire m'ont-elles rendu à tes yeux moins horrible ? Tu vois pourtant qu'il existe en moi une touche secrète, celle qu'éveillait Marie rien qu'en se blottissant dans mes bras, et aussi le petit Luc, le dimanche, lorsqu'au retour de la messe, il s'asseyait sur le banc, devant la maison, et regardait la prairie.*

*Oh ! ne crois pas surtout que je me fasse de moi-même*

une idée trop haute. *Je connais mon cœur, ce nœud de vipères : étouffé sous elles, saturé de leur venin, il continue de battre au-dessous de ce grouillement. Ce nœud de vipères, qu'il est impossible de dénouer, qu'il faudrait trancher d'un coup de glaive : Je ne suis pas venu apporter la paix mais le glaive.*

*Demain, il se peut que je renie ce que je te confie ici, comme j'ai renié, cette nuit, mes dernières volontés d'il y a trente ans. J'ai paru haïr d'une inexpiable haine tout ce que tu professais, et je n'en continue pas moins de haïr ceux qui se réclament du nom chrétien ; mais n'est-ce pas que beaucoup rapetissent une espérance, qu'ils défigurent un visage, ce Visage, cette Face ? De quel droit les juger, diras-tu, moi qui suis abominable ? Isa, n'y a-t-il pas dans ma turpitude je ne sais quoi qui ressemble, plus que ne fait leur vertu, au Signe que tu adores ? Ce que j'écris est sans doute à tes yeux un absurde blasphème. Il faudrait me le prouver. Pourquoi ne me parles-tu pas ? Pourquoi ne m'as-tu jamais parlé ? Peut-être existe-t-il une parole de toi qui me fendrait le cœur ? Cette nuit, il me semble que ce ne serait pas trop tard pour recommencer notre vie. Si je n'attendais pas ma mort pour te livrer ces pages ? Si je t'adjurais, au nom de ton Dieu, de les lire jusqu'au bout ? Si je guettais le moment où tu aurais achevé la lecture ? Si je te voyais rentrer dans ma chambre, le visage baigné de larmes ? Si tu m'ouvrais les bras ? Si je te demandais pardon ? Si nous tombions aux genoux l'un de l'autre ?... »*

« L'ennoblissement est possible », disait Nietzsche, et Mauriac ajoute : « L'ennoblissement d'une nature sans noblesse est possible. Il n'existe pas, pour le Fils de l'Homme, de cas désespéré. » La Pharisienne elle-même sera sauvée : « Elle ne se dérobait pas lorsque je faisais allusion aux événements passés ; mais je compris qu'elle était détachée même de ses fautes, et qu'elle abandonnait le tout à la Miséricorde. Au soir de sa vie, Brigitte Pian avait découvert enfin qu'il ne faut pas être semblable à un serviteur orgueilleux, soucieux d'éblouir le Maître en lui payant son dû jusqu'à la dernière obole, et que Notre Père n'attend pas de nous que nous soyons les comptables minutieux de nos propres mérites. Elle savait maintenant que ce n'est pas de *mériter* qui importe. mais d'*aimer*. »

A ceux qui se croient encore loin du Christ, comment se manifeste la Grâce ? « Un enfant qui n'a pas encore vu la mer, en approche et l'entend gronder bien avant de la voir, et il cherche sur ses lèvres le goût du sel. » A la direction du vent, à la fraîcheur de l'air, l'âme reconnaît qu'elle suit les Chemins de la Mer. L'athée se prend à murmurer malgré lui : « O Dieu ! Dieu ! si vous existiez... » Puis il devine à portée de sa main, et pourtant à une distance infinie, un monde inconnu de bonté. Bientôt il sent qu'un geste de lui suffirait pour arracher le masque qui l'étouffe. « J'ai été prisonnier toute ma vie », dit le héros du *Nœud de Vipères*, « d'une passion qui me possédait. Comme un chien aboie à la lune, j'ai été fasciné par un reflet. J'avais été un homme si horrible que je n'avais pas un seul ami, mais, me disais-je, n'était-ce pas parce que j'avais toujours été incapable de me travestir ? Si tous les hommes marchaient ainsi démasqués... » Est-ce à dire que le cynique sera sauvé par son cynisme même, qui est franchise ? Non, car il lui faudrait encore la ferme volonté d'imiter le divin modèle. En est-il capable ? Le monstre d'égoïsme peut-il s'humilier, aimer, pardonner ? Tout le sublime paradoxe chrétien est d'affirmer que cette volte-face est possible. Peu s'en faut qu'à Mauriac le salut n'apparaisse « comme à la fois nécessaire et impossible ». Et pourtant il n'est pas impossible puisqu'il *est*. « Pour moi j'appartiens », écrit-il, « à la race de ceux qui, nés dans le catholicisme, ont compris, à peine l'âge d'homme atteint, qu'ils ne pourraient plus s'en évader, qu'il ne leur appartenait pas d'en sortir ou d'y entrer. Ils étaient dedans, ils y sont, ils y demeurent à jamais. Ils sont inondés de lumière ; ils savent que c'est vrai... » Point d'espoir, pense-t-il, pour ceux qui, respectueux du christianisme, l'acceptent seulement comme un symbole, comme une noble tradition, comme une morale. Pour Mauriac, s'il ne croyait à la vérité historique, charnelle, des Evangiles, tout cela serait sans prestige. Mais il n'est pas à ses yeux de *fait* plus certain que la Résurrection. « L'amour apporte avec lui ses certitudes. » Sur les Saints, l'analyse dissolvante et pessimiste d'un La Rochefoucauld s'épuise sans atteindre l'essentielle charité de leur nature ; sur les Saints, le Diable perd ses droits.

De l'efficacité morale de cette foi, il est la vivante preuve. Sans rien perdre de sa verve, ni même de sa drôlerie, il a su, vers le milieu du chemin de sa vie, devenir l'un des écrivains français les plus courageux, les plus dévoués aux causes qu'il croyait justes, fussent-elles impopulaires. Sur ses choix, on pouvait être ou n'être pas d'accord avec lui, mais le lecteur de bonne foi devait constater que Mauriac essayait, en toute circonstance, de dire et de faire ce qui, pensait-il, était le devoir d'un chrétien.

# V

# LA TECHNIQUE
# DU ROMANCIER

Le roman anglo-saxon est une route de campagne, coupée de barrières, de prairies, où la piste se perd, bordée de haies fleuries, et qui tourne, ondule, vers un but imprécis que le lecteur n'aperçoit qu'au moment de l'arrivée et que parfois il ne découvre jamais. Comme la tragédie classique, le roman français de la période pré-proustienne était, non pas toujours, mais le plus souvent, l'histoire d'une crise. Les personnages y étaient peints, non depuis le temps de leur naissance comme un David Copperfield, mais en un moment tragique de leur vie, leur passé n'étant évoqué que par allusions, ou par retours en arrière.

Tel est le cas de Mauriac. Il a lu Proust, l'a beaucoup aimé et a, je crois, beaucoup appris de lui sur l'analyse des sentiments. Mais sa technique est celle de Racine. Ses romans sont des romans de crise. Un petit paysan renonce à être prêtre, quitte le séminaire et rentre dans la vie du siècle ; c'est ce jour-là que Mauriac le saisit (*La Chair et le Sang*). Une famille bourgeoise, riche, dans laquelle l'argent joue le rôle que l'on sait, apprend qu'elle est ruinée ; le roman commence par cette catastrophe (*Les Chemins de la Mer*). Un homme aperçoit par hasard, dans un café de Paris, une femme qu'il a convoitée, adolescent, et n'a jamais eue. Telle est l'attaque d'un livre (*Le Désert de l'Amour*) et l'évocation du passé ne viendra qu'après ce plongeon *in medias res*.

Le récit est rapide. On le sent écrit d'un trait, fusant de l'esprit sous la pression de passions intérieures violentes, dans l'impatience, dans la frénésie. « Ecrire, c'est se livrer. » Il y a des écrivains qui n'ont rien à dire ; Mauriac écrit parce qu'il a trop à dire. L'expression populaire : « Il en a trop lourd sur le cœur » le fait toujours penser à l'art du romancier : « Sous le poids écrasant, le cœur broyé éclate, le sang gicle, et chaque goutte de ce sang répandu est la cellule fécondée dont naît un livre. »

« Un écrivain est essentiellement un homme qui ne se résigne pas à la solitude... Une œuvre est toujours le cri dans le désert, un pigeon lâché avec un message à la patte, une bouteille jetée à la mer... » Non qu'un roman soit une confession. On pourrait plutôt dire qu'un roman est la confession de ce que nous aurions pu être et n'avons pas été. « De chaque amour refusé par cet enfant janséniste et solitaire, un embryon d'être s'est formé. »

Proust disait qu'un instant de jalousie suffit pour donner à l'écrivain les éléments nécessaires pour animer le personnage d'un jaloux. Mauriac écrira : « Presque tous nos personnages sont nés de notre substance, et nous connaissons exactement, si nous ne nous l'avouons pas toujours, de quelle côte nous avons tiré cette Eve, de quel limon nous avons pétri cet Adam. Chacun d'eux représente, déformés ou transposés, des états, des tendances, des penchants, les meilleurs et les pires, ceux d'en haut et ceux d'en bas. Ce sont d'ailleurs toujours les mêmes qui servent, les mêmes qui s'incarnent dans des personnages de conditions diverses. Nous lâchons, dans le champ des possibilités romanesques, l'éternelle troupe d'histrions en voyage dont parle le poète. »

On pourrait dire, en ce qui concerne cette création des personnages, qu'il y a deux groupes de romanciers, ceux qui explorent sans cesse des milieux nouveaux, y découvrent des types qu'ils étudient (c'est le cas de Balzac), et ceux qui creusent toujours plus profondément dans leurs souvenirs pour se servir surtout d'eux-mêmes et de quelques êtres qu'ils ont bien connus (c'est le cas de Mauriac). Il est d'ailleurs possible de combiner les deux méthodes, et l'on peut concevoir un romancier prenant dans un milieu nouveau les traits physiques, les manies d'un personnage, et lui prêtant le caractère d'un des familiers de son enfance, ou l'enrichissant de sa propre expérience. « Madame Bovary, c'est moi », disait Flaubert, et Swann, de qui l'on affirme que le modèle fut Charles Haas, est aussi, pour une large part, Marcel Proust lui-même.

Chez les romanciers qui distribuent de préférence les nouveaux rôles à leur « troupe » intérieure et stable, et qui emploient peu de vedettes en représentation, on revoit souvent, sous d'autres noms, les mêmes acteurs. Tel est Stendhal, chez qui Julien Sorel, Lucien Leuwen, et Fabrice Del Dongo sont trois côtes détachées de Stendhal. Dans l'œuvre de Mauriac, nous arrivons assez vite à bien connaître la troupe. Il y a la grande bourgeoise de Bordeaux, mère de famille passionnée, gardienne vigilante du patrimoine, alternativement sublime et monstrueuse ; il y a le vieux célibataire égoïste, avide de chair fraîche, mais plus prudent encore que passionné ; il y a l'Ange Noir, incarnation du mal et quelquefois instrument de salut ; il y a la femme sans religion, cultivée, sceptique, hardie jusqu'au crime, malheureuse jusqu'au suicide ; il y a la femme de quarante ans, pieuse, vertueuse, mais attendrie dans sa chair par les adolescents qui passent, col ouvert, fleurant la sueur ; il y a les jeunes hommes rebelles, hirsutes, méchants, avides, et trop charmants hélas ! Il y a Tartuffe mâle, qui est Blaise Couture, et Tartuffe femelle, qui est Brigitte Pian. Il y a quelques prêtres hardis et sages, quelques jeunes filles limpides. Que faut-il de plus pour animer un monde et pour jouer une divine comédie ? Chez Mauriac, le renouvellement n'est pas dans le décor, ni dans la troupe, mais dans l'analyse des passions. Il creuse toujours le même coin de terre, mais chaque fois plus profondément. Les découvertes que Freud et ses disciples croient avoir faites dans l'inconscient, il y avait beau temps que les confesseurs catholiques les avaient faites dans les coins les plus obscurs de la conscience. Ils avaient été les premiers à chasser, dans les marécages de l'âme, des monstres à peine entrevus. A leur exemple, Mauriac a traqué ces monstres et les a forcés jusqu'à la lumière du roman.

Le style est admirable. Mauriac est un poète qui doit sa poésie, d'une part à la connaissance profonde et passionnée d'un pays, de cette France des pins, des palombes et des vignes, qui lui a fourni tant d'images ; d'autre part à un commerce très intime avec les Evangiles et les Psaumes, fontaines de poésie, et avec quelques écrivains qui lui sont chers, tels Maurice de Guérin, Baudelaire, Rimbaud. A Rimbaud il a demandé beaucoup de ses titres, et peut-être une part de ce vocabulaire brûlant qui éclaire ses phrases de feux sinistres, comme un incendie dévaste les landes.

Il importe d'ajouter que Mauriac, après la guerre de 39-45, devint un grand journaliste, le meilleur de son temps, et un polémiste redoutable. S'il a publié encore quelques romans (*Le Sagouin* — *l'Agneau* — *Galigaï*), il a surtout prodigué son talent dans un journal à la fois intime et politique : le *Bloc-Notes*. Dès 1936 il avait pensé que le devoir du chrétien est de prendre parti. Il l'a fait avec passion. Les sentiments qui l'inspirent sont complexes : hostilité violente à l'égard d'une certaine hypocrisie bourgeoise ; horreur des faux dévots qui utilisent la religion plus qu'ils ne la respectent ; attachement ardent à certains hommes : Mendès-France, puis le général de Gaulle ; mépris pour ceux qui s'opposent à ses héros. Ce journalisme de grande classe s'apparente aux *Provinciales* de Pascal. Le style est de la lignée Barrès avec d'anciennes et solides alliances du côté de Port-Royal. La fougue politique est tempérée par des souvenirs d'enfance, par la pensée de la mort. Les lilas de Malagar et les fêtes religieuses apportent des parfums, des tendresses qui estompent la dureté des jugements. Le mélange est irrésistible et certaines pages survivront longtemps, dans les anthologies, à des controverses défuntes.

# VI

François Mauriac est le plus profond des romanciers catholiques. Non qu'il ait construit ses romans pour en faire des instruments ou des symboles de vertus chrétiennes. Acceptant l'homme tel qu'il est, dans sa misère et sa férocité, il a peint impitoyablement le conflit de la Chair et de l'Esprit, de l'Orgueil et de la Charité. Seulement, parce qu'il croit à la Rédemption, il a montré que par l'humilité, par le renoncement à soi, et par l'imitation du Christ, le salut est possible pour tous. « L'homme n'est ni ange, ni bête. » Mauriac n'a pas toléré que les créatures nées de son esprit fissent l'ange. Il les a voulues conscientes de leur chute et a exigé d'elles, comme de lui-même, non la sincérité avant-dernière, si facile, mais la sincérité dernière, et par là ses œuvres tragiques illuminent sa vie, et la nôtre.

# GEORGES DUHAMEL

Le maigre visage de Mauriac, son teint brûlé, ses yeux fiévreux, évoquent les personnages du Greco ; le visage rond de Georges Duhamel, son teint rose, son regard aigu et doucement railleur derrière les lunettes d'écaille, font plutôt penser à Holbein. Bien fin d'ailleurs le peintre qui saurait suggérer toute la complexité d'un tel modèle. Il lui faudrait mêler d'ironie une onction quasi monastique. On l'a parfois comparé à Dostoïevsky, et il est vrai que certains personnages de Duhamel ont de bizarres manies qui rappellent les héros des *Possédés,* mais Duhamel domine et juge ce que Dostoïevsky subit. Un Français ne décrit guère la folie que pour louer la raison. Le frémissement est là, et parfois une colère sacrée, mais tous deux dominés par la sagesse acquise. Ainsi que Mauriac, Duhamel a cherché, par l'œuvre, l'apaisement d'une inquiétude, mais tandis que Mauriac trouve son salut dans le catholicisme, c'est d'un stoïcisme sentimental et de l'acceptation de la condition humaine que Duhamel attendait la paix de l'esprit. Je ne suis pas certain qu'il l'ait trouvée.

# I

# LA FORMATION

Les biographes de Georges Duhamel nous apprennent qu'il eut des ancêtres terriens et prétendent qu'il leur doit sa patience, son amour du travail bien fait. Mais presque tous les Français viennent de la terre. C'est un trait de la nation, non d'un homme. La famille, au moment de la naissance de Georges Duhamel, était de petite bourgeoisie parisienne.

*« Malgré tant de migrations, je connus assez vite »,* écrit-il, *« que ma patrie se trouvait en cette région de Paris que l'on appelle elliptiquement : la Rive Gauche. Nous y revenions de temps en temps, entre une entreprise normande et une expédition nivernaise ; nous y revenions dresser notre tente et j'ai plus d'une fois, apercevant par la portière ouverte du fiacre le flot nonchalant de la Seine, soupiré : « Thalassa ! » à ma manière et dans mon jargon de bambin. Dès l'âge du nid, je suis revenu dans ce paysage natal et, la Rive Gauche étant encore un peu bien large, un peu bien vague à mon sentiment, j'ai salué, puis célébré, dans la Montagne Sainte-Geneviève, ma patrie par excellence... »*

Beaucoup de rues de la Rive Gauche, celles qui entourent le Panthéon comme celles qui conduisent au Jardin des Plantes, passent dans l'œuvre de Duhamel avec leur aspect particulier, leur caractère aimable ou odieux, leurs équivalences sentimentales. Mauriac est le romancier de

Bordeaux et des Landes, Duhamel de certains coins de Paris, et plus tard de quelques jardins d'Ile-de-France.

Tout de suite il connut Paris d'autant mieux que sa famille changeait deux fois par an de domicile. Son père, qui avait fini par passer ses examens de médecine à cinquante et un ans, n'exerçait guère cette profession et ne tenait pas en place. Sa mère fut un miracle de patience et de dévouement. Liée à un homme chimérique et superbe, qui dépensait les sommes qu'il ne gagnait pas, et plaçait en des entreprises lunaires les héritages, maigres et vaporeux, que recueillaient les siens, elle devait accomplir un tour de force quotidien pour nourrir, habiller et instruire ses enfants. Pour le courage de ces ménagères de la petite bourgeoisie française, Duhamel est plein d'un tendre respect. On imagine que la vie des Pasquier donne, avec toutes les transpositions que comportent des Mémoires imaginaires, quelque idée de son enfance.

Celle-ci fut difficile. S'il connut la chaleur protectrice de l'amour maternel, il souffrit de la pauvreté, du désordre, des fantaisies d'un père resté trop jeune. Les querelles de famille, querelles d'argent ou de prestige, querelles pour la possession d'une chambre ou l'attribution d'un lit, n'ont pas pour lui de secrets. D'où, par besoin d'évasion, une adolescence lyrique et, comme il arrive à tant d'être jeunes, intelligents et malheureux, une adolescence désespérée. Si Laurent Pasquier représente pour une part Duhamel lui-même, celui-ci éprouvait alors un désir passionné de fuir le milieu familial et de se refaire ailleurs une vie plus digne d'être vécue. Comment concevait-il cette vie nouvelle ? Il éprouvait, semble-t-il, deux besoins essentiels ; un besoin d'expression poétique et un besoin de compagnons enthousiastes, affectueux, décidés comme lui-même à reconstruire une société meilleure :

« *Nous étions cinq ou six copains. Et tous non pas dépourvus, non pas nus, mais joyeusement pauvres. Mon frère avait, pour passer les glaciers, des bottines de ville, à boutons, dont les semelles anémiques recrachaient les clous. Chaque soir, je rafistolais avec des épingles les accrocs de mon pantalon. Bah ! nous n'en traversâmes pas moins tout le cœur bossué de l'Europe et nous fîmes, en Piémont, une descente triomphale, déjeunant d'un mor-*

*ceau de fromage sans sel, soupant parfois d'un ver-
mouth...* »

On sait qu'il entreprit avec quelques amis — Arcos,
Vildrac, Albert Gleizes, Henri Martin (Barzun) — de créer
une sorte de phalanstère. Ils trouvèrent à Créteil, près de
Paris, une vieille maison, l'*Abbaye,* et s'y installèrent. Un
de leurs amis, imprimeur, devait leur enseigner le métier
et ils pensaient gagner, par leur travail manuel, ce qu'il
leur fallait pour continuer leurs travaux spirituels. Ceux
de Duhamel étaient de deux natures : il écrivait des poèmes (et les Editions de l'Abbaye imprimèrent, en 1907 :
*Des légendes, des batailles*) et il faisait sa médecine. La
profession de médecin est l'une de celles qui favorisent la
connaissance de l'homme. Elle allait former, puis enrichir
l'esprit de Duhamel. Quant à la vie en communauté, qui
fut un échec, cette expérience confirma le pessimisme au
sujet des groupes humains qu'avait déjà inspiré à Duhamel le cercle de famille, et qui est à l'origine de son besoin compensateur de charité et d'amour.

Reçu médecin en 1909, il continua d'écrire des vers,
devint critique littéraire au *Mercure de France,* où il fut
chargé de la rubrique des poèmes, et composa des pièces
de théâtre (*La lumière, Dans l'ombre des statues...*) Ce fut
ainsi qu'il rencontra Blanche Albane, belle et charmante
actrice qui allait être sa femme. Cependant ni le poème,
ni le drame, ne lui permettaient de s'expliquer aussi complètement qu'il le souhaitait. Il se cherchait. Ayant perdu,
vers la quinzième année, toute foi religieuse, il avait besoin de maîtres à penser. Il les trouva en Claudel, en Dostoïevsky, en William James. La doctrine pragmatique de
James répondait à la fois à ses besoins moraux et à ses
refus métaphysiques. Mais il fallut la guerre pour qu'il
entrevît, avec une fulgurante clarté, les deux idées essentielles autour desquelles il allait bâtir son œuvre : l'horreur d'une civilisation mécanique et meurtrière ; la nécessité d'une civilisation spirituelle et humaine.

En 1914, Georges Duhamel, aide-major de deuxième
classe, fut chargé d'une « auto-chir » puis, sur sa demande, d'une tente de gangrenés gazeux. Pendant quatre
ans de guerre, il vécut avec ses malades, livrant avec eux,
sur les champs de bataille de la souffrance, les terribles

combats de la vie contre la mort. Là, il vit, mutilés, san-glants, d'innombrables Français de toutes classes, ou-vriers, paysans bourgeois, et il apprit à les respecter, à les aimer. Presque tous montraient dans la douleur une discrétion, une pudeur, qui furent des leçons pour l'artiste autant que pour l'homme. Ils étaient les martyrs d'une religion, celle de la France, et ils aidèrent Duhamel à comprendre à quel point lui-même était avant tout Fran-çais. Les notes qu'il prit au temps de cette grande misère, sur ses malades, formèrent deux livres : *Vie des Martyrs* et *Civilisation*. Le Duhamel que nous connaissons était né.

Les thèmes qui courent à travers ces récits sont : une pitié désespérée pour des souffrances atroces, que les gens de l'arrière ignorent et veulent ignorer ; une admiration fraternelle pour le courage des Français moyens ; l'hor-reur des machines à tuer et de la civilisation mécanique qui a fait de la guerre un supplice collectif plus horrible que tous ceux inventés par les Inquisitions et les Cham-bres de Torture du passé : le mépris de ceux qui ne voient dans cette souffrance que sujets à discours moraux, occa-sions de gloire ou d'avancement personnel, matière à règlements administratifs ; le besoin de dépasser l'accep-tation routinière du mal et d'essayer d'atteindre à l'amour. Le ton est tantôt celui de la tendresse, tantôt celui du grand humour, lequel est toujours tragique. Une âpre iro-nie relevée de pitié, la vanité des vivants qui s'épanouit au milieu d'hommes qui vont mourir, ou qui sont déjà morts, font deux livres dignes de Swift. Les récits de Duhamel rappellent les dessins terribles et bouffons de Goya sur les horreurs de la guerre. La civilisation, semble-t-il nous dire, n'est pas dans l'autoclave ni dans la radio, ni dans l'avion. « Elle est dans le cœur de l'homme ou elle n'est nulle part. »

A la guerre, Duhamel avait dû aussi une acquisition en apparence mineure, mais pour lui capitale : celle de sa flûte. Il avait toujours aimé la musique. Ce fut un chef de musique militaire, celui du 13e de ligne, qui lui conseilla la flûte, comme un instrument relativement facile et qui lui permettrait de prendre une place dans les ensembles musicaux. « Le soir venu, je m'enivrais longuement de l'humble chant que j'engendrais... Purgée de ses misères, allégée, affranchie de toute angoisse, mon âme s'élevait, légère, dans une lumière sereine... » La leçon de la musique complétait celle de la souffrance. La musique se laisse mal enchaîner par la haine ; elle se place au-dessus de nos querelles et de nos rancunes. Elle allait être, pour Georges Duhamel, un paradis soustrait aux folies de l'espèce humaine.

*Civilisation*, en obtenant le Prix Goncourt, avait donné à son auteur un vaste public. *La Possession du Monde*, où il formulait la morale de ses expériences, lui valut des amis et des disciples. Il y montrait que le bonheur est fondé sur la possession, c'est-à-dire sur la connaissance parfaite et profonde des choses. La possession du monde, c'est la connaissance de ce monde, des fleurs, des animaux, des hommes. Nous ne sommes pas pauvres si nous savons connaître nos richesses.

Duhamel était devenu, en quelques années, l'un des maîtres spirituels de l'Europe. Ses tournées de conférences l'amenaient à la parcourir tout entière. Il y était aimé, en particulier dans les pays démocratiques et « cordiaux » comme la Hollande, la Suisse, le Danemark. L'horreur de la guerre avait paru le rapprocher des partis d'extrême-gauche, qui mêlaient alors le pacifisme international à quelque violence nationale. Mais il ne se plut guère dans la Russie de ce temps-là, non plus qu'il ne s'acclimata dans l'Amérique capitaliste, industrielle, des *Scènes de la Vie Future*. Les civilisations de masses n'étaient pas faites pour lui. Sa lutte contre la domination de la Machine, contre l'art mécanique, contre la pensée collective, lui donnèrent alors dans le monde une situation que certains comparèrent à celle de Rousseau après les *Discours*, mais nous verrons plus tard les différences profondes qui séparent Duhamel de Rousseau. Cependant il apprenait, avec une patiente méthode, son métier d'écrivain. Après des œuvres mineures, il osa entreprendre le cycle de *Salavin*, puis celui des *Pasquier*, deux de ces monuments aux vastes proportions qu'aimait la génération d'entre-deux-guerres.

Peu d'écrivains ont eu autant que celui-ci des amis inconnus et fidèles. Son romantisme familier touchait, comme jadis celui de Dickens, le lecteur sentimental, cependant que son réalisme de biologiste rassurait le lecteur cynique. Beaucoup d'âmes dévoyées, anxieuses, trou-

**185**

vaient leur aliment et leur refuge en cette morale sans métaphysique. Sans effort, avec une très adroite bonhomie, Duhamel encore jeune arrivait à la gloire et à la puissance. Au *Mercure,* maison d'édition qu'il avait aimée, ce fut lui qui régna après la mort d'Alfred Vallette. A l'Académie française, qui l'avait d'abord accueilli avec un peu de méfiance, il s'imposait par la fermeté de son traditionalisme, par sa connaissance parfaite de la langue, par son mélange de courtoisie et de hardiesse. Les médecins et les chirurgiens, fiers d'un confrère qui était un grand écrivain, l'appelaient à parler dans leurs congrès mieux qu'ils ne l'eussent pu faire eux-mêmes, d'un métier qui avait été le sien.

Sa vie personnelle apparaissait au spectateur, vers 1938, comme celle d'un sage. Dans une maison de la rue de Liège, au cœur de Paris, près de la gare Saint-Lazare, il trouvait cette solitude, la seule précieuse, « qui est une conquête sur le tumulte ». Il passait l'été à Valmondois, dans une belle maison de campagne, au milieu d'un jardin qui produisait pour lui des fleurs, des fruits et des fables. Ses beaux enfants formaient un orchestre où lui-même jouait de la flûte, et une troupe de théâtre qu'animait Blanche Albane tranformait le jardin de Valmondois en forêt shakespearienne. L'œuvre va nous révéler qu'avant d'atteindre à cette sagesse, Duhamel avait traversé une douloureuse période de luttes intérieures, et que ses haines enfin sont aussi vigoureuses que ses amours.

# II

# SES AFFECTIONS
# SES RÉPULSIONS

Avant tout, Duhamel aime la civilisation française et celle des peuples qu'il nomme cordiaux. Nul n'est plus que lui occidental. Dès qu'il arrive à Moscou : « Si je devais vivre ici », dit-il, « il faudrait que la Russie changeât ou bien je devrais me décider à mourir. » New York et Chicago le surprennent. De la France, il aime tout : ses paysages et ses villes ; ses monuments, ses tableaux et ses livres ; son langage dont les mots, s'ils sont employés avec goût et précision, lui procurent une joie physique ; sa cuisine, dont il parle en amateur passionné ; ses vins et ses fromages, dont la fine perfection est égale à ses yeux à celle d'un beau style. De cette sensualité française, il a le respect parce qu'elle reste délicate et mesurée. Le jour où un économiste méticuleux lui explique qu'il n'y a aucun intérêt à faire des confitures à la maison, parce que la dépense de travail est moindre dans une usine, il se met en colère. Et le parfum qui remplit la cuisine, le jour des confitures, n'est-ce rien ?

« Ici, Monsieur », dit-il fièrement à l'économiste, « nous faisons des confitures uniquement pour le parfum. »

Les cérémonies domestiques lui sont chères. Ayant été élevé dans une famille errante, qui rappelait celle de M. Micawber, il sait le prix d'une maison bien tenue. Il lui plaît de voir vivre une nichée heureuse. Bien sûr l'on trouve, en tout cercle de famille, beaucoup de misères, de disputes, de mensonges. Mais que faire ? C'est comme ça, la famille. Et pourtant on s'y aime : « Que ferait-on de tant d'amour et que ferait-on de tout l'amour et de toute la tendresse et de tout le travail du monde, s'il n'y avait toutes les familles du monde pour s'en repaître, et au besoin pour en crever ? » La famille est un monstre inventé pour dévorer tout l'excès d'amour du monde. Quand les enfants partent, ils se disent : « Que vais-je faire ? Tout le contraire, bien sûr, de ce que l'on faisait dans cette malheureuse maison. » Puis ils finissent par imiter les parents jusque dans leurs défauts qu'ils ont blâmés et ils reviennent un jour à ce foyer tant maudit : « On n'imagine pas ce qu'une famille a la vie dure. »

Surtout dans les classes moyennes françaises. Et Duhamel aime les classes moyennes françaises, « car si moyennes elles demeurent dans l'ordre de l'argent, elles brillent par l'esprit, la science, le désintéressement, au premier rang d'une société à laquelle elles prodiguent sans compter des maîtres, des chefs, des principes, des méthodes, des clartés, des exemples, des excuses ». Le milieu qu'il connaît bien, c'est celui des savants, des professeurs, des médecins. Il est comme les familles, ce milieu : il a ses défauts ; on y assiste à des conflits d'ambition qui ne sont pas beaux ; mais quel amour du travail, du métier, de la recherche ! Quel sentiment du devoir social ! Quel courage ! Et même chez certains (bien que, étant hommes, ils ne soient jamais purs de jalousie) quelle sainteté !

La recherche de la sainteté, voilà, plus encore que la recherche scientifique, l'occupation essentielle des héros de Duhamel. Ils sont pauvres et ne désirent posséder d'autres biens que ceux de l'esprit et du cœur. Ils comprennent les lettres et les arts mieux que les classes moyennes d'aucun autre pays du monde. Ils voudraient se rendre meilleurs. Peu y réussissent parce que le désir, et l'orgueil, et l'envie les tiraillent. Mais tels qu'ils sont, Duhamel les aime, ces Français imparfaits et insupportables, comme les aimait le Dieu de Péguy.

Quant à ce qu'il n'aime pas en ce monde, Duhamel le hait avec une force qui se communique à son style et qui fait par instants, de cet apôtre, un pamphlétaire. Comme Zola, il pourrait écrire *Mes Haines,* et sa haine première centrale, c'est la civilisation mécanique et industrielle, non point tant pour ce qu'elle est que par regret de ce qu'elle a tué. Les *Scènes de la vie future,* qui ont beaucoup fait pour la gloire de Duhamel, ont pris aux yeux du public européen, tout à fait contre le gré de l'auteur, allure d'attaque contre l'Amérique. Telle n'avait été, à aucun moment, l'intention de Duhamel. Certes il avait été exaspéré, aux Etats-Unis, par certains aspects du gigantisme automatique, mais nul n'était mieux fait que lui pour s'attacher à la bienveillance réelle, à la bonté latente du pays. Ce qu'il critiquait, c'était seulement la civilisation mécanique et collective, telle qu'il l'avait attaquée en Russie, telle qu'il allait plus tard la combattre en Allemagne. Médecin des mœurs, il avait observé des sujets, des patients intoxiqués par l'ivresse du confort.

*« Tant que nous n'avions pas de voiture, nous nous en passions à merveille. Maintenant, le besoin s'est introduit dans la place. Il nous tient... Toute la philosophie de cette dictature industrielle et commerciale aboutit à ce dessein impie : imposer à l'humanité des besoins, des appétits... Les êtres qui peuplent aujourd'hui les fourmilières américaines réclament des biens palpables, incontestés, dont l'usage leur est recommandé, mieux encore : prescrit par les divinités nationales. Ils veulent, frénétiquement, des phonographes, des appareils de T.S.F., des magazines illustrés, des cinémas, des ascenseurs, des frigidaires, des autos, encore des autos. Ils veulent posséder, le plus vite possible, tous ces objets si merveilleusement commodes et dont ils deviendront aussitôt, par un étrange retour de choses, les esclaves soucieux... »*

Que reproche-t-il à la civilisation mécanique ? De tuer la culture de l'individu qui est, pense-t-il, la seule culture; de substituer à l'effort individuel, qui à d'autres époques avait créé tant de beauté, un rationnement uniforme de fausse beauté et de fausse pensée. Entrant dans un grand cinéma de Broadway, il avait été exaspéré par « ce faux luxe de lupanar international », par « cette fausse musique, cette musique de conserve, cette pâtée musicale », par le spectacle de l'écran, « divertissement d'idiots, passe-temps d'illettrés, de créatures misérables, abruties par leurs besognes et leurs soucis ». Voyageant dans le pays, il avait été choqué par un conformisme qui, bien qu'il fût le plus souvent conformisme dans le non-conformisme, lui avait paru supprimer en fait la liberté de pensée. « Nos institutions n'ont pas été faites pour assurer l'uniformité d'opinion ; s'il en était ainsi, nous pourrions abandonner tout espoir. » Il avait été voir des matches de football, de base-ball, et il avait pensé que, regarder des hommes courir, n'est pas plus faire du sport qu'écouter des disques n'est faire de la musique. Partout il avait vu des hommes esclaves de leurs affaires, de leur automobile, de leur bien-être, et il avait souffert pour eux, pour lui-même, pour l'avenir du monde. Où était le jardin de Valmondois et l'orchestre familial ?

Sa fureur passée, Duhamel fut le premier à reconnaître qu'il avait été injuste envers les Etats-Unis. A la vérité, s'il les connaissait mieux, il trouverait, en des retraites inattendues, les équivalents américains du jardin de Valmondois, de l'orchestre familial, et de la plupart des choses qu'il aime. La Prohibition, qui lui avait alors tant déplu, a disparu. Mais sur la condamnation des civilisations de masses (et cela dans tous les pays) je crois qu'il transigerait moins que jamais : « Le spectacle de l'homme collectif n'est pas souvent propre à inspirer confiance. La vie des groupes humains ne ressemble jamais à la vie des individus admirables. Les groupes humains se comportent encore à la façon des brutes quaternaires. Cette effrayante zoologie ne parle que de trahisons, de massacres, de perfidies, d'écrasements ou de représailles. C'est parfois grand, c'est parfois beau dans l'homme. Cela ne donne pas la vraie mesure de l'homme. » Il a certainement raison lorsqu'il dit que l'absorption passive de l'art ne fait pas des artistes et que les idées n'ont de valeur que dans la mesure où elles ont été repensées et assimilées par chacun de nous. « L'essentiel n'est pas de trouver », dit admirablement Paul Valéry, « c'est de s'ajouter ce qu'on trouve. »

A la civilisation de masses, Duhamel reproche aussi sa vulgarité. Il adresse un message au chef du gouvernement (quel qu'il soit) pour lui demander de ramener la publicité dans les bornes de la bienséance et de la bonne foi. Il demande la création d'un Ministère de la Langue, qui contrôlerait l'emploi des mots et insisterait pour les maintenir dans leur sens propre ; celle aussi d'un Ministère du Bruit qui pourchasserait, dans les villes, les bruits inutiles. Il veut fonder le Parc du Silence, où l'amateur de pensées solitaires serait soustrait aux glapissements envahissants des radios mondiales. Il suggère une Trève des Inventions, parce que les inventions, depuis un siècle, ont été plus vite que l'adaptation des organismes humains. Que tout cela soit chimérique, Duhamel le sait bien. L'hyperbole n'est là que pour attirer, pour forcer l'attention du lecteur moutonnier.

Dans les *Lettres au Patagon,* il se moque des orateurs modernes, qui parlent sans savoir ce qu'ils veulent dire, soucieux seulement de garder la faveur d'un public qui, lui, souhaite non pas apprendre et comprendre, mais jouir. De tels discours ne sont pas éloquence, mais «assaut, frénésie, râle, pâmoison ». Il raille les savants eux-mêmes, occupés chacun de sa vitrine, mesquins, jaloux et incapables d'oublier leurs humbles personnes dans la contemplation de choses infinies. Enfin il distribue le blâme à la ronde, à « une humanité folle, futile et misérable, qui ne tire leçon de rien ». Et ne lui parlez point de progrès : « Le respect enthousiaste du mot *avenir* et de tout ce qu'il cache est à ranger parmi les plus naïves idéologies du dix-neuvième siècle. »

Est-il donc un Rousseau de notre temps ? Prêche-t-il le retour à la nature ? Croit-il que l'homme était né libre et que seule la civilisation industrielle l'a mis plus tard dans les fers ? Point du tout. « Que Jean-Jacques soit un esprit faux, voilà ce dont nous ne pouvons douter, nous qui voyons encore lever les grains qu'il a jadis mis en terre. » Rousseau disait : « Gardez-vous d'oublier que les fruits sont à tous et que la terre n'est à personne. » — « Hélas ! Pauvre Jean-Jacques ! » répond Duhamel. « Les fruits sont, sous peine d'injustice et de décadence, à ceux qui les ont fait pousser. » Et ailleurs : « L'art de gouverner un jardin démontre que la nature doit être dominée. » Un jardin que son maître abandonne à la nature cesse d'être un jardin et retourne à la jungle.

*« On m'a reproché »,* écrit encore Duhamel, *« d'être un successeur de Jean-Jacques. J'ai mis mes semblables en garde contre la civilisation industrielle et ses effets. Je n'ai jamais dit aux hommes de renoncer à leur civilisation, ce qui serait chimérique, mais je les ai engagés à juger cette civilisation... Parce que j'ai depuis quinze ans, sans relâche, instruit ce procès de la civilisation mécanique,*

*des amis inconnus et lointains m'imaginent peut-être sous les apparences d'un ermite vêtu de peaux de bêtes, paissant mes troupeaux, vivant de laitage, ou même des produits de ma chasse et de ma pêche. Il faudrait, en ce cas, détruire cette fable pastorale. Je me sers des machines autant qu'un homme de mon siècle. Je fais mon possible, et c'est difficile parfois, pour rester le maître de ces machines et n'en pas devenir le serviteur ébloui. Je suis assez prudent pour ne pas les méconnaître et les mépriser, ce qui pourrait m'exposer à leurs aveugles représailles. Je je suis assez rassis pour ne les adorer jamais et ne pas attendre d'elles ce qu'elles ne peuvent donner. Je sais, en l'acceptant, que leur service est impur, leur bienfait trop souvent corrompu. Elles nous retirent un souci, mais nous en apportent un autre. Bref, j'accepte le fait accompli, mais je ne suis pas de ceux qui, songeant à l'humanité, fondent un espoir quelconque sur toutes ces confuses ferrailles... »*

Duhamel n'a jamais prêché le retour à la nature, mais il a recommandé à ceux qui vivent loin de la nature de ne pas se laisser abuser par les fantômes d'une civilisation qui après tout devrait être faite pour l'homme. Il a rappelé à l'individu que, s'il perd son âme, et si tous les individus semblables à lui perdent leur âme, la masse qu'ils constituent ne peut être sauvée :

*« Cessons d'humilier la culture morale, seul gage de paix et de bonheur, devant le génie irresponsable et insoumis qui hante les laboratoires... Il faudra s'efforcer d'apprendre aux hommes étonnés que leur bonheur ne consiste point à parcourir cent kilomètres en une heure, à s'élever dans l'atmosphère sur une machine ou à converser par-dessus les océans, mais bien, surtout, à être riche d'une belle pensée, content de son travail... La civilisation scientifique, il faut l'utiliser comme une servante, et non plus l'adorer comme une déesse... La culture spirituelle est en même temps l'expression et le résultat d'un effort... Tout système de civilisation qui tend à diminuer l'effort affaiblit conséquemment la culture... »*

La civilisation vraie est un état d'équilibre très fragile et qu'il faut se garder de troubler quand, par miracle, il apparaît dans le monde : « Les médecins, qui m'ont tout appris, m'ont enseigné le respect de l'équilibre. Ils ont un axiome favori qui dit bien leur sentiment sur ce sujet : *Quieta non movere.* D'abord ne pas nuire, ne pas troubler l'équilibre, car si le pendule est écarté de la verticale, il est parfois difficile et long de l'y ramener. » D'où, chez Duhamel, un profond respect pour la tradition. On pense, en le lisant, à cet axiome d'un homme d'Etat britannique : « Quand il n'est pas nécessaire de changer, il est nécessaire de ne pas changer. » Dans son adolescence, il avait pu être tenté par les doctrines catastrophiques ; dans sa maturité, il est devenu un conservateur, mais un conservateur libéral : « Parce qu'elle est sobre de promesses, parce qu'elle parle, non de détruire, et de rebâtir, mais de maintenir, la tradition enchante rarement les âmes bouillantes, les âmes tendues vers l'avenir. Il faut avoir cruellement vécu pour comprendre que, dans l'agitation destructive du monde, conserver, c'est créer. »

La phrase, qui est belle, fait penser à celle de Disraëli : « Conserver, c'est entretenir et réformer. » Le héros de Duhamel qui lui ressemble le plus, Laurent Pasquier, suit la même courbe que son créateur. Il se sent peu à peu devenir un individu « social », tolérant et discipliné : « Je n'oublie jamais qu'il me faut vivre en société. » Cet équilibre entre l'individu et la société, délicat comme les équilibres chimiques du corps que les médecins ont, avec raison, peur de troubler, c'est celui qu'a fini par atteindre l'intelligence de Duhamel. Equilibre entre les fonctions publiques et l'indépendance de l'écrivain, entre la solitude et le tumulte, entre le désir de sainteté et les limites de l'homme. L'épopée de Salavin sera un long commentaire de la pensée de Pascal : « L'homme n'est ni ange ni bête, et le malheur veut que qui veut faire l'ange fait la bête. » Duhamel échappe à la fois à l'angélisme et au cynisme. « Il met le souverain bien dans la sûre et pleine jouissance de sentiments modérés. »

Ce que l'on doit retenir, ce que l'étude de l'œuvre nous fera voir, c'est que cet équilibre est une conquête. Le point de départ, pour Duhamel, c'est un échec, des échecs : la famille, l'Abbaye, l'amitié, la sainteté. Il plaint les

« hommes abandonnés » parce qu'il s'est senti l'un d'eux.
Il a connu la solitude morale, mais il l'a surmontée.
Comme l'a écrit Paul Claudel, Duhamel a été sauvé par
le contact avec cette chair souffrante des blessés ; il a
recontré l'âme sous son scalpel ; il a compris qu'il y a
une clef des âmes et que l'on peut, le seuil passé, pousser
au-delà de la chair. Est-ce à dire qu'il ait trouvé la foi
religieuse, réalisé l'accord de la raison et de la foi ? « Non.
Je suis dans une attitude de respect et d'attente, mais
d'abord la loyauté... Je ne me croirais pas loyal en faisant
des gestes, en prononçant des paroles qui ne jailliraient
pas de ma conviction profonde... »

« Tu nous as donné une morale », lui disait un ami
après *La Possession du Monde*. « Maintenant tu nous dois
une métaphysique... » Il commente : « Cette parole me
trouble plus que je ne saurais le dire. J'avais, et j'ai certes encore, horreur de l'incompétence. » Or autant il a le
droit de se croire moraliste compétent, autant il se tient
lui-même pour métaphysicien incompétent. Comme tant
de moralistes français, Duhamel se passe d'une métaphysique. Non sans regrets. « Nous autres », dit-il, « qui devons chaque jour chercher notre orient, faire le point,
restaurer toutes nos valeurs, inventer pour chaque problème, non pas seulement une solution, mais encore toute
une méthode, nous qui souffrons sans grand espoir et
même sans aucun espoir, nous sommes parfois tentés de
regarder, avec envie, nos anciens frères chrétiens, assis
dans leur certitude... C'est à de tels moments », ajoute
Duhamel, « que Mauriac intervient : « Vous voyez bien »,
dit-il, « que moi qui ai la foi, je suis aussi malheureux,
aussi misérable, aussi désespéré que vous... » Et c'est
peut-être ainsi que sait parler la charité véritable. » Ce
n'est pas de gaieté de cœur qu'il renonce aux certitudes
métaphysiques. Nul défi de mécréant agressif. Tout en
reconnaissant qu'il ne sait pas, il souffre de ne pas savoir.
« La religion catholique m'a quitté depuis trente-cinq
ans... Passé l'âge où l'orgueil nous console en nous éga-
rant, j'ai regretté bien souvent, et disons un peu plus
chaque jour, cette foi qui suffit à tout puisqu'elle offre
une métaphysique, une morale, un système du monde et
même une politique. Regrets sincères. Vains regrets. La
pensée de Pascal est trop purement pragmatique pour

me réchauffer le cœur... » Tel est Duhamel, construisant courageusement une morale sur une connaissance désabusée des hommes, de leurs faiblesses et de leur ignorance. « C'est », dit André Rousseaux, « l'accent des âmes qui renoncent à comprendre la vie, mais non à l'aimer : qui trouvent même, dans l'exercice de l'amour, un refuge au désespoir qui pourrait germer sur les ruines de la foi. »

# III

# LE ROMANCIER

Pour exprimer et animer cette philosophie, le roman a été le meilleur instrument de Duhamel. Il se sert aussi, comme nous l'avons vu, de l'essai, et ses premiers romans sont en fait des essais, ou plus exactement des romans philosophiques, construits (comme *Candide* ou *La Peau de Chagrin*) autour d'une idée. *La Nuit d'Orage*, par exemple, montre que le savant lui-même, malgré son expérience des méthodes de la science, peut en certaines circonstances succomber à la superstition. Que de tels apologues romanesques puissent être des chefs-d'œuvre, les illustres exemples que j'ai cités le prouvent. Le « roman à thèse » n'est qu'une variété de ce genre, mais où l'auteur, au lieu d'accepter (comme Voltaire dans *Candide*) le caractère irréel de la fable. tente d'incarner les idées en des hommes, et non plus, comme le fabuliste ou l'auteur du roman philosophique, en des marionnettes. Duhamel romancier a débuté par des romans philosophiques pour arriver (avec la *Chronique des Pasquier*) au roman pur. Le cycle de *Salavin*, qui constitue sa première grande œuvre romanesque, est encore une longue fable en cinq volumes (*La confession de Minuit, Deux Hommes, Journal de Salavin, Le Club des Lyonnais, Tel qu'en lui-même...*) dont la morale pourrait être : « Ne cherche pas la perfection, car tu trouverais le malheur. » Mais cette fable est un roman authentique parce qu'elle met en scène des personnages que nous pouvons presque tous accepter pour humains et véritables. Le romanesque consiste essentiellement dans la découverte du monde par un héros qui aborde la vie avec les idées préconçues de l'adolescence et qui voit peu à peu, au cours de ses « années d'apprentissage », les êtres, les événements, retoucher l'image idéale et fausse qu'il avait d'abord conçue. La découverte du monde par Fabrice est le sujet de *La Chartreuse de Parme ;* la découverte du monde par Salavin est le sujet du cycle de *Salavin.*

L'une des différences entre le roman proprement romanesque (comme la *Chronique des Pasquier*) et le cycle de Salavin, c'est que, dans le roman pur, l'auteur ne juge pas ses héros. Tout au plus juge-t-il des personnages secondaires, à travers le héros central avec lequel le lecteur s'identifie. Mais Salavin n'est pas un héros de roman analogue à Julien Sorel ou au Prince André. Il appartient plutôt à l'espèce Don Quichotte, qui est aussi l'espèce Panurge. L'auteur le domine et n'hésite pas à le ridiculiser. Cervantès admire sans doute certains aspects de Don Quichotte. Il sait que Don Quichotte, sincèrement et ardemment, voulait être un chevalier, défendre les faibles et pourfendre les méchants. Mais il sait aussi que Don Quichotte échouera toujours parce qu'il a formé du monde, par la lecture des romans de chevalerie, une idée radicalement fausse. De la même manière Duhamel sait, dès le début, que Salavin, bien qu'il cherche de bonne foi la sainteté, est un être mal adapté, mal ajusté, qui ne résoudra jamais ses conflits.

Qui est Salavin ? Un petit employé français, intelligent, qui aime les bons livres et qui a le goût des idées, mais que tourmente une sensibilité maladive. Il est incapable de résister à d'étranges impulsions, comme celle de toucher l'oreille de son patron, ce qui lui fait perdre sa place. Il est orgueilleux : « Je suis quand même quelqu'un, quelqu'un. On finira bien par s'apercevoir que je ne suis pas un homme comme les autres. » En même temps cet orgueilleux est humble et tenaillé par les scrupules. Il a une mère admirable et s'accuse d'avoir pensé froidement à la mort de cette mère : « Voilà donc l'homme, que je suis ! » Il a une femme, Marguerite, douce, aimable, dévouée, et pourtant il se surprend un jour à convoiter la femme d'un ami. Il se le reproche avec désespoir : « Ne me dites pas : « Ces pensées sont *en vous* mais ne sont pas *vous.* » Eh ! N'est-ce pas moi qui les pense ? N'est-ce pas moi qui les nourris ? Surtout ne me dites pas : « Tout cela ne vit que dans votre esprit.» Seul compte ce qui se passe là. Je suis un mauvais fils, un mauvais ami, un mauvais amant. Au fond de mon cœur, j'ai assassiné Maman, souillé Marthe, abandonné Marguerite. »

On voit que Salavin tient pour vraie une dangereuse doctrine, dont j'ai moi-même essayé de montrer la fausseté dans un conte philosophique (*La Machine à lire les Pensées*), à savoir que nous serions moralement responsables de notre subconscient. Il me semble au contraire que nous rejetons des pensées au subconscient *parce* que nous les condamnons et qu'elles ne deviendraient criminelles que si elles déterminaient des actions. Mais Salavin a honte de ses rêveries : « Je n'ai pas le cœur pur », dit-il avec remords. En amitié comme en amour, il cherche la perfection et détruit ainsi l'amitié comme l'amour parce que tous les hommes sont imparfaits. « Dès que je me trouve face à face, non plus avec des imaginations, mais avec des êtres vivants, je suis vite à bout de courage. Je me sens l'âme contractée, la chair à vif. Je n'aspire qu'à retrouver ma solitude, pour aimer encore les hommes comme je les aime quand ils ne sont pas là. » Il nous faut bien constater qu'il aurait besoin, pour atteindre à la sainteté, ou seulement à la sagesse d'un Marc-Aurèle, d'aimer les hommes « quand ils sont là ».

L'ami de Salavin, Edouard, ne comprend pas cette inquiétude morbide :

« — *Mais qu'est-ce que tu as ?*
*Salavin le regarda bien en face, sévèrement :*
— *J'ai... J'ai... tout ce que je n'ai pas.*
*Il haussa les épaules. Edouard hasarda :*
— *Mais parle !... Dis-moi ce que tu as sur le cœur. Que te manque-t-il ?*
*Salavin baissa les yeux :*
— *Des choses que tu ne peux me donner, Edouard...*
— *Et quelles choses ?*
— *La grâce, la joie, une âme immortelle, Dieu.*
*Edouard répétait d'une voix troublée :* « *Dieu !* » *Salavin eut un sourire de pitié et dit encore :*
— *Oui, ça, ou quelque chose d'approchant.* »

Dans le *Journal de Salavin,* le héros de Duhamel fait effort pour transformer totalement sa vie. « J'ai la certitude intérieure que je vaux mieux que moi. A partir de ce jour, 7 janvier, j'entreprends de travailler à mon élévation... Tel qui ne peut s'élever ni dans la science, ni dans l'art, ni par les armes, la parole ou l'argent, peut du moins s'il le veut devenir un saint... Non un saint selon l'Eglise, un saint officiel... Je ne demande pas à faire des miracles, je suis raisonnable et modeste. » Ce que désire Salavin, c'est devenir un saint à ses propres yeux. Que lui faut-il acquérir pour cela ? Non le renoncement, qui lui est naturel : « Il se peut que pour moi le vrai renoncement consiste à renoncer au renoncement. » Mais la charité, l'indulgence, l'humilité. Toutefois un saint doit aussi agir saintement. Que faire ? Il s'impose des privations, mais il en pâtit, et sa mère, sa femme, qui doivent le soigner, en souffrent plus que lui. Il fait vœu de chasteté, mais c'est aux dépens du bonheur de Marguerite. Peu à peu il découvre que tous ses efforts vers la sainteté tournent à sa confusion. La véritable humilité ne serait-elle pas de rester ce que l'on est ?

Après cet échec, et un dernier effort pour trouver la fraternité parmi les révolutionnaires (*Le Club des Lyonnais*), il prend enfin le parti de s'évader et de recommencer la vie ailleurs. Il abandonne sa femme et se cache en Tunisie. Mais nul ne peut recommencer la vie, car l'homme transporte avec lui un caractère et une mémoire. Salavin devient un héros ; il sauve, au péril de sa vie, une petite fille qu'un train allait écraser. Il sait que cet héroïsme intermittent ne saurait être le salut : « Si vous saviez comme c'était facile ! Oh ! Dieu ! trop facile, je vous assure. » En vain donne-t-il son sang pour des transfusions, ses soins à des contagieux, rien ne lui assure la paix du cœur. Enfin un jeune domestique indigène, qu'il a traité avec trop de bonté, l'assassine. La douce Marguerite, qui avait enfin découvert sa retraite, le ramène à Paris, mourant, convaincu que tout est impossible, mais « tel qu'en lui-même enfin l'éternité le change ». Parce qu'il a souhaité le salut avec tant de ferveur, par là même Salavin n'est-il pas sauvé ? « Le désir du salut n'est-il pas l'essence même du salut ? N'est-il pas le seul salut ? »

Quel est le sens profond de cette désespérante aventure ? Bien que par ses manies, par ses tics, par ses folles actions, Salavin ait des traits pathologiques, son histoire n'est pas, Duhamel nous en avertit, la description d'un cas clinique. Il y a un peu de Salavin en chacun de nous. L'histoire de Salavin n'est pas celle d'un fou. « C'est l'histoire d'un homme qui, privé d'une métaphysique, ne renonce quand même pas à la vie morale et n'accepte pas la déchéance.» En d'autres termes c'est l'histoire d'un homme qui, sans croire au christianisme, essaie de pratiquer l'amour chrétien.

Pourquoi échoue-t-il ? Peut-être parce qu'il agit, non par amour spontané, mais par système. « J'ai fait de mon mieux, sans amour », dit-il lui-même. Mais nul ne peut rien sans amour. Salavin n'est profondément attaché ni à des êtres, comme le sont sa femme et sa mère, ni à son métier, comme son ami Edouard. Son seul sentiment vif, c'est le désir tout nu du renoncement. Et ce renoncement lui-même est orgueil. D'où la profondeur du mot : « Le vrai renoncement ne consisterait-il pas à renoncer au renoncement ? »

A tous les siens, à tous ceux qu'il a tenté de secourir, Salavin en dernière analyse a fait beaucoup de mal, « tout cela pour que la conscience de Monsieur Salavin soit en repos ». Mais si Salavin ne s'était pas tant occupé de sa conscience, elle-même eût peut-être été encore en repos. Etre scrupuleux, c'est bien. Etre simple, ce serait encore mieux. « J'ai conçu de grands desseins, des devoirs chimériques, et j'ai négligé mon petit devoir, mon véritable et misérable devoir. Non !... Décidément il vaut mieux que l'homme reste à sa place. » Il semble que le cycle de *Salavin* renvoie le lecteur soit au calme désespoir de l'agnostique, soit à la sainte simplicité du moraliste chrétien.

Mais la recherche de Duhamel, son pèlerinage terrestre n'étaient pas achevés. L'échec de Salavin ne résolvait pas ses conflits. La *Chronique des Pasquier* est un nouveau cycle de romans qui est consacré à la même recherche d'une philosophie et d'une morale. « J'ai, depuis la fin de *Salavin*, entrepris de raconter une autre histoire. C'est l'histoire d'un homme dont je sais — c'est dit dès la première page — qu'il a triomphé de la vie et rempli la plupart de ses desseins. Je suis assez loin dans mon travail pour avoir compris que l'histoire d'un succès ressemble beaucoup à l'histoire d'un échec et que toute victoire a un goût d'amertume. »

Ce texte nous apprend que la *Chronique des Pasquier*, bien qu'elle soit l'histoire d'une famille, a pour centre l'histoire d'un homme, Laurent Pasquier, qui comme Salavin souhaite se purifier et se racheter, mais qui est d'une tout autre stature que Salavin et est aussi bien adapté à la vie sociale (après de nécessaires épreuves) que Salavin l'était peu. Laurent Pasquier, au moment où il commence cette chronique, a environ cinquante ans ; il est professeur de biologie au Collège de France ; il a dans le monde savant une situation analogue à celle que Georges Duhamel s'est faite dans le monde littéraire. Ce que Salavin n'a compris qu'au seuil de l'éternité, Laurent Pasquier l'indique dès le seuil de l'ouvrage, qui porte en épigraphe une phrase de lui, essentiellement modeste et humaine : « Miracle n'est pas œuvre. » En d'autres termes : « Tu gagneras ton pain à la sueur de ton front et ton salut au prix de tes douleurs. »

« Les années d'apprentissage » de Laurent Pasquier nous sont contées plus complètement que celles de Salavin. Dans *Le Notaire du Havre,* nous le voyons enfant ; nous apprenons à connaître le redoutable et charmant Monsieur Pasquier, son père, et la touchante Madame Pasquier ; autour d'eux sont les frères et sœurs de Laurent : Joseph ou le Cynique ; Ferdinand ou l'Egoïste ; Cécile la sainte musicienne ; et Suzanne, qui sera un jour actrice. Un petit héritage allume les espoirs de tout ce groupe. Chacun y trouve les éléments d'un rêve, mais Monsieur Pasquier dilapide le commun bien avant même que de le toucher. Le jour où le notaire du Havre verse enfin la somme, elle paie à peine les frais.

Cette courbe, espoir suivi de chute, est celle de tous les épisodes du roman. De même que la richesse a été un échec, la famille déçoit Laurent Pasquier. « Est-ce donc ça, une famille ? Des duperies, des trahisons, des querelles, des chantages et des mensonges ? Cela vaut-il vraiment tant d'amour, tant de peines, tant de travail et tant d'espoirs ? » Laurent souffre, comme tous les êtres jeunes : « Je suis un adolescent. Eh bien ! Pitié pour moi ! Pitié pour tous les adolescents du monde ! Je ne suis pas heureux. Tout en moi est désordre et combat. Mon cœur est d'un enfant mais j'ai la voix grave d'un homme. Le poil commence à me pousser aux joues et pourtant, comme un très petit garçon, j'ai parfois envie d'un gâteau, d'un bonbon... Je donnerais avec ardeur cinq ans de ma vie, oui, cinq ans, pour en avoir fini avec cette odieuse adolescence... » (*Le Jardin des bêtes sauvages*).

Dans *Vue de la Terre Promise*, Laurent Pasquier entrevoit la libération. Par un geste symbolique il brûle, sous les yeux de son frère Joseph qui adore l'argent, le premier billet de mille francs qu'il ait touché de sa vie. C'est le moyen de se prouver à lui-même qu'il ne sera pas esclave de la fortune. Laurent s'est arraché à la famille et a choisi un frère d'élection : son camarade Justin Weill, jeune Juif inquiet et généreux. Il entrevoit ce que pourrait être une noble carrière de savant, mais pour la vivre il lui faut s'arracher aux querelles et à la sottise. « Je veux vivre, je veux vivre pour moi. Je veux aimer. Je veux jouir de la beauté du monde. Je veux me sauver tout seul. » Dans *La Nuit de la Saint-Jean*, il découvre que l'amour, comme la famille, peut-être un échec. En écoutant Cécile jouer, de manière sublime, du Mozart, plusieurs couples sont délivrés de liens charnels qui ne leur laissaient plus la liberté d'être eux-mêmes.

Reste une tentation : l'amitié. Pourquoi les hommes n'accepteraient-ils pas volontairement une discipline et un dénuement semblables à ceux des moines, mais sans la foi métaphysique de ceux-ci ? On retrouve dans *Le Désert de Bièvres*, très beau livre, résolument décourageant, le souvenir de la tentative qu'avaient faite, au temps de l'Abbaye de Créteil, Duhamel et ses amis. Sous l'impulsion de Justin Weill, Laurent Pasquier et quelques-uns de leurs amis essaient de vivre en commun de leurs travaux d'imprimerie. Mais le travail manuel est bien plus difficile qu'ils ne l'avaient cru. Les dissentiments naissent et grandissent. Dans tout groupe humain, il y a nécessairement une certaine proportion de canailles et de faibles. Laurent Pasquier se décourage : « Que veux-tu ? » dit-il à Justin Weill, « j'ai fui ma famille parce que j'avais horreur de toutes les petites bassesses.

de toutes les petits méchancetés, de toutes les petites jalousies. Et ce que je retrouve ici, ma foi, c'est la même chose. Il faut croire que les hommes ne savent pas vivre autrement.

— Il faut, dit Justin, solennel, il faut une règle venue d'en haut. Il faut la Loi.

— Même avec une règle d'en haut, même avec la Loi, ils ne savent pas.

— Alors mieux vaudrait mourir. »

Justin lui-même finit par admettre l'échec : « Ils sont incorrigibles. Je suis incorrigible. Nous sommes tous incorrigibles. » Mais il se refuse à croire que l'expérience soit probante : « Au fond l'idée d'une association humaine qui ne soit pas subie, mais demandée, mais acceptée avec joie, ce n'est pas absurde. Nous sommes des intellectuels, nous autres, c'est-à-dire de mauvaises têtes. Notre échec ne prouve rien pour la foule des autres hommes. »

Mais Laurent n'a pas en ses rêves la millénaire confiance du peuple d'Israël. «Miracle n'est pas œuvre. » Il s'attachera désormais à son œuvre de biologiste. Seulement cette œuvre elle-même se heurte à l'essentielle méchanceté de l'espèce humaine. Dans *Les Maîtres*, Duhamel montre que les savants ne sont pas à l'abri des passions humaines les plus basses ; dans *Le Combat contre les Ombres*, Laurent, dont la réputation commence à grandir, se heurte à l'envie et à la mauvaise foi. Accusé (comme tant d'honnêtes gens) de fautes auxquelles il n'a même jamais pensé, il découvre que la crédulité et la lâcheté sont toutes-puissantes. « Pour travailler, pour faire sérieusement une grande œuvre, il faudrait ne voir personne, ne s'intéresser à personne, n'aimer personne. Mais alors quelle raison aurait-on de faire une œuvre ? Problème insoluble. *Il n'y a que des problèmes insolubles.* »

Justin lui-même, l'honnête et noble Justin succombe à l'hallucination collective et reproche à Laurent des phrases que celui-ci n'a jamais écrites ! Je cite le passage parce qu'il est important et que nous avons tous, hélas, lutté contre ces ombres insaisissables :

« *Attends ! fit Laurent, toujours très calme, en élevant une main ouverte. Attends, Justin ! Tu es sûr, je le vois bien, que j'ai pu écrire cette vague sottise.*

— *Mais, mon pauvre ami, je l'ai lu, comme tout le monde.*

*Laurent venait d'ouvrir un tiroir et d'y prendre une feuille de journal. Il souriait, d'un air désolé :*

— *Tu ne sais plus lire, Justin. Et c'est à croire que personne au monde ne sait plus lire. L'auteur de cette saleté fait comme beaucoup d'autres polémistes : il me prête des propos que je n'ai jamais tenus. Regarde ! Regarde ! Justin ! Il écrit : « Monsieur Laurent Pasquier ne manquera pas de répondre... » Et il met entre guillemets cette phrase que tu me reproches et que tu aurais raison de me reprocher si je l'avais écrite. Mais je ne l'ai pas écrite. Et voilà comment se fait l'opinion publique en France, et partout sans doute. Qui prend aujourd'hui la peine de lire correctement quoi que ce soit ? On a trop de choses à faire. La plupart des gens que je vois se composent un sentiment sur les faits et sur les hommes en écoutant parler un voisin, qui lui-même sait ce qu'il sait parce qu'il le tient d'un autre qui, peut-être, a lu les textes et fréquenté les personnes. Tout cela n'est pas très sûr ! Ah ! Justin ! Cher Justin ! »*

Dans cette universelle désespérance, Cécile met une tache lumineuse. Et pourtant elle aussi a ses douleurs. Elle a épousé un homme qui ne l'aime pas et qui courtise sa sœur Suzanne. Elle perd son enfant qui était tout pour elle (*Cécile parmi nous*). Mais Cécile est sauvée par la foi. Elle essaie d'entraîner Laurent à l'église : « Entre avec moi », dit-elle. Il secoue la tête : « Non, ce n'est pas possible. J'ai bu dès le commencement des breuvages qui m'ont empoisonné pour le restant de mes jours. Il faut maintenant que je me débatte avec cette pesante raison qui ne me comble pas, mais qui m'a donné des habitudes tyranniques et dont je sens bien que jamais je ne pourrai me délivrer. Mais je t'envie, sœur, je t'envie. Il me semble que je vois s'élancer un beau navire et que je reste seul, sur le quai, en agitant un mouchoir. »

Que deviendra Laurent Pasquier ? Sans doute ce qu'est

Duhamel lui-même. Mais ses années d'apprentissage auront été dures. Elles le sont pour tout homme et ne se terminent qu'avec la vie. Suzanne elle-même, actrice adorable qui a cherché un refuge dans l'art et voulu croire que l'amour est « cette ravissante chanson que l'on soupire sur la scène, dans la flamme des projecteurs », Suzanne elle-même se heurte aux hypocrisies des directeurs, à la vanité des acteurs, aux convoitises des commanditaires, aux désirs des jeunes hommes, Suzanne elle-même voit son rêve se briser sur les récifs de la réalité. Toute vie est un naufrage qui se termine sur une île déserte. Il faut que les naufragés aient du courage et que chacun sauve ce qu'il peut.

# IV

# L'ARTISTE
# ET LE TECHNICIEN

Georges Duhamel est-il un romancier ? L'écrivain qui sait animer un monde est un romancier, et le monde des Pasquier est vivant. Le roman de Salavin est moins émouvant parce qu'il demeure trop près de l'apologue. Duhamel lui-même pense avec raison que les plus beaux romans sont ceux qui ne prouvent rien. « Traiter le problème de l'après-guerre, la querelle des générations », ce sont là de mauvais sujets de romans. Voir le monde à travers l'esprit de Laurent Pasquier, refaire avec un héros l'apprentissage de la vie, c'est un excellent sujet de roman, et c'est peut-être même le seul.

Dans une conférence, Duhamel un jour distinguait deux sortes de romans : ceux qui nous font oublier notre vie, comme par exemple *L'Ile au trésor*, et ceux qui nous font comprendre notre vie comme *Dominique* ou *Le Désert de l'Amour*. Ceux qu'il a tenté d'écrire appartiennent à la deuxième catégorie. Le romanesque auquel il aspire est celui qu'il nomme : le romanesque familier. Il cherche à nous faire connaître l'extraordinaire dans le quotidien, le merveilleux dans le familier. Il y réussit. Son univers est moins étendu sans doute que celui de Balzac, mais il l'est beaucoup plus que celui de la plupart des romanciers contemporains.

Un grand romancier a besoin de connaître des aspects très divers de la vie humaine. La gamme que parcourt Duhamel est étendue. Non seulement il a bien observé la vie de famille et les passions qu'elle engendre, mais l'exercice de la médecine l'a fait pénétrer dans des techniques particulières. Il n'ignore rien non plus du monde des savants, du monde littéraire. Du monde des affaires, il a une connaissance moins directe, mais non point négligeable. *Suzanne et les jeunes hommes* est l'un des meilleurs livres sur la vie et la technique du théâtre. *Le Combat contre les Ombres* est une excellente étude des ressorts de la calomnie. La matière ne manque jamais à Duhamel.

Il possède une qualité, rare chez les romanciers français, qui est un sens de l'humour. Virginia Woolf soutenait que c'est là vertu dangereuse pour un romancier, et que l'humour rend Dickens inférieur à Tolstoï. Elle a raison dans les cas où l'humour (et cela arrive chez les écrivains anglais) envahit toute l'œuvre et enlève du sérieux aux passions. Mais il y a des zones où l'humour est nécessaire. Tout personnage a dans sa vie des aspects désespérément sérieux, qui exigent la sympathie de l'auteur et du lecteur, et des aspects futiles qui relèvent plutôt de l'ironie. Duhamel joint l'humour à la tendresse. Sa peinture des théâtres d'avant-garde dans *Suzanne et les jeunes hommes*, de la vanité des savants dans *Les Maîtres*, sont de l'excellente satire. Mais Cécile vit complètement hors des zones éclairées par l'humour et Justin Weill est tantôt dans le faisceau de l'humour, tantôt dans celui de la tendresse.

En style comme en morale, Duhamel appartient à la tradition classique française. Il ne craint pas, dans ses essais, les effets oratoires. La phrase est harmonieuse, étudiée ; la syntaxe, irréprochable. Il a beaucoup écrit sur la grammaire et attache une juste importance au choix comme à la place des mots. En toutes ces questions de métiers, il a des scrupules de bon artisan.

« *Le principal est de se demander si ce que l'on vient d'écrire exprime exactement ce que l'on pense. La plupart des auteurs pèchent tantôt contre le bon sens et tantôt contre le goût. Voilà toute la grammaire. Voyons, vous écrivez :* « Fortement taillé en pleine pâte. » *Eh bien, on taille le* bois ; *mais la pâte, on la* pétrit. *Vous écrivez :* « Un modèle que le lecteur connaît beaucoup mieux que nous-mêmes. » *Nous-mêmes est sujet et régime. Compre-*

*nez-vous ? Il faut écrire, si je vous entends bien : « Un modèle que le lecteur connaît beaucoup mieux que nous ne le connaissons nous-mêmes. » C'est plus lourd, mais c'est précis. Ce n'est pas de la grammaire, c'est de l'honnêteté ! Et que vois-je, maintenant? « Un avis que nous partageons entièrement. » Impossible ! Entre le mot entièrement et le mot partage, il y a opposition : dès qu'une chose est partagée, elle cesse d'être entière. Du moins c'est façon de voir. Voulez-vous parler d'un partage qui intéresse la totalité de l'objet ? En ce cas, c'est très mal dit. Et maintenant, attention : vous parlez d'une « pêche véreuse ». Mettez donc plutôt une pomme ; c'est moins joli, mais c'est plus juste. La pêche est rarement véreuse. Quant à votre image des fourmis, cela mérite examen. Vous écrivez : « comme des fourmis traînant leurs œufs ». Je vous demande bien pardon : les fourmis ne traînent pas leurs œufs ; elles les portent. Elles les portent devant elles. Ce n'est pas la même chose. »*

Si les manifestes et discours politiques étaient rédigés par des écrivains aussi scrupuleux, la confusion des esprits serait peut-être moins constante. Le respect de la grammaire et l'amour de la langue sont des vertus essentielles. La clarté des textes est un signe de l'honnêteté des esprits. On peut écrire de manière plus brillante que Duhamel et il a parfois, pour les mêmes raisons honorables que Flaubert, des lourdeurs à la Flaubert, mais on ne peut écrire plus honnêtement.

Duhamel a commencé la vie, comme ses héros, en rêveur optimiste et généreux. Quand il a découvert la dure réalité, il l'a regardée avec tristesse et s'en est délivré en la peignant. Le tableau, comme celui de Mauriac, est noir, parce que le monde est noir, très noir. Mais le sentiment n'est pas le désespoir, loin de là. « Les grands hommes se chamaillent ; la pensée marche quand même... Toutes les feuilles sont gâtées, tous les arbres sont malades, mais la forêt est magnifique... Je ferai mon système de toutes mes déceptions... » Il est bon que de jeunes hommes, au seuil de la vie, lisent *Salavin* et les *Pasquier*. Ils apprendront dans ces livres que d'épouvantables tempêtes les attendent, mais aussi que l'homme peut, après les nuits d'orage, et les combats contre les ombres, pénétrer, par le chenal du métier bien fait, jusque dans les eaux apaisées de la sagesse stoïcienne.

# ANTOINE
# DE SAINT-EXUPÉRY

Aviateur, pilote de ligne et de guerre, es-
sayiste et poète, Antoine de Saint-Exupéry
est, après Vigny, Stendhal, Vauvenargues,
avec Malraux, Jules Roy, et quelques soldats ou marins, l'un des rares romanciers
et philosophes de l'action qu'ait produit notre pays. Il n'a pas été seulement, comme
Kipling, un admirateur des hommes d'action ; il a, comme Conrad, participé lui-
même aux actions qu'il décrit. Pendant dix
ans il a survolé tantôt le Rio del Oro, tantôt
la cordillère des Andes ; il a été perdu dans
le désert et sauvé par les seigneurs des sables ; il est tombé du ciel dans la Méditer-
ranée et sur les montagnes du Guatemala ;
il s'est battu dans les airs en 1940, et de
nouveau en 1944. Les conquérants de l'Atlan-
tique-Sud, Mermoz, Guillaumet, ont été ses
amis. De là une authenticité qui sonne dans
chaque mot : de là aussi un stoïcisme vivant,
car l'action met au jour le meilleur de
l'homme.

Mais Luc Estang, qui a écrit un beau
*Saint-Exupéry par lui-même*, a raison de
dire que l'action ne fut jamais pour Saint-
Exupéry une fin en soi. « L'avion, ce n'est
pas une fin, c'est un moyen. Ce n'est pas
pour l'avion que l'on risque sa vie. Ce n'est
pas non plus pour sa charrue que le paysan laboure. » Et Luc Estang ajoute : « Ce

**211**

n'est pas non plus pour tracer des sillons, mais pour les ensemencer. L'action est à l'avion ce que le labourage est à la charrue. *Quelles semailles permet-elle en vue de quelles moissons ? »* La réponse est, je crois, qu'elle permet de semer des règles de vie et de récolter des hommes. Pourquoi ? Parce que l'homme ne comprend aucune chose à laquelle il n'a participé de son corps. D'où cette angoisse, dont je fus le témoin à Alger en 1943, de Saint-Exupéry quand on ne lui permettait pas de voler. Il perdait contact avec la terre parce qu'on lui refusait le ciel.

# ESCALES

Beaucoup de témoins ont raconté cette vie brève et pleine. Au début il y a Antoine de Saint-Exupéry, enfant « robuste, gai, franc », qui a douze ans inventait une bicyclette-aéroplane, annonçait qu'il s'envolerait, et que la foule crierait : « Vive Antoine de Saint-Exupéry ! » Elève irrégulier, qui montre une espèce de génie, mais semble peu fait pour les classes. Sa famille l'appelle le Roi Soleil, à cause de la couronne blonde de ses cheveux ; ses camarades : Pique-la-Lune parce que son nez menace les étoiles. En fait il était déjà le Petit Prince, souverain et distrait, « épanoui, avec un rien d'effarement ». Il restera toute sa vie lié à son enfance, toujours émerveillé, curieux, et jouant au magicien, avec succès, afin que tous crient : « Vive Antoine de Saint-Exupéry. » Ce qui arrivera. Seulement on dira plutôt : « Saint-Ex, Antoine ou Tonio », parce qu'il fera partie de la vie intime de tous ceux qui le connaissent ou le lisent.

Jamais vocation d'aviateur ne fut plus affirmée, jamais plus difficile à réaliser. L'aviation militaire ne l'accepta que comme pilote de réserve. Ce fut à 27 ans seulement que l'aviation civile fit de lui un pilote de ligne, puis un chef de poste en pleine dissidence marocaine. « Le petit prince devient un grand caïd. » Il publie *Courrier Sud* et annexe le ciel à la littérature, ce qui ne l'empêche pas de rester un pilote efficace et brave, directeur à Buenos Aires de l'Aéropostale aux côtés de Mermoz, de Guillaumet. Ses accidents sont nombreux et sévères. Qu'il survive est un miracle. En 1931 il épouse la veuve de l'écrivain espagnol Gomez Carillo, Consuelo, sud-américaine dont la fantaisie enchante « le petit prince ». Les accidents continuent ; tantôt Saint-Ex est mis en morceaux par une chute effroyable, tantôt perdu dans le désert, après un atterrissage forcé. O besoin, dans la soif torturante du désert, de retrouver la *Terre des Hommes* !

1939. C'est la guerre. Bien que les médecins s'obstinent à le déclarer inapte au vol (suites de tant de fractures et commotions) il arrive enfin à se faire affecter au groupe de reconnaissance 2/33. Au moment de l'invasion, après les combats, le groupe est envoyé à Alger et démobilisé. A la fin de l'année je vois Saint-Ex arriver à New York. Il y écrit *Pilote de Guerre* qui obtient un immense succès aux Etats-Unis, et même en France, alors occupée. Je me lie de cœur avec lui et dirais volontiers, comme Léon-Paul Fargue : « Je l'ai beaucoup aimé et le pleurerai toujours.» Comment ne pas l'aimer ? Il possédait à la fois la force et la tendresse, l'intelligence et l'intuition. Il se plaisait à s'envelopper de rites et de mystères. Son génie mathématique, indiscutable, s'alliait à un goût enfantin du jeu. Ou il dominait la conversation, ou il rêvait à quelque autre planète.

J'étais chez lui à Long Island, dans la grande maison qu'il avait louée avec Consuelo tandis qu'il y écrivait *le Petit Prince*. Il travaillait la nuit. Après le dîner il parlait, contait, chantait, faisait des tours de cartes, puis vers minuit, tandis que les autres allaient se coucher, il s'asseyait à sa table. Je m'endormais. Vers deux heures du matin des cris dans l'escalier me réveillaient : « Consuelo! Consuelo !... J'ai faim... Viens me faire des œufs brouillés. » Consuelo descendait. Réveillé je les rejoignais, et de nouveau Saint-Ex parlait, très bien. Rassasié, il se remettait au travail. Nous tentions de dormir. Pas pour longtemps, car deux heures plus tard la maison retentissait d'appels claironnants : « Consuelo ! Je m'ennuie. Viens faire une partie d'échecs. » Puis il nous lisait ce qu'il venait d'écrire et Consuelo, poète elle-même, suggérait d'ingénieux épisodes.

Quand le général Béthouart vint aux Etats-Unis pour obtenir des armes, nous demandâmes, Saint-Ex et moi-même, à reprendre du service dans l'armée française d'Afrique. Il quitta New York quelques jours avant moi et, lorsque je descendis d'avion à Alger, je le vis qui m'attendait. Il semblait malheureux. Lui qui sentait si fort les liens qui unissent les hommes, lui qui se sentait toujours un peu responsable du destin de la France, il avait trouvé les Français divisés. Deux états-majors s'affrontaient. Placé « en réserve de commandement », il ne savait si on lui permettrait de voler. A quarante-quatre ans il demandait, avec une insistance tenace, à piloter un P 38, appareil rapide, fait pour des cœurs plus jeunes. Il finit par l'obtenir, grâce à l'intervention d'un fils du Président Roosevelt. Pendant l'attente il avait travaillé au livre (ou poème) qui fut ensuite appelé *Citadelle*.

Promu commandant, il parvint à rejoindre son cher groupe 2/33, celui de *Pilote de Guerre,* mais ses chefs, inquiets, lui marchandaient les missions. On lui en avait promis cinq : il en arracha trois de plus. De la huitième, au-dessus de la France alors occupée, il ne revint pas. Il avait décollé à 8 h 30 ; à 13 h 30, il n'était pas rentré. Ses camarades d'escadrille, réunis au mess, regardaient leur montre. Il n'avait plus qu'une heure d'essence. A 14 h 30 aucun espoir ne restait. Tous restèrent longtemps silencieux. Puis le chef d'escadrille dit à un aviateur : « Vous reprendrez la mission du commandant de Saint-Exupéry. » Cela finissait comme un roman de Saint-Ex et on l'imaginait très bien, à court d'essence et peut-être d'espoir, montant, comme l'un de ses héros, vers quelque champ céleste, tout balisé d'étoiles.

# LES LOIS DE L'ACTION

Les lois du monde héroïque sont constantes et nous devons nous attendre à les trouver dans l'œuvre de Saint-Exupéry à peu près telles que nous les avons connues dans les nouvelles de Kipling.

La première loi de l'action, c'est la discipline. Pourquoi quelques milliers de soldats anglais ont-ils pu, aux Indes, gouverner quelques millions d'hommes ? Est-ce parce qu'ils étaient mieux armés ? Cela n'eût pas suffi. L'armée des Indes a tenu longtemps ce pays géant, nous répond Kipling, parce que les peuples de l'Inde étaient divisés alors que, dans l'armée britannique, le soldat obéit au caporal, le caporal au sergent, le sergent au sergent-major, et ainsi de suite jusqu'au commandant en chef, lequel obéit au Vice-Roi. Ce qui est vrai d'une armée l'est aussi de toute action collective. Pour un aviateur chargé du courrier, une chose au monde est plus importante que ses idées, que ses amours et que sa vie : c'est le courrier.

La discipline exige que le subordonné respecte le chef ; elle exige aussi que le chef soit digne d'être respecté, et que lui-même respecte les lois. C'st un métier terrible que celui de chef. « Ah ! Seigneur, j'ai vécu puissant et solitaire », disait le Moïse de Vigny. Rivière, chef des pilotes dans *Vol de nuit*, s'enferme dans une solitude volontaire. Il aime ses hommes avec une sombre tendresse. Comment serait-il ouvertement leur ami quand il a le devoir d'être dur, exigeant, impitoyable ? Punir lui est pénible, et même il sait parfois que la punition est injuste, que l'homme ne pouvait agir autrement. Mais seule la rigueur de la discipline protège la vie des autres pilotes et la régularité du service. « Le règlement », écrit Saint-Exupéry, « est semblable aux rites d'une religion, qui semblent absurdes, mais façonnent les hommes. » Il faut parfois qu'un être meure pour en sauver beaucoup d'autres. Au chef incombe l'affreuse responsabilité de choisir la victime, et si le sacrifice est celui d'un ami, le chef n'a pas, hélas, le droit d'hésiter, ni même de laisser voir son angoisse. « Aimez ceux que vous commandez, mais sans le leur dire. »

Que donne le chef à ses hommes en échange de leur obéissance ? Il leur donne « des directives » ; il est pour eux comme un phare dans la nuit de l'action. De son esprit émanent des faisceaux rigides dont les rayons guident le pilote. La vie est une tempête ; la vie est une jungle ; si l'homme ne lutte pas contre les vagues, ou contre l'envahissement des lianes, il est perdu. Sans cesse aiguillonné par une volonté tendue qui est celle du chef, l'homme triomphe de la jungle. Celui qui obéit trouve légitime la sévérité de celui qui commande, si cette dureté donne à la vie une armure stable et solide. « Les hommes aiment leur travail *parce que je suis dur* », dit Rivière.

Que donne encore le chef à ceux qu'il commande ? Il leur donne la victoire, la grandeur, la durée. Regardant sur la montagne un temple d'Incas, qui survit seul à des civilisations disparues, Rivière se demande : « Au nom de quelle dureté et de quel étrange amour le conducteur de peuples d'autrefois, qui contraignit des foules à tirer ce temple sur la montagne, leur inspira-t-il donc de dresser leur éternité ? » A quoi sans doute quelque Homme de Bonne Volonté répondrait : « N'eût-il pas mieux valu que ce temple ne fût pas bâti et que nul ne souffrît en le bâtissant ? » Mais l'homme est un animal noble et il aime la grandeur plus que le confort, plus que le bonheur. A l'étage de l'action, et non plus du commandement, entre les exécutants, les lois du monde héroïque commandent l'amitié. Les liens du danger commun, du sacrifice commun, de la technique commune, l'engendrent, puis la nourrissent.

« Telle est la morale que Mermoz et d'autres nous ont enseignée. La grandeur d'un métier est peut-être, avant tout, d'unir des hommes. Il n'est qu'un luxe véritable et c'est celui des relations humaines. » Travailler pour des biens matériels ? Quelle duperie ! L'homme n'amasse ainsi qu'une monnaie de cendre. Elle ne procure rien qui vaille de vivre. « Si je cherche dans mes souvenirs ceux qui m'ont laissé un goût durable, si je fais le bilan des heures qui ont compté, à coup sûr je retrouve celles que nulle fortune ne m'eût procurées. » L'homme riche a des commensaux ou des parasites, l'homme puissant des courtisans, l'homme d'action a des camarades qui sont aussi des amis.

« *Nous goûtions cette même ferveur légère qu'au cours d'une fête bien préparée. Et cependant nous étions infiniment pauvres. Du vent, du sable, des étoiles. Un style dur pour Trappistes. Mais sur cette nappe mal éclairée, six ou sept hommes qui ne possédaient plus rien au monde, sinon leurs souvenirs, se partageaient d'invisibles richesses... Nous nous étions enfin rencontrés. On chemine longtemps côte à côte, enfermé dans son propre silence, ou bien l'on échange des mots qui ne transportent rien. Mais voici l'heure du danger. Alors on s'épaule l'un à l'autre. On découvre que l'on appartient à la même communauté. On s'élargit par la découverte d'autres consciences. On se regarde avec un grand sourire. On est semblable à ce prisonnier délivré qui s'émerveille de l'immensité de la mer...* »

Uni à d'autres hommes dans une escadrille, dans une armée, dans une usine ou dans une équipe, l'homme se trouve lui-même en s'oubliant. « Liés à nos frères par un but commun et qui se situe en dehors de nous, alors seulement nous respirons et l'expérience nous montre qu'aimer, ce n'est pas nous regarder l'un l'autre, mais regarder ensemble dans la même direction. Il n'est de camarades que s'ils s'unissent dans la même cordée, vers le même sommet... » Parce que des camarades ont confiance en lui et qu'il veut être digne de cette confiance, l'homme, dans l'équipe, passe infiniment l'homme.

Et même loin de l'équipe, il emportera dans son cœur ce besoin d'accord et d'approbation. Perdu dans la neige, épuisé, Guillaumet voudrait se coucher et mourir : « Mais les camarades croient que je marche ; ils ont tous confiance en moi. Et je suis un salaud si je ne marche pas... » D'ailleurs cette amitié, cette camaraderie ont, elles aussi, leur dureté : « Quand un camarade meurt, sa mort paraît encore un acte qui est dans l'ordre du métier. » Et pourtant nul ami nouveau ne saurait remplacer le camarade perdu. « On ne se crée point de vieux camarades. »

Quel est, en ce monde héroïque, le rôle de la femme ? Dans l'œuvre de Kipling, la femme apparaît ou bien comme la compagne des dangers et des travaux (*En Famine*), ou comme la tentatrice qui arrache l'homme au métier (*Histoire des Gadsby*). On voit parfois, dans les romans de Saint-Exupéry, passer, à l'arrière-plan, des femmes de pilotes, douces, aimantes et résignées à vivre dans la perpétuelle attente d'un homme que chaque jour guette la mort. Il y a eu des temps où l'homme d'action idéalisait la femme dont il était séparé. Ainsi les Croisades donnèrent naissance aux « Dames de beauté », aux « honnestes dames » des chansons de geste. Mais il semble, si l'on observe les héros de Saint-Exupéry, que l'aviateur ait beaucoup moins que le soldat de terre ou que le marin, le temps de rêver à une absente. Le danger du métier, pour lui, est plus immédiat et plus constant. Un moteur qui flanche et c'est la mort. Un vol à haute altitude, un tube d'oxygène bouché, et il entre dans le sommeil éternel. Que sont, pour un tel homme, les villes et les femmes ? Des escales. Une petite fille entrevue l'émeut un instant par sa grave beauté (*Pilote de Guerre*). Mais quoi ? Il faut s'envoler.

De tous les autres hommes d'action, l'aviateur diffère aussi parce que son monde est étrangement abstrait. Vue de si haut, la terre se vide. Neuf heures sur dix, l'avion survole l'océan, ou le désert, ou la jungle. Entre Marrakech et Dakar, l'homme, sur la planète, est à peine accroché. Entre Dakar et le Brésil, rien. Et au Brésil même, que de langunes et de forêts où l'homme ne pénètre jamais. Pour le voyageur aérien, les climats, les saisons n'ont plus de sens. Il passe du printemps à l'hiver pour revenir, quelques heures plus tard, à l'été. La vie pour lui est vraiment un songe. Elle en a la folie, les brusques changements. Saint-Exupéry raconte que, la première fois qu'il se posa sur le territoire africain, il y passa trente secondes. Un autre avion l'attendait, près duquel on lui signala de ranger le sien quand il descendit du ciel. « Vous repartez pour la France avec le courrier », lui dit son chef. Et il repartit sur-le-champ. Comment son Afrique serait-elle celle du spahi ou du tirailleur ? Beaucoup de villes, pour le pilote, ne sont qu'un camp d'aviation, qu'un terrain d'atterrissage. Qu'il aille à Melbourne ou à Tchoung-King, à Calcutta ou à New York, à Tunis ou à Rio, il verra des pistes, des hangars, un camion d'essence, du sable, de la terre battue et peut-être au loin quelques arbres.

La réalité pour lui est ailleurs. La réalité humaine, c'est l'escadrille, ce sont les camarades de la ligne ; la réalité naturelle, il la connaît à travers l'avion. Il la connaît comme le paysan : « La terre nous en apprend plus long sur nous que tous les livres. Parce qu'elle nous résiste. L'homme se découvre quand il se mesure avec l'obstacle. Mais pour l'atteindre il lui faut un outil. Il lui faut un rabot, ou une charrue. Le paysan, dans son labour, arrache peu à peu quelques secrets à la nature, et la vérité qu'il dégage est universelle. De même l'avion, l'outil des lignes aériennes, mêle l'homme à tous les vieux problèmes. » La mer, les courants, les signes précurseurs des tempêtes, les éclaircies, le marin les connaît et les comprend parce qu'il lui faut sauver sa coque de bois ou d'acier. L'aviateur apprend à interroger les nuages, les cahots des routes aériennes et les obstacles au sol. Voyez, dans *Terre des Hommes,* comment le vieux pilote décrit l'Espagne au camarade qui la doit survoler pour la première fois. Il ne s'agit ni des villes, ni des êtres, mais de tel ruisseau qui traîtreusement affaisse une prairie, de trois arbres qui gênent un atterrissage, d'un troupeau de moutons dangereusement affolé. Et relisez ce que devient, vue de si haut, la retraite de 1940 : « Je survole donc des routes noires de l'interminable sirop qui n'en finit plus de couler. » Pour l'aviateur, parler d'un fleuve humain n'est pas une image poétique, c'est la description simple et vraie de ce qu'il voit. Un spectacle n'a point de sens sinon à travers un métier. Le pilote vit à l'échelle des constellations et des continents. Mais que peut savoir du monde le bureaucrate ?

*Vieux bureaucrate, mon camarade ici présent, nul ne t'a jamais fait t'évader et tu n'en es point responsable. Tu as construit ta paix à force d'aveugler de ciment comme le font les termites, toutes les échappées vers la lumière. Tu t'es roulé en boule dans ta sécurité bourgeoise, tes routines, les rites étouffants de ta vie provinciale ; tu as élevé cet humble rempart contre les vents et les marées et les étoiles. Tu ne veux point t'inquiéter des grands problèmes, tu as eu bien assez de mal à oublier ta condition d'homme. Tu n'es point l'habitant d'une planète errante, tu ne te poses point de questions sans réponse : tu es un petit bourgeois de Toulouse. Nul ne t'a saisi par les épaules quand il en était temps encore. Maintenant, la glaise dont tu es formé a séché, et s'est durcie, et nul en toi ne saurait désormais réveiller le musicien endormi, ou le poète, ou l'astronome, qui peut-être t'habitaient encore... Je ne me plains plus des rafales de pluie. La magie du métier m'ouvre un monde où j'affronterai, avant deux heures, les dragons noirs et les chevelures couronnées d'éclairs bleus, où, la nuit venue, délivré, je lirai mon chemin dans les astres...*

L'homme d'action est un poète, au sens fort du mot, parce qu'il est « celui qui fait, celui qui crée ». J'aimais à entendre Saint-Ex (je parle de l'homme et non plus de l'écrivain) décrire un événement. Parfois, et même s'il était au milieu d'amis, il restait longtemps silencieux. Soudain, parce que l'un des sujets qui lui tiennent à cœur a été effleuré, il prend le départ et tout de suite monte en flèche. Traitant un problème de stratégie, ou même de politique, il le rend simple parce qu'il le voit de haut. Il parle en homme de science, avec une extrême précision de vocabulaire et de raisonnement. Mais en même temps il parle en poète. Les êtres et les choses renaissent à sa voix. La phrase libre, coupée, jamais oratoire, est comme un geste qui ajuste l'idée. Les images sont neuves et spontanées, souvent issues du métier lui-même. Tout un groupe, ravi, écoute jusqu'au moment où, ayant achevé son poème ou sa démonstration, Saint-Ex retombe dans son mutisme, fait un tour de cartes ou chante une chanson. Car c'est encore une des lois de l'action héroïque qu'elle engendre des êtres qui ont peine à se plier aux conventions mondaines et sociales.

# IV

# L'ŒUVRE

Des romans ? A peine. La part de la fiction va se réduisant d'ouvrage en ouvrage. Bien plutôt des essais sur l'action, sur les hommes, sur la terre, sur la vie. La toile de fond représente presque toujours un champ d'aviation. Non par désir de se faire le spécialiste de l'air, mais par sincérité. C'est ainsi que pense et vit l'auteur. Pourquoi ne nous décrirait-il pas le monde à travers son métier de pilote, puisque c'est ainsi qu'il prend contact avec le monde.

*Courrier Sud* est le plus romanesque des récits de Saint-Exupéry. L'aviateur Jacques Bernis, pilote de l'Aéropostale, rentre à Paris et y retrouve une amie d'enfance, Geneviève Herpin. Elle a un mari médiocre : son enfant meurt ; elle aime Bernis ; elle accepte de fuir avec lui. Mais tout de suite Bernis sait qu'ils ne sont pas faits l'un pour l'autre. Que cherche-t-il ? Un « trésor », qui est la vérité, le « maître mot ». Il a cru d'abord le trouver en une femme. Echec. Il espère plus tard le trouver comme Claudel à Notre-Dame, où il est entré parce qu'il était trop malheureux ; cet espoir aussi est déçu. Peut-être la réponse est-elle dans le métier, et obstinément, courageusement, Bernis porte le courrier de Dakar au-dessus du Rio del Oro. Un jour l'auteur retrouve le cadavre de Bernis, tué par des balles arabes. Mais le courrier a été sauvé. Il arrivera à Dakar en temps utile.

*Vol de Nuit* appartient à la période sud-américaine de la vie de Saint-Exupéry. Pour que le courrier venu de Patagonie, du Chili et du Paraguay, atteigne Buenos-

Ayres à temps, il est indispensable que les pilotes de l'Aéropostale volent de nuit au-dessus de ces immenses chaînes de montagnes. Si une tempête les surprend, s'ils perdent leurs routes, ils sont condamnés. Mais Rivière, leur chef, sait que ce risque doit être accepté. Avec lui, avec un de ses inspecteurs, Robineau, avec la femme d'un pilote, Fabien, nous suivons la marche de trois avions à travers l'orage. L'un d'eux, celui de Fabien, se perd dans la tempête. Toute la Cordillère semble se fermer devant lui. L'aviateur, qui n'a plus qu'une demi-heure d'essence, se sait sans espoir. Alors il monte parmi les étoiles où il n'y aura d'autre vie que la sienne. Conquérant de fabuleux trésors, Fabien va mourir. Cette jeune femme, cette lampe allumée, ce dîner préparé avec tant d'amour l'attendront en vain. Cependant Rivière, qui lui aussi, à sa manière, a aimé Fabien, s'occupe froidement, désespérément, de faire partir le courrier pour l'Europe. Rivière écoute l'avion transatlantique « naître, gronder et s'évanouir », comme le pas formidable d'une armée en marche dans les étoiles, et devant la fenêtre, il songe :

*« Victoire... Défaite... Ces mots n'ont point de sens... Une victoire affaiblit un peuple, une défaite en réveille un autre... L'événement en marche compte seul. Dans cinq minutes, les postes de T. S. F. auront alerté les escales. Sur quinze kilomètres, le frémissement de la vie aura résolu tous les problèmes. Déjà un chant d'orgue monte : l'avion. Et Rivière, à pas lents, retourne à son travail parmi les secrétaires que courbe son regard dur. Rivière-le-Grand, Rivière-le-Victorieux, qui porte sa lourde victoire. »*

*Terre des Hommes* est un beau recueil d'essais, dont certains prennent forme de nouvelles. Récit du premier voyage au-dessus des Pyrénées, de l'initiation par les anciens, du voyage et de la lutte avec « trois divinités élémentaires : la montagne, la mer et l'orage ». Portraits de camarades : de Mermoz, disparu dans l'Océan, de Guillaumet, sauvé des Andes par sa ténacité. Essai sur

« l'avion et la planète », paysages célestes, oasis, descente dans le désert parmi les Maures, et récit du jour où, perdu dans les sables de Libye comme dans une glu, l'auteur faillit mourir de soif. Mais les sujets importent peu ; ce qui compte, c'est que celui qui voit de si haut la terre des hommes, sait que « seul, l'Esprit, s'il souffle sur la glaise, peut créer l'homme. » Trop d'écrivains, depuis vingt ans, nous ont parlé des faiblesses de l'homme. En voici un qui, enfin, nous parle de sa grandeur. « Ce que j'ai fait, vois-tu », dit Guillaumet, « aucune bête ne l'aurait fait. »

Enfin *Pilote de Guerre* est le livre écrit par Saint-Exupéry après la courte campagne — et la défaite — de 1940... Au cours de l'offensive allemande en France, le capitaine de Saint-Exupéry et son équipage reçoivent de leur chef, le commandant Alias, l'ordre de faire un vol de reconnaissance sur Arras. Ils ont toute chance d'y trouver la mort, et une mort inutile, car on leur demande de recueillir des renseignements qu'ils ne pourront jamais transmettre. Les routes seront embouteillées, les téléphones en panne ; l'Etat-Major aura déménagé. Le commandant Alias, qui donne l'ordre, sait lui-même que cet ordre est absurde. Mais que dire ? Qui songe à se plaindre ? On répond : « Oui, mon Commandant... Bien, mon Commandant... » et on part pour cette mission futile.

Le livre est la méditation du pilote tandis qu'il vole vers Arras, puis en revient parmi les obus et les chasseurs ennemis. Une très belle méditation. « Bien, mon Commandant... » Pourquoi le commandant Alias envoie-t-il des hommes qui sont ses amis à une mort inutile ? Pourquoi des milliers de jeunes hommes acceptent-ils de mourir dans une bataille qui semble alors perdue ? Parce qu'ils sentent que, par ce combat sans espoir, ils maintiennent la discipline de l'armée, et l'unité de la France. Ils savent bien qu'ils ne changeront pas, en quelques instants, par quelques gestes, par le sacrifice de quelques vies, des vaincus en vainqueurs. Mais ils savent aussi que la défaite peut se révéler le chemin vers la résurrection. Pourquoi se battent-ils ? Par désespoir ? Mais non :

« *Il est une vérité plus haute que les énoncés de l'intelligence. Quelque chose passe à travers nous et nous*

**225**

*gouverne, que je subis sans le saisir encore. Un arbre n'a point de langage. Nous sommes d'un arbre. Il est des vérités qui sont évidentes bien qu'informulables. Je ne meurs point pour m'opposer à l'invasion, car il n'est point d'abri où me retrancher avec ceux que j'aime. Je ne meurs point pour sauver un honneur dont je refuse qu'il soit en jeu : je récuse les juges. Je ne meurs point non plus par désespoir. Et cependant Dutertre, qui consulte la carte, ayant calculé qu'Arras loge là-bas, quelque part au cent soixante-quinze, me dira, je le sens, avant trente secondes :*

*— Cap au cent soixante-quinze, mon Capitaine...*

*Et j'accepterai. »*

Ainsi méditait un aviateur français, tandis qu'il attendait la mort au-dessus d'Arras en flammes, et aussi longtemps que de tels hommes auront de telles pensées et les exprimeront dans un langage aussi beau, la civilisation française ne périra pas. « Bien, mon Commandant... » Saint-Ex et ses camarades ne diront rien d'autre. « Demain nous ne dirons rien non plus. Demain, pour les témoins, nous serons des vaincus. Les vaincus doivent se taire. Comme les graines. »

On demeure stupéfait qu'il se soit trouvé des critiques pour penser que ce beau livre était « défaitiste ». Je n'en connais pas un qui donne plus de confiance en l'avenir de la France :

« Défaite... Victoire... (répète-t-il après Rivière). Je sais mal me servir de ces formules. Il est des victoires qui exaltent, d'autres qui abâtardissent. Des défaites qui assassinent, d'autres qui réveillent. La vie n'est pas énonçable par des états, mais par des démarches. La seule victoire dont je ne puisse douter est celle qui loge dans le pouvoir des graines. Plantée la graine, au large des terres noires, la voilà déjà victorieuse. Mais il faut dérouler le temps pour assister à son triomphe dans le blé... »

Les graines françaises germeront. Elles ont germé depuis la saison où fut écrit *Pilote de Guerre*, et la moisson nouvelle monte déjà. Mais la France qui a souffert et attendu patiemment le nouveau printemps, reste reconnaissante à Saint-Exupéry, de ne l'avoir jamais reniée :

## ANTOINE DE SAINT-EXUPÉRY

*« Puisque je suis d'eux, je ne renierai jamais les miens, quoi qu'ils fassent. Je ne prêcherai jamais contre eux devant autrui. S'il est possible, je prendrai leur défense, je les défendrai. S'ils me couvrent de honte, j'enfermerai cette honte dans mon cœur, et me tairai. Quoi que je pense alors sur eux, je ne servirai jamais de témoin à charge... Ainsi je ne me désolidariserai pas d'une défaite qui, souvent, m'humiliera. Je suis de France. La France formait des Renoir, des Pascal, des Pasteur, des Guillaumet, des Hoche. Elle formait aussi des incapables, des politiciens et des tricheurs. Mais il me paraît trop aisé de se réclamer des uns et de nier toute parenté avec les autres. La défaite divise. La défaite défait ce qui était fait. Il y a là menace de mort : je ne contribuerai pas à ces divisions, en rejetant la responsabilité du désastre sur ceux des miens qui pensent autrement que moi. Il n'est rien à tirer de ce procès sans juge. Nous avons tous été vaincus... »*

Accepter pour soi-même, comme pour les autres, les responsabilités de la défaite n'est pas du défaitisme ; c'est de l'équité. Conseiller aux Français l'unité qui rendra possible la grandeur future, ce n'est pas du défaitisme ; c'est du patriotisme. *Pilote de Guerre* demeurera sans doute, dans l'histoire littéraire de la France, un livre aussi important que *Servitude et Grandeur Militaires*.

Je n'essaierai certes pas « d'expliquer » le *Petit Prince*. Ce livre d'enfants pour grandes personnes fourmille de symboles qui sont beaux parce qu'ils semblent à la fois limpides et obscurs. La vertu essentielle d'une œuvre d'art, c'est qu'elle signifie par elle-même, sans faire appel à des concepts abstraits. On ne commente pas une cathédrale ; on n'annote pas la voûte étoilée. Que le *Petit Prince* soit une incarnation de Tonio enfant, je le crois. Mais comme *Alice au Pays des Merveilles* était à la fois un conte pour petites filles et une satire du monde victorien, le *Petit Prince*, dans sa mélancolie poétique, enferme toute une philosophie. Le roi y est obéi quand il n'ordonne que ce qui arriverait de toute manière ; l'allumeur de réverbères y est respecté parce qu'il s'occupe d'autre chose que lui-même ; le *businessman* y est raillé parce qu'il croit qu'on peut « posséder » des étoiles ou des fleurs ; le renard s'y laisse apprivoiser afin de connaître un bruit de pas qui sera différent de tous les autres. « On ne connaît que les choses que l'on apprivoise, dit le renard. Les hommes achètent des choses toutes faites chez les marchands. Mais comme il n'existe point de marchands d'amis, les hommes n'ont plus d'amis. » *Le Petit Prince* est l'œuvre d'un héros sage et tendre, qui avait des amis.

Il faut parler maintenant de *Citadelle*, livre posthume, pour lequel Saint-Ex avait laissé de nombreuses notes, mais qu'il n'avait pas eu le temps de composer, ni d'émouder. Aussi tout jugement est-il difficile. Certes l'auteur attachait grande importance à *Citadelle*. C'était une somme, un message, un testament. Georges Pélissier, qui fut à Alger le confident de Saint-Ex, affirme qu'il faut chercher dans cet ouvrage l'essence de sa pensée ; il nous apprend qu'un premier jet parut sous le titre *Seigneur Berbère* et que Saint-Ex voulut un instant appeler ce poème en prose : *Le Caïd*, puis revint à *Citadelle*, sa première idée. Léon Werth, autre ami, écrit : « Le texte de *Citadelle* est une gangue. Et la plus extérieure. Ce sont notes jetées au dictaphone, notes parlées, notes volantes... *Citadelle* est une improvisation. »

D'autres se montrèrent plus réticents. Luc Estang, qui admire tant le Saint-Ex de *Vol de Nuit*, de *Terre des Hommes*, avoue sa résistance à cette « mélopée de prince-patriarche oriental ». Et cette mélopée se continue des centaines de pages durant. Impitoyable écoulement de sable. « On en ramasse une poignée : de belles paillettes brillent, mais tout de suite enfouies dans une monotonie où le lecteur s'enlise lui aussi. L'attention se dilue ; l'ennui submerge l'admiration. » C'est vrai. La nature même de l'œuvre est dangereuse. Il y a toujours quelque chose d'artificiel, pour un Occidental de notre temps, à prendre le ton du livre de Job. Les paraboles des Evangiles sont sublimes, mais brèves et mystérieuses, tandis que *Citadelle* est long et didactique. Bien sûr, il y a *Zarathoustra*, et les *Paroles d'un Croyant* de Lamennais ; bien sûr la philosophie demeure celle de *Pilote de Guerre*, mais le support concret fait ici défaut.

Pourtant les paillettes, qui restent dans le crible après cette lecture, sont d'or pur. Le thème est hautement saintexupérien. Le vieux prince du désert qui nous communique sa sagesse et son expérience a été un nomade. Puis il a compris que l'homme ne trouve de paix que s'il construit sa citadelle. L'homme a besoin d'une demeure, d'un domaine, d'un pays à aimer. Un tas de briques et de pierres n'est rien ; il y manque l'âme de l'architecte. La citadelle est d'abord dans le cœur de l'homme. Elle est faite de souvenirs et de rites. Il importe de lui être fidèle, « car je n'embellirai point un temple si je le recommence à chaque instant ». Si l'homme renverse les murs pour s'assurer la liberté, il n'est plus « que forteresse démantelée ». Alors commence l'angoisse de n'être point. « Mon territoire est bien autre chose que ces moutons, ces champs, ces demeures et ces montagnes, mais ce qui les domine et les *noue*. »

La citadelle et la demeure reposent sur un nœud de relations. « Et les rites sont dans le temps ce que la demeure est dans l'espace. » Il est bon que le temps, lui aussi, soit une construction et que l'homme aille de fête en fête, et d'anniversaire en anniversaire, et de vendange en vendange. Auguste Comte déjà, et Alain, plaidaient pour les cérémonies, et pour les commémorations, faute de quoi il n'est pas de société. « Je rétablis les hiérarchies » dit le Seigneur du Désert. « De l'injustice d'aujourd'hui, je crée la justice de demain. Et ainsi j'ennoblis mon empire. » Saint-Ex, comme Valéry, loue les contraintes. Car si l'on brise les contraintes, et si on les oublie, l'homme redevient sauvage. « Le bavard imbécile » reproche au cèdre de n'être point palmier, voudrait tout unifier et tend vers le chaos. « Mais la vie s'oppose au désordre et aux pentes naturelles. »

Même rigueur en amour. « J'enferme la femme dans le mariage et ordonne de lapider l'épouse adultère. » Et certes il comprend que la femme soit toute palpitante, livrée au supplice d'être tendre et qu'elle jette son appel à la nuit tout entière. Mais elle passerait vainement de manteau en manteau, car il n'est point d'homme pour la combler. A quoi bon ratifier le changement d'époux. « Je sauve celle-là seule qui trouve dans ses propres limites son épanouissement. Je sauve celle-là qui n'aime point l'amour, mais tel visage particulier qu'a pris l'amour. » La femme aussi doit avoir la citadelle en son cœur.

Qui commande ainsi ? Le Seigneur du Désert. Et qui commande au Seigneur du Désert ? Qui lui dicte ce respect des contraintes et des liens ? « Obstiné, je montai vers Dieu pour lui demander la raison des choses. Mais au sommet de la montagne je ne découvris qu'un bloc pesant de granit noir, lequel était Dieu. » Et il supplie Dieu de l'instruire. Mais le bloc de granit demeure impénétrable. Il doit le rester. Un dieu qui se laisse toucher n'est plus un dieu. « Ni s'il obéit à la prière. Et pour la première fois, je devinais que la grandeur de la prière réside d'abord en ce qu'il n'y est point répondu et que n'entre point dans cet échange la laideur d'un commerce. Et que l'apprentissage de la prière est l'apprentissage du silence. Et que commence l'amour là seulement où il n'est plus de don à attendre. L'amour d'abord est exercice de la prière et la prière exercice du silence. »

Ce qui est peut-être le dernier mot de l'héroïsme mystique.

# V

# LA PHILOSOPHIE

Certains auraient voulu que Saint-Exupéry se conten-
tât d'être un romancier, un voyageur céleste, et disaient :
« Pourquoi veut-il à toute force philosopher alors qu'il
n'est pas un philosophe ? » Il me plaît, à moi, que Saint-
Exupéry philosophe.

« Il faut penser avec ses mains », écrivait jadis Denis
de Rougemont. L'aviateur pense avec son corps, et avec
son outil. La plus belle figure qu'ait peinte Saint-Exupéry, plus belle même que celle de Rivière, c'est celle d'un
homme si simplement courageux qu'il serait ridicule de
raconter ses actes de courage :

*« Hochedé est un ancien sous-officier, promu récem-
ment sous-lieutenant. Sans doute dispose-t-il d'une culture
médiocre. Il ne saurait rien éclairer sur lui-même. Mais il
est bâti, il est achevé. Le mot* devoir, *quand il s'agit de
Hochedé, perd toute redondance. On voudrait bien subir
le devoir comme Hochedé le subit. En face de Hochedé, je
me reproche tous mes petits renoncements, mes négligen-
ces, mes paresses, et par-dessus tout, s'il y a lieu, mes
scepticismes. Ce n'est pas signe de vertu, mais de jalousie bien comprise. Je voudrais exister autant que Hochedé existe. Un arbre est beau, bien établi sur ses racines. Elle est belle, la permanence de Hochedé. Hochedé
ne pourrait décevoir... »*

Le courage ne peut naître d'un discours bien composé, mais d'une intuition qui se fait action. Le courage est un fait. L'arbre est un fait. Le paysage est un fait. Nous pourrions décomposer ces notions par l'analyse, mais cela serait vain et les affaiblirait. Hochedé n'est pas volontaire *parce que...* Il est volontaire naturellement.

Pour l'intelligence discursive, Saint-Exupéry n'a guère que du mépris. Il n'a aucune foi dans les idéologies. Il dirait volontiers, comme Alain : « Toute preuve est pour moi clairement déshonorée. » Comment des mots abstraits contiendraient-ils la vérité sur l'homme ? « La vérité, ce n'est point ce qui est démontré. Si, dans ce terrain et non dans un autre, les orangers développent de solides racines et se chargent de fruits, ce terrain-là, c'est la vérité des orangers. Si cette religion, si cette culture, si cette échelle des valeurs, si cette forme d'activité et non telles autres favorisent dans l'homme cette plénitude, délivrent en lui un grand seigneur qui s'ignorait, c'est que cette échelle des valeurs, cette culture, cette forme d'activité, sont la vérité de l'homme. La logique ? Qu'elle se débrouille pour rendre compte de la vie. »

Qui a raison ? La Droite ou la Gauche ? Tel parti ou tel parti ? N'attendez pas de Saint-Exupéry une réponse à de si vaines questions. Ces querelles lui semblent misérables. Ce qui importe, c'est ce qui élève l'homme au-dessus de lui-même. Mais ce qui élève l'un abaisse l'autre. Tout mouvement, comme disait Péguy, a ses mystiques et ses politiques.

« *Celui qui ne soupçonnait pas l'inconnu endormi en lui mais l'a senti se réveiller une seule fois dans une cave d'anarchistes, à Barcelone, à cause du sacrifice, de l'entraide, d'une image rigide de la justice, celui-là ne connaîtra plus qu'une vérité : la vérité des anarchistes. Et celui qui aura une fois monté la garde pour protéger un peuple de petites nonnes agenouillées, épouvantées, dans les monastères d'Espagne, celui-là mourra pour l'Eglise...* »

Qu'est-ce que la vérité ? La vérité n'est ni une doctrine, ni un dogme. On ne l'acquiert pas en adhérant à une secte, à une école ou à un parti. « La vérité, pour l'homme, c'est ce qui fait de lui un Homme... »

« *Pour comprendre l'homme et ses besoins, pour le connaître dans ce qu'il a d'essentiel, il ne faut pas opposer, l'une à l'autre, l'évidence de vos vérités. Oui, vous avez raison. Vous avez tous raison. La logique démontre tout. Il a raison, celui-là même qui rejette les malheurs du monde sur les bossus. Si nous déclarons la guerre aux bossus, nous apprendrons vite à nous exalter. Nous vengerons les crimes des bossus. Et certes, les bossus aussi commettent des crimes... A quoi bon discuter les idéologies ? Si toutes se démontrent, toutes aussi s'opposent, et de telles discussions font désespérer du salut de l'homme. Alors que l'homme, partout, autour de nous, expose les mêmes besoins... Nous voulons être délivrés. Celui qui donne un coup de pioche veut donner un sens à son coup de pioche. Et le coup de pioche du bagnard, qui humilie le bagnard, ce n'est point le même que le coup de pioche du prospecteur, qui grandit le prospecteur. Le bagne réside là où les coups de pioche sont donnés. Il n'est pas d'horreur matérielle. Le bagne réside là où les coups de pioche sont donnés qui n'ont point de sens, qui ne relient pas celui qui les donne à la communauté des hommes... »*

Celui qui a formé de la vérité cette idée toute relative ne peut reprocher à d'autres hommes d'avoir des croyances différentes des siennes. Si la vérité de chacun est ce qui le grandit, nous pouvons, vous et moi, qui ne sommes pas de même obédience, nous sentir rapprochés par notre goût commun de la grandeur, par notre amour commun de l'amour. L'intelligence ne vaut qu'au service de l'amour.

« *Nous nous sommes trompés trop longtemps sur le rôle de l'intelligence. Nous avons négligé la substance de l'homme. Nous avons cru que la virtuosité des âmes basses pouvait aider au triomphe des causes nobles, que l'égoïsme habile pouvait exalter l'esprit de sacrifice, que la sécheresse de cœur pouvait, par le vent des discours, fonder la fraternité ou l'amour. Nous avons négligé l'Etre. La graine de cèdre, bon gré, mal gré, deviendra cèdre. La graine de ronce deviendra ronce. Je refuserai désormais de juger l'homme sur les formules qui justifient ses décisions... »*

Ce qu'il importe de demander au sujet de tout homme, ce n'est pas : « Quelle est sa doctrine ? Quelle est son étiquette ? A quel parti s'est-il affilié ? » Ce qu'il faut demander, c'est : « Quel homme est-il ? » Quel *homme*, et non quel individu. Ce qui compte, c'est l'homme intégré dans un groupe, dans un pays, dans une civilisation. Les Français ont écrit aux frontons de leurs monuments : Liberté, Egalité, Fraternité. Ils ont eu raison ; c'est une belle devise. A la condition, ajoute Saint-Exupéry, que l'on comprenne que les hommes ne peuvent être libres, égaux et frères qu'en quelqu'un ou en quelque chose.

*« Qu'est-ce que délivrer ? Si je délivre, dans un désert, un homme qui n'éprouve rien, que signifie sa liberté ? Il n'est de liberté que de quelqu'un qui va quelque part. Délivrer cet homme serait lui enseigner la soif et tracer une route vers un puits. Alors seulement se proposeraient à lui des démarches qui ne manqueraient plus de signification. Délivrer une pierre ne signifie rien s'il n'est point de pesanteur. Car la pierre, une fois libre, n'ira nulle part... »*

De la même manière « le soldat et le capitaine sont égaux en la nation ». Les croyants étaient égaux en Dieu.

*« Exprimant Dieu, ils étaient égaux dans leurs droits. Servant Dieu, ils étaient égaux dans leurs devoirs. Je comprends pourquoi une égalité établie en Dieu n'entraînait ni contradiction, ni désordre. La démagogie s'introduit quand, faute de commune mesure, le principe d'éga-*

*lité s'abâtardit en principe d'identité. Alors le soldat refuse le salut au capitaine, car le soldat, en saluant le capitaine, honorerait un individu, et non la Nation... »*

Et enfin la fraternité :

*« Je comprends l'origine de la fraternité des hommes. Les hommes étaient frères en Dieu. On ne peut être frère qu'en quelque chose. S'il n'est point de nœud qui les unisse, les hommes sont juxtaposés et non liés. On ne peut être frère tout court. Mes camarades et moi sommes frères en le Groupe 2/33 ; les Français, en la France.»*

Résumons : la vie d'action est dangereuse ; la mort est toujours toute proche ; la vérité absolue n'existe pas ; mais le sacrifice façonne des hommes qui seront maîtres du monde parce qu'ils sont maîtres d'eux-mêmes. Telle est la sévère philosophie du pilote. L'étrange est qu'il en tire une forme d'optimisme. Les écrivains sédentaires qui recuisent dans leurs passions sont pessimistes parce qu'ils sont isolés. L'homme d'action ignore l'égoïsme parce qu'il ne se connaît que comme partie d'un groupe. Le combattant néglige les petitesses des hommes, parce qu'il voit le but. Ceux qui travaillent ensemble, ceux qui sont ensemble responsables, survolent la haine.

La leçon de Saint-Ex reste vivante. « J'aurai l'air d'être mort et ce ne sera pas vrai » dit le Petit Prince, et il dit aussi : « Et quand tu seras consolé (on se console toujours), tu seras content de m'avoir connu. Tu seras toujours mon ami. » Nous sommes contents de l'avoir connu ; nous serons toujours ses amis.

# JACQUES
# DE LACRETELLE

Voici un écrivain assez différent de ceux que nous avons étudiés jusqu'à présent. Il appartient à une vieille aristocratie libérale et protestante et, bien qu'il ait acquis rapidement les qualités techniques et la sûreté d'écriture du professionnel, il a toujours souhaité conserver l'attitude et le ton de l'amateur. « Je n'apprendrai », dit-il, « à aucun de mes confrères que nous sommes tous guettés très tôt par deux dangers : l'exploitation de notre carrière et ce que l'on nomme le métier... L'amateur est celui dont la personnalité vivante ne sera jamais recouverte par le métier. Il aura une manière, un style, des manies, mais cela viendra en droite ligne de sa nature... » Et il cite, parmi les étoiles de la constellation des amateurs : Benjamin Constant, Stendhal, Mérimée, Delacroix, et même Tourgueniev. L'amateur sera souvent considéré par son époque comme un écrivain mineur. « Mais ensuite, comme ses refus et sa nonchalance même le grandiront ! » Lacretelle est parent, par plus d'un trait, de Constant et de Mérimée.

# I

# LA JEUNESSE

Le *Larousse* nous apprend que Pierre-Louis de Lacretelle, journaliste et publiciste français, député aux Etats généraux, puis membre du Corps législatif, naquit à Metz en 1751 et mourut à Paris en 1824 ; que son frère, Jean-Charles-Dominique de Lacretelle, dit « Lacretelle jeune », fut élu à l'Académie française en 1811 ; que le fils de ce dernier, Pierre-Henri de Lacretelle, écrivain et homme politique, publia des recueils de vers, des romans, un drame, vécut au château de Cormatin, en Bourgogne, et fut pendant trente ans le député lamartinien de Tournus ; enfin que le « petit-fils du précédent », Jacques de Lacretelle, naquit à Cormatin (Saône-et-Loire) en 1888.

Donc *notre* Lacretelle vint au monde au pied des « coteaux modérés » du Mâconnais et s'il lui arriva, dans son adolescence, de maudire ces paysages tranquilles, et de rêver cimes ou tempêtes romantiques, c'était pourtant à Racine, à Sainte-Beuve, à Renan, à cette cohorte classique et diserte, qu'il devait revenir au temps de sa maturité. Son voisin de campagne, le critique Albert Thibaudet, divisait les écrivains français en deux lignées : celle de Chateaubriand et celle de Stendhal ou, comme il disait, celle du Vicomte et celle du Lieutenant. Il en faudrait peut-être étudier une troisième, la lignée Voltaire-Anatole France, celle de l'Eliacin iconoclaste qui devient vers la fin de sa vie un philosophe en robe de chambre. Pour Lacretelle, il est évidemment de la lignée Stendhal, laquelle descend elle-même du Rousseau des *Rêveries,* et il appartint en sa jeunesse, par son goût de l'introspection critique, par une vague et lyrique ferveur, et par la pureté, à la fois classique et familière, du style, à la zone d'influence de Gide.

Il trouvait, dans sa famille paternelle, deux traditions bien enracinées : le goût des lettres et la liberté de l'esprit. Il était essentiellement français et, en un temps où la mode était de regretter que les écrivains de notre pays ne fussent pas assez fous, il louait au contraire la littérature française de clarifier et de « filtrer » les idées : « Voyez », écrivait-il, « le plus hardi et le plus libéré des nôtres : Gide a beau faire et beau dire, il garde le scrupule de la logique... Et s'il arrive que notre propre sagesse, notre indéfectible mesure, nous impatientent parfois, il est certain qu'elles ne rendent pas le même son hors de chez nous. » Par exemple, il montre qu'Anatole France, auxquels de jeunes écrivains français reprochent son ironie scolaire et son paganisme académique, a représenté pour beaucoup d'étrangers, la critique la plus hardie et la libération de l'esprit.

Lacretelle fit ses études à Paris, au lycée Janson-de-Sailly, dont il esquissa plus tard la description dans *Silbermann*. Dernier venu des grands lycées parisiens, Janson ne recevait pas les mêmes couches sociales que le Condorcet de Proust, de Martin du Gard et de Romains, ni qu'Henri IV ou Louis-le-Grand :

« *Janson a été un carrefour. La poussée de Paris vers le bois de Boulogne, l'installation dans la capitale d'un grand nombre de familles étrangères, la fermeture des écoles libres, la survivance des petits îlots provinciaux de Passy et d'Auteuil, lui ont fourni pendant des années une clientèle diverse et mouvante, qui ne ressemblait certainement pas à celle de Condorcet ou de Louis-le-Grand. A cause de cela, très peu d'esprit de corps à Janson, point d'âme collective, du moins de mon temps. Mis à part l'éternelle expression de la jeunesse et ses jeux ordinaires, chacun dépliait devant soi son petit bagage personnel, travaillait suivant ses aptitudes, mais peut-être bien sans ambitions tenaces. L'ensemble était de bonne compagnie, pourtant j'ai idée que la tâche des maîtres était un peu ingrate devant ces visages dont les plus brillants n'étaient pas ceux qui écoutaient le mieux la leçon... »*

L'unanimisme aurait eu peu de chance de naître au lycée Janson-de-Sailly, mais un écrivain classique, indépendant et solitaire, pouvait s'y former. Lacretelle y eut pour professeur André Bellessort, maître fougueux et tonnant, qui éveillait ses élèves par ses paradoxes. « Shakespeare ? Un malfaiteur ! » criait Bellessort, mais il lisait à ses élèves du Verlaine en un temps où son collègue Jules Lemaître riait encore de Verlaine. Bellessort enseignait à sa classe l'amour des grandes œuvres françaises, le bon sens et la clarté. Dans les marges d'une composition de Lacretelle, il écrivait : « Un certain sentiment du style, mais soyez plus simple et plus sobre. » C'était l'époque où des *« fronts nimbés de blond »* et des *« lèvres purpurines »* se glissaient jusque dans les dissertations des rhétoriciens. La vigoureuse ironie de Bellessort, son admiration pour les maîtres véritables, contribuèrent à former le goût de Lacretelle.

En ce temps-là, le lycéen de Janson ne pensait pas qu'il serait un écrivain. Tout au plus, en classe de philosophie, étudiant la psychologie et la morale, se disait-il que ces leçons cliniques sur l'homme et sur les passions lui seraient précieuses un jour pour la conduite de la vie :

« Et j'imaginai que si chacun de nous faisait sa confession, si l'on pouvait ensuite rassembler tous ces documents, les étudier, les confronter, en tirer des observations générales, non seulement on démasquerait de faux vices et de fausses vertus, mais de nous-mêmes nous tendrions plus librement vers la raison et la sainteté... » Ce qui était déjà une pensée de moraliste et de romancier.

En ces rêveries de la dix-huitième année, peut-être pouvons-nous reconnaître aujourd'hui une préfiguration de notre Lacretelle, mais l'adolescent contemplatif qui, vers 1905, sortait du collège, ne se sentait pas, lui, appelé par les lettres. Rêveur, inactif et en apparence assez égoïste, il se cherchait, avec un peu d'angoisse. Un beau masque, distant et calme, lui donnait un singulier prestige. Dans celui de ses écrits pour lequel je conserve une prédilection constante, les *Dix jours à Ermenonville*, Lacretelle décrit ce qu'il appelle, à cause du séjour de Rousseau sur le lac de Bienne, « les îles de Saint-Pierre ». Une île de Saint-Pierre, c'est, pour un artiste, un de ces lieux solitaires et beaux où, dans l'oisiveté de l'esprit, l'imagination créatrice peut agir : « Tous, nous avons eu dans notre vie des îles de Saint-Pierre... C'est là que nous avons entendu se former en nous quelque chose qui ressemblait au désir d'aimer et à la curiosité de comprendre l'univers... » Pour Lacretelle, la première de ces îles de Saint-Pierre fut l'université de Cambridge :

« *J'avais, depuis quelques saisons, toute la liberté que peut avoir un garçon au sortir du collège, et je m'étais hâté d'en jouir. Ayant lu tout ce qui m'avait été défendu, je ne lisais plus rien ; j'étais passionné du jeu, et les plaisirs de la chair m'étaient trop faciles et me paraissaient trop insignifiants pour que je fusse tenté d'en user avec délicatesse. Il arriva que je perdis au jeu une somme que je ne pus payer tout de suite. Cet embarras m'arrêta et me fit réfléchir. Au bout de quelque temps je réussis à m'acquitter. Cela n'alla pas sans scènes dans ma famille. On me reprocha mon inaction, on me pressa de prendre une carrière, on voulut m'en imposer une. Incapable de répondre, disant seulement « Non ! » à tout, je pensais avec angoisse : « Tout changerait si on me disait ce que je suis. Je ne sens rien en moi ; c'est donc que je ne vaux rien. » On décida de m'éloigner de Paris. Je partis pour Cambridge... »*

C'était le temps des vacances : les collèges étaient vides ; le jeune Français passa ses journées en barque, sous les saules de la rivière, lisant *le Rouge et le Noir*, puis *Guerre et Paix*. Madame de Rénal et Natacha devinrent pour lui « les Nymphes de la Cam », et ce fut en se penchant sur leurs visages qu'il entrevit les secrets de l'écrivain, cette mystérieuse alchimie qui, d'un être vivant, multiple, insaisissable, fait un héros de roman. Alors il commença d'observer les objets qui l'entouraient, d'évoquer certains souvenirs de son enfance et de se demander s'il serait capable, et par quels artifices, de les transporter dans quelque tableau romanesque semblable à ceux qu'il admirait tant. Comme Marcel Proust devant les trois arbres de Tansonville, Jacques de Lacretelle, attachant sa barque au rivage entre King's et Trinity, s'interrogeait avec une émotion délicieuse : « Est-ce que moi aussi, un jour ?... » Ainsi, sur ces eaux transparentes de la Cam, où plongea si souvent Byron, naquit un écrivain français.

*« Je dus aussi à ces rêveries solitaires de Cambridge certaines vues de mon cœur auxquelles je n'ai cessé d'être fidèle et dont je me loue ; certains principes pour me gouverner, qui se sont affirmés par la suite et qui, sans me faire vivre dans la sagesse, loin de là, m'en rapprochent plus qu'aucune exhortation humaine n'aurait pu le faire. Plus clairement, je me soumis, sans le savoir, à cette pensée de Jean-Jacques que je devais lire plus tard : qu'« il dépendait de moi, non de me faire un autre tempérament, ni un autre caractère, mais de tirer parti du mien pour me rendre bon à moi-même, et nullement méchant aux autres... »*

Longtemps encore il douta de ses forces. Il désirait écrire et vivait parmi des écrivains. Il était devenu l'ami de Marcel Proust et possède un exemplaire de *Du côté de chez Swann* avec une précieuse dédicace dont on ne peut malheureusement donner ici qu'un fragment : « Cher ami, il n'y a pas de clefs pour les personnages de ce livre ; ou bien il y en a huit ou dix pour un seul ; de même pour l'église de Combray, ma mémoire m'a prêté comme modèles, a fait poser beaucoup d'églises. Je ne saurais plus vous dire lesquelles... La « petite phrase » est successivement une phrase médiocre de Saint-Saëns, *l'Enchantement du Vendredi-Saint*, la Sonate de Franck... » Le signataire, le destinataire, la confidence... Quelle admirable combinaison ! mais ce qui importe pour notre étude, c'est que Marcel Proust ait eu tant d'estime pour le goût et l'intelligence de ce jeune écrivain, alors débutant.

Le premier livre de Lacretelle : *La Vie inquiète de Jean Hermelin*, est de 1920 et, encore que l'on en goûte la simplicité, la sobriété, il serait difficile d'y deviner un romancier créateur. « Le cordon ombilical n'est pas coupé. » Au contraire *Silbermann* (1922) et *La Bonifas* (1925) sont des romans objectifs et le second d'entre eux rappelle Flaubert sans cette extrême tension du style flaubertien. *Amour nuptial et le Retour de Silbermann*, qui ne devaient former, dans un premier projet, qu'un seul livre (1929) ont tous deux souffert (et surtout le premier) de l'opération chirurgicale qui leur fut inutilement infligée. Mais *Les Hauts-Ponts* (1932-1936), histoire en quatre volumes d'un domaine de famille perdu, reconquis, reperdu, plaisent par la poésie des portraits et des paysages, par la simplicité du ton et par un sentiment, pénétrant et juste, de la nature.

Un véritable classique est toujours un romantique dominé. Jacques de Lacretelle avait trouvé en lui, au temps de son adolescence, les éléments de l'inquiétude romantique. Peut-être son masque impassible eût-il alors trompé un observateur superficiel, mais cette impassibilité cachait une violence réelle et une puissance de se dominer soi-même que devait nous révéler le *Journal de Colère*. De son inquiétude et de sa violence, Lacretelle a su plus tard se faire une sagesse. L'on a dit de lui qu'il était un romantique « apollinien » ; c'est là en effet l'un des secrets de son œuvre et sans doute a-t-il dû cette évolution heureuse à la bonne administration de sa vie. « L'âme que je me suis faite », dit-il quelque part... Il est vrai qu'il a su modeler cette âme par la méditation et la retraite. Marié, heureusement marié, il est père de trois enfants qui par leur mère, Yolande de Naurois, descendent directement de Jean Racine. Il possède à Montfort-l'Amaury, vieille petite ville du bord de la forêt de Rambouillet, une maison bourgeoise, un jardin fleuri de lys, des arbres fruitiers, une glycine, abri contre la multitude.

« *Maintenant il est un paysage dont je connais toutes les nuances, tous les crépitements, parce que je l'ai vu se froncer en hiver et bondir au printemps. Il y a des ruisseaux et de simples fleurs d'herbes qui m'ont initié à la mythologie et aux grandes fêtes religieuses. Je sais un endroit où règne une tranquillité sonore, car si les pensées inutiles y sont étouffées, l'écho des autres y revient jusqu'à ce que je l'entende. Endroit d'élection, je veux dire, où le choix se fait. Retraite, défense contre l'excès, contre la vitesse et la multitude qui embrouillent le jeu de vivre. Bain qui nettoie les taches d'hypocrisie et tempère le prurit d'ambition. Il y a là des balances qu'on retrouve toujours, et pour elles on emporte les plus beaux livres, les plus belles tâches. Certes, je ne renoncerai jamais à Paris, mais c'est parce qu'il me plaît, à moi, d'être dévoré... un moment. Bien vite je rapporte dans mon île, pour mieux m'en divertir, le souvenir de cette courte et agréable sensation. »*

Un romancier ne pourrait vivre dans la retraite sans interludes ; il a besoin, pour peindre ses semblables, de les observer quelquefois et c'est pourquoi l'on vit jadis Lacretelle en de petits hôtels de Provins, de Fontenay-le-Comte, se pencher sur des mondes inconnus, dont il voulait faire le décor de son prochain livre. Mais si les éléments poétiques ne peuvent être recueillis que par contacts avec le monde extérieur, leur poésie ne peut être distillée qu'aux alambics de la monotonie. « O solitude! » écrivait Barrès, « toi seule ne m'as pas avili ! » Et de l'autre lignée, si proche, lui répond une phrase de Lacretelle : « Si jamais je vaux quelque chose, ce sera grâce à mes îles de Saint-Pierre. » Cette alternance est légitime. Stendhal, lui aussi, écrivait : « Comment peindre les passions si on ne les connaît pas ? Et comment trouver le temps d'acquérir du talent si on les sent palpiter dans son cœur ? » Tout poète sait que la poésie naît d'une « émotion évoquée dans la tranquillité ».

Le caractère, et aussi l'attitude politique de Lacretelle sont alors formés. A une frivolité consciente et voulue (il aime, par intermittences, les courses, le jeu, le monde), à la nonchalance de l'amateur, il joint un profond sérieux, le goût de l'analyse et la méfiance de la fausse vertu. Il n'est nullement indifférent à la vie nationale et il est fidèle, en politique, à la tradition libérale de sa famille. Il cite avec éloges cette lettre de

Victor Hugo : « Il ne faut pas souffrir que des goujats barbouillent de rouge notre drapeau... Ces gens-là font reculer l'idée politique, qui avancerait sans eux... Ils font de la République un épouvantail... Parlons un peu moins de Robespierre et un peu plus de Washington. » Pour un jeune romantique, ajoute Lacretelle, voilà un bel accent de désintéressement.

Au temps où la France était déchirée, coupée en deux par le Front Populaire et le Front National, Lacretelle, Français libéral, s'efforçait de réveiller les bonnes volontés et de rétablir l'harmonie : « Les esprits sont butés de part et d'autre, mais sur des frontières qui ne signifient pas grand-chose... Il faut remontrer aux fonctionnaires qu'en luttant contre l'autorité de l'Etat, qui les fait vivre, ils tirent sur leur propre famille... Il faut pareillement suggérer à ceux qui maudissent les impôts du régime républicain et tentent de s'y soustraire que les gouvernements dictatoriaux voisins prennent moins de ménagements encore, qu'il s'agisse de terres, de capital, ou de revenus professionnels... »

Cette « indéfectible mesure », ce refus d'autoriser l'intelligence à capituler devant les passions des partis lui ont été reprochés. On a dit qu'il s'était retiré, dans « le Désert de l'Intelligence », qu'il s'était exilé de la vie, qu'il avait refusé d'accepter un nécessaire compromis entre la perfection du temple grec et le chaos originel. Je ne trouve pas que ces reproches soient justes. Il aime la perfection, mais il sait qu'elle est acquise, non donnée, et l'analyse de ses romans montrera qu'il n'ignore pas « les fatalités de la nature ». Dans l'écriture comme dans la pensée, ce qui me frappe en lui, c'est une essentielle honnêteté. Respect de la forme, exactitude et précision des termes, idées qui ne cherchent point à s'envelopper de nuages ni de nuit, ces traits sont ceux de Lacretelle comme ils sont ceux des meilleurs écrivains classiques. « Connaître la valeur juste des mots »», dit-il, « est le grand secret de bien écrire. Le mot le plus nu, mis en bonne place, fait bien plus d'effet que le terme rare. »

Vers la trentaine, il avait achevé d'aiguiser son instrument. Au bon artisan, il fallait maintenant des sujets dignes de lui. A l'amateur passionné, il était nécessaire que ces sujets fussent proches de son cœur.

# II

# LES ROMANS

De *la Vie inquiète de Jean Hamelin*, nous avons déjà parlé. Le livre est agréable, par endroits émouvant, mais il ressemble en somme à beaucoup de romans d'adolescents. C'est avec *Silbermann*, à trente-quatre ans, que Lacretelle devient un romancier original. Le thème étudié, vieux de bien des siècles, est le problème juif, ou plus exactement le problème d'un Juif vivant dans une société chrétienne, la description de son ardent effort pour s'y assimiler, et celle de son douloureux échec.

Le narrateur est un jeune protestant, élevé à Paris, au lycée Janson-de-Sailly, et par plus d'un trait semblable à l'auteur. Il se trouve placé, en classe, à côté de David Silbermann, qui lui paraît étrange et brillant. Dès que le professeur lui en donne la chance, Silbermann parle beaucoup et avec une surprenante aisance. Envers ses camarades, il est d'abord timide, presque craintif, puis, s'il croit remporter quelques succès auprès de garçons à caractères faibles, il devient dominateur. Quand il récite des vers de Racine, il montre non seulement une remarquable mémoire, mais des qualités d'acteur : « Son œil pétillait ; sa lèvre était légèrement humide, comme s'il avait eu en bouche quelque chose de délectable. » Plus que les autres lycéens de Janson, ce « jeune rabbi » paraît sensible à la beauté des grands textes français.

Fasciné par cette précoce intelligence, le narrateur se lie avec Silbermann, qui lui révèle des livres inconnus et leur beauté. Mais l'amitié des deux lycéens n'est ni facile, ni heureuse. Le jeune protestant décèle, chez Silbermann, des régions secrètes et douloureuses, une plaie à vif, une « détresse intime, persistante, inguérissable, analogue à celle d'un infirme ». Au lycée, ses camarades ne l'aiment pas ; ils lui reprochent de pérorer, de toujours avoir le dernier mot ; ils le persécutent. Et pourtant, sous les maladresses de Silbermann, le narrateur devine un touchant désir d'être un Français total. Les ancêtres de Silbermann sont venus de Pologne :

« *Mais je sais que, moi, je suis né en France, et je veux y demeurer. Je veux rompre avec cette vie de nomade, m'affranchir de ce destin héréditaire qui fait de la plupart d'entre nous des vagabonds. Oh ! je ne renie pas mon origine — affirma-t-il, avec ce petit battement de narines qui décelait chez lui un mouvement d'orgueil — au contraire : être Juif et Français, je ne crois pas qu'il y ait une condition plus favorable pour accomplir de grandes choses !... »*

« *Je voyais* », dit le narrateur, « *un petit lac de Judée, pareil à celui-ci, des bords duquel, un jour, des Juifs étaient partis. J'avais la vision de ces Juifs à travers les âges, errant par le monde, parqués dans la campagne sur des terres de rebut, ou tolérés dans les villes entre certaines limites et sous un habit infamant. Opprimés partout, n'échappant au supplice qu'en essuyant l'outrage, ils se consolaient du terrible traitement infligé par les hommes en adorant un Dieu plus terrible encore. Et au bout de ces générations chargées de maux, je voyais, réfugié auprès de moi, Silbermann. Chétif, l'œil inquiet, souvent agité par des mouvements bizarres, comme s'il ressentait la peine des exodes et de toutes les misères endurées par ses ancêtres, il souhaitait se reposer enfin parmi nous. Les défauts que les persécutions et la vie grégaire avaient imprimés à sa race, il désirait les perdre à notre contact. Il nous offrait son amour et sa force. Mais on repoussait son alliance. Il se heurtait à l'exécration universelle. Ah ! devant ces images fatales, en présence d'une iniquité si abominable, un sentiment de pitié m'exalta...* »*

La sympathie qui unit toujours les minorités fait que les parents protestants de Jacques accueillirent chez eux

David Silbermann. Mais tout de suite il les agace, puis les irrite, par ses arrêts péremptoires. « Il est très intelligent », disent-ils avec une courtoisie glacée. Au lycée, la violence et la brutalité des persécutions augmentent. (C'est le temps de l'Affaire Dreyfus.) Le narrateur défend Silbermann, encore qu'il s'inquiète de trouver chez celui-ci non pas seulement le sentiment de l'injustice, mais le désir de la vengeance. Silbermann dit maintenant : « Les Français agissent de telle manière », comme s'il s'était lui-même retiré de la nation. Le narrateur lui conseille le recueillement, la sérénité, et l'assure que cette hostilité ne durera pas.

« *Elle durera !* » riposte Silbermann. « *Ah ! tu ne peux savoir ce qu'est de sentir, d'avoir toujours senti le monde entier dressé contre soi !...* » *Que répliquer à cela ? Quand j'entendais ces confidences poignantes, je frissonnais, comme si ayant passé la tête dans un cachot affreux, j'avais aperçu un homme y vivant... En même temps, par une sorte de bravade, ou bien peut-être afin d'amortir sa disgrâce personnelle, il avait pris l'habitude de me conter des histoires où ceux de sa race étaient tournés en dérision. Il les développait avec art, imitant l'accent des Juifs et empruntant leurs noms les plus communs. Dans son cas, ces bouffonneries avaient quelque chose de sinistre. Loin de me faire rire, elles me glaçaient, comme lorsqu'on entend plaisanter sur son mal quelqu'un qui se sait mortellement frappé...* »

A ce moment, une plainte en escroquerie est déposée contre le père de Silbermann, qui est antiquaire. Le narrateur, sur la demande de David Silbermann, intervient auprès de son père, juge d'instruction. Le jeune Silbermann pense qu'il n'y a plus en France, après ce scandale, d'avenir pour lui. Il décide de partir pour l'Amérique. Mais quitter la France le déchire :

« *Etre Juif et Français ! Que cette alliance pourrait être féconde ! Quel espoir j'en tirais ! Je ne voulais rien ignorer de ce que vous avez pensé et écrit. Quelle n'était pas mon émotion lorsque je prenais connaissance d'une belle œuvre née de votre génie !... Maintenant je suis sorti de mes rêves. En Amérique, je vais faire de l'argent. Avec le nom que je porte, j'y étais prédestiné, hein ?... David Silbermann, cela fait mieux sur la plaque d'un marchand de diamants que sur la couverture d'un livre ! Je ne me suis guère préparé jusqu'ici à cette profession, mais mon avenir ne m'inquiète pas ; je saurai me débrouiller. Là-bas je me marierai suivant la pure tradition de mes pères. De quelle nationalité seront mes enfants ? Je n'en sais rien et je ne m'en soucie pas. Pour nous, ces patries-là ne comptent guère. Où que nous soyons fixés à travers le monde, n'est-ce pas toujours en terre étrangère ? Mais ce dont je suis sûr, c'est qu'ils seront Juifs ; et même j'en ferai de bons Juifs, à qui j'enseignerai la grandeur de notre race et le respect de nos croyances... »*

David Silbermann quitte donc la France et le narrateur est lent à l'oublier. Silbermann, si enclin à critiquer et à contredire, a rendu le jeune protestant habile à discerner les défauts des choses ; il a renversé les dieux de ce foyer ; il a fait entendre, dans le monde de cet adolescent nourri des Evangiles, le cri de l'Ecclésiaste : « Vanité des vanités ! » Mais peu à peu son influence s'efface et l'autre l'oublie.

Ou plutôt *croit* l'oublier, car sept ans plus tard, en 1929, le même narrateur va publier un nouveau récit : *Le Retour de Silbermann.* On y voit revenir à Paris David Silbermann, abattu, désespéré, mortellement atteint. Il a essayé, en Amérique, de se convaincre lui-même de tout ce qu'il avait dit avant de quitter Paris, sur l'existence d'un patriotisme juif, d'un sentiment d'unité raciale. Il n'a pu : « Je ne pensais qu'à tout ce que j'avais appris et aimé en France, et cela se dressait entre moi et ma vie de Juif. Combien de fois, chez mon oncle, m'est-il arrivé de pleurer de rage ! Et tout ce que j'ai entrepris ensuite, je l'ai fait sans amour véritable, par une attitude que mon goût critiquait sans cesse... »

Ainsi le malheureux garçon n'est plus Juif de cœur,

n'est plus Français de nationalité ; il s'abandonne et jouit, avec une bizarre dépravation, de son épouvantable malheur. Il meurt en regardant, des fenêtres de la pauvre maison qu'il habite, les toits de Paris et un morceau de Notre-Dame : « Le petit rabbi », murmure-t-il, « a eu tort d'écouter les histoires des Chrétiens... Il a eu tort de lever les yeux sur les églises... Il aurait dû rester avec les siens... car les *goïm* l'ont empoisonné. »

Les deux *Silbermann* (et surtout le premier) sont des livres douloureusement beaux. On se demande, en les fermant, ce qu'a voulu prouver l'auteur ? A-t-il tenté de peindre la « race » juive ? Il suffit de connaître l'honnêteté intellectuelle de Lacretelle pour être certain qu'il ne se fût jamais proposé un tel objectif. Toutes les lois « que l'on tente d'appliquer à une telle collectivité » sont, nous dit-il lui-même, conventionnelles et fausses. « Et cela est à craindre particulièrement pour le type du Juif, qui a une légende aussi grossière qu'une image d'Epinal. » Silbermann serait un portrait injuste, très injuste, si c'était celui d'une race, mais c'est seulement le portrait d'un individu. Envers celui-ci Lacretelle voudrait être parfaitement équitable. Mais il faudrait, pour y arriver, tant de retouches et de repentirs ! Que d'écrivains, les uns à demi Juifs eux-mêmes, comme Marcel Proust ; les autres se disant amis des Juifs, comme Romain Rolland, ont malgré eux été entraînés, quand ils composaient des caractères juifs, à copier l'antique image d'Epinal ! Peut-on imaginer peintures moins nuancées, moins humaines, que le Bloch de Proust, que le Sylvain Kohn et le Lucien Lévy-Cœur de Romain Rolland ? Les seuls portraits délicats de Juifs non conventionnels sont le Swann de Proust et le Justin Weill de Duhamel.

Lacretelle a vu le danger avec lucidité. Il a compris — et écrit — que la position du Juif dans le monde moderne est digne d'une toute particulière sympathie parce que, quoi qu'il fasse, il restera le bouc émissaire. Est-il fier ? Il passe pour arrogant. Est-il modeste ? On lui reproche d'être servile. S'attache-t-il passionnément au pays qui est le sien, et à lui seul ? Certains disent qu'il est un mauvais Juif. Donne-t-il priorité aux intérêts juifs sur les sentiments nationaux ? D'autres l'accusent d'être un mauvais citoyen. A la vérité, comme l'eût pu dire Figaro, aux vertus qu'exige le monde des hommes de sang hébraïque, combien de chrétiens seraient-ils dignes d'être juifs ? Le problème est d'une infinie complexité. Pour les uns, la solution de bonne foi, c'est le sionisme, l'affirmation de la nationalité juive, et elle est parfaitement légitime pour ceux qui la croient telle ; pour les autres (et je suis de ceux-là) l'assimilation *totale* de chaque Juif enraciné au pays dans lequel il est né, qui est le sien, qui fut celui de ses pères et dont il a hérité les traditions et la culture ; pour d'autres encore une solution mixte, toujours pénible et imparfaite. C'est cette dernière, la plus dangereuse, qui engendre les Silbermann. Il faut les plaindre, les aider à choisir, non les blâmer, ni les haïr. Telle est, je crois, s'il y en a une, la leçon de *Silbermann.*

Le sujet de *Silbermann* n'était pas facile à traiter, mais rien de ce qui est vrai n'est facile, parce que la vérité est toujours complexe. *La Bonifas* est l'étude minutieuse, presque clinique, de la formation d'un caractère, celui d'une femme qui prend dès l'enfance le dégoût de l'homme, qui devient sans le savoir, et sans cesser d'être chaste, attirée par les femmes, qui acquiert peu à peu les manières et la façon de penser d'un homme et qui enfin, pendant la guerre de 1914, au cours de l'occupation allemande, montre le courage qui devrait être celui de l'homme le plus brave.

Comme *Silbermann,* c'est là un sujet original et le traitement ne l'est pas moins. « Bien des romanciers », dit Lacretelle, « ont tendance à faire passer leurs personnages d'une case dans une autre, comme si les époques successives de la vie humaine : enfance, adolescence, âge mûr, étaient analogues aux états tout différents par lesquels passe un insecte. En fait ces solutions de continuité sont fausses ; il n'est rien qui ne soit inclus en nous dès l'origine ; les transformations de notre nature sont plus spécieuses que réelles ; et lorsque, dans une œuvre de fiction, on étudie tout au long un caractère, ce n'est point une habileté d'artiste, mais bien une vérité psychologique, que de montrer la trame permanente de ce caractère et d'exploiter dans une large mesure le pressentiment. »

« *Un ouvrage romanesque est forcément dirigé par les scènes extérieures et l'aventure, c'est-à-dire les accidents et le hasard. Marie Bonifas s'était intéressée à la lecture de certains romans, qui exposaient la vie d'une femme. Mais aucun, pour ainsi dire, ne l'avait contentée. Les auteurs de ces romans racontaient cette histoire comme si ayant à étudier une pierre, ils eussent raconté qu'un coup de pied avait envoyé cette pierre dans un ravin, que l'eau l'avait entraînée, puis qu'elle s'était logée dans un creux jusqu'au moment où une autre circonstance l'avait transportée ailleurs, et ainsi de suite... De temps à autre, un petit coup d'œil sur la pierre, un mot sur la couleur et la forme qu'elle avait prises, mais en définitive, le roman retraçait bien plus le chemin parcouru que l'histoire même de la pierre. Et Marie Bonifas, qui ne distinguait point d'étapes dans son passé, avait le sentiment que tout le romanesque de sa vie s'était formé, et continuait à se former, autour d'un noyau qu'aucune influence extérieure n'entamait, aurait voulu connaître mieux la nature même de la pierre.*

*— Pourquoi ne nous montrent-ils pas comment, à la suite de quoi, à quel moment nous sommes formées ? — se répétait-elle. — Et pourquoi ne disent-ils non plus que jamais, oui, jamais, malgré l'âge, malgré tout ce qui arrive dans notre vie, nous n'avons l'impression que notre être change ?... »*

Toutes ces choses qu'*ils* ne disent pas, Lacretelle, en ce qui concerne Marie Bonifas, a essayé de les dire. Il a montré comment, dès l'enfance, elle a été dégoûtée des hommes par son père, le commandant Bonifas, un vieillard veuf et libidineux qu'elle voyait courtiser les servantes et comment elle a, près de l'une de ces servantes, Reine, belle et tendre fille de la campagne, appris à aimer :

« *Reine s'asseyait et, étendant sa robe, faisait place à la petite tout près d'elle. La leçon commençait, leçon*

*d'Histoire Naturelle ou d'Histoire Sainte, naïvement ex-*
*pliquée par Reine. Le visage dressée, Marie s'appliquait*
*à bien comprendre. Reine, tout en parlant, lui prenait*
*les mains et les caressait. Et souvent, alors, l'enfant*
*tombait dans une sorte d'engourdissement. Il lui sem-*
*blait qu'une douceur extraordinaire, émanant de Reine*
*et répandue dans l'air, lui ôtait toutes ses forces. Des*
*sons vagues venaient bourdonner à ses oreilles ; un fris-*
*son ondulait sur sa peau ; pendant un moment assez*
*long elle devenait incapable de bouger et n'avait plus*
*qu'une demi-connaissance du paysage qui l'entourait.*
*Dans son langage puéril, elle appelait cela* fondre. *Cette*
*sensation lui était agréable et elle s'y laissait aller volon-*
*tiers, mais elle n'en avait jamais parlé à Reine... »*

Peu à peu nous voyons converger les éléments qui vont
former ce caractère : l'horreur de l'homme, de sa présence, de son odeur ; le goût des exercices masculins,
l'épée, le cheval, que le commandant Bonifas, faute
d'avoir un fils, a voulu enseigner à sa fille ; le désir de
commander, né à la fois de l'hérédité et du tempérament.
Puis nous observons les effets décrits avec finesse, de ces
traits. Marie Bonifas n'est pas vicieuse ; elle est attirée
par les femmes sans le savoir, sans le vouloir. Elle finit
par amener chez elle, en toute bonne foi, pour lui offrir
l'hospitalité, Claire Allandier, une fille malade, tubercu-
leuse, qui lui a plu. Marie aime Claire ; elle croit l'aimer
comme une sœur, mais elle en est jalouse ; elle écarte et
chasse le fiancé de Claire. La petite ville, moins pure
qu'elle-même, suspecte Marie, la tient à distance, voit
avec horreur « la Bonifas » passer dans les rues en tenue
trop virile. Pourtant un jour viendra où ces traits même,
qui font de la Bonifas une réprouvée, feront d'elle une
héroïne.

Souvent les nobles sentiments (ou ceux que la société
tient pour tels) descendent en directe filiation des sentiments dits mauvais. « Nos vertus », écrivait déjà La
Rochefoucauld, « ne sont le plus souvent que des vices
déguisés. » Lacretelle nous en donne, dans cette petite
ville de Vermont, un autre exemple :

« *Madame de Fombert était tout à la fois despotique et bienfaisante. Connaissant tous les gens et toutes les choses de la ville, elle ne souffrait pas qu'une décision fût prise sans qu'on eût demandé son avis. On vantait son bon cœur et, en effet, elle était capable de générosité, mais c'était peut-être le désir de s'ingérer dans la vie des autres qui poussait le plus à l'amour du prochain. Et lorsque, à la fin d'une visite dans un foyer modeste, elle laissait une petite somme sur la table, faisant exprès tinter la monnaie, et s'enfuyant ensuite avec la feinte confusion d'une enfant espiègle, elle payait ainsi bien peu le plaisir qu'elle avait éprouvé à examiner, interroger, commander. Toutefois, comme il choque le sens commun qu'une vertu découle d'un vice, ou inversement, nul ne s'avisait de cela et Madame de Fombert était aimée de tous.* »

Le jour de 1914 où les Allemands bombardent Vermont, Marie Bonifas, tout d'un coup, se révèle héroïque. Soudain sa virilité, de ridicule, devient vertu. Portant en bandoulière les grosses jumelles du commandant, elle monte sur une tour, observe l'ennemi, redescend et, montant à cheval, va en parlementaire au-devant des Allemands. Elle est coiffée d'un petit feutre noir en forme de tricorne. Son tailleur d'alpaga luit comme une cuirasse. Sa fermeté sauve la ville et, quand elle revient, la population l'acclame.

« — Il faut leur tenir tête — ordonne-t-elle. — Notre devoir nous commande de ne pas nous laisser opprimer... Pour nous, la guerre commence ! »

Chacun approuve la Bonifas : « Vous commanderez... Toute la ville est derrière vous... On vous obéira. » Alors elle éprouve une ardeur qu'elle n'a jamais ressentie à aucune heure de sa vie :

« *A plusieurs reprises, elle se redit à mi-voix : « Notre guerre commence... » Elle rentra chez elle. Une partie des troupes n'avait pas été jusqu'aux casernes et campait sous les tilleuls de la Place d'Armes, devant sa demeure. Elle apercevait des formes couchées par terre,*

**255**

*les unes contre les autres. Elle découvrait, entre les plis
des manteaux, des visages endormis. Des appels guttu-
raux, des paroles obscures, montaient quelquefois à ses
oreilles. Et au-dessus de cette horde confuse, elle flai-
rait une odeur que depuis son enfance elle ne pouvait
sentir sans un soulèvement de cœur : l'odeur de
l'homme. »*

*La Bonifas* est, à mon avis, le plus parfaitement réussi
des livres de Lacretelle. *Silbermann* a sa beauté émouvante et tragique ; *Les Hauts-Ponts,* une grâce d'estampe
française ; mais *La Bonifas* demeure par l'objectivité
absolue du romancier, par la mesure des proportions, par
l'unité du sujet, par la force cachée des passions, l'œuvre d'art la plus achevée.

Il n'est ni possible, ni utile, de résumer ici toute l'in-
trigue des *Hauts-Ponts,* qui remplit quatre volumes. Le
sujet central, c'est l'attachement désespéré au domaine
des Hauts-Ponts de l'héroïne du livre : Lise Darembert.
Il faut avoir vécu dans les campagnes françaises pour
savoir ce que peuvent représenter la maison de famille,
et les terres qui l'entourent, pour certaines femmes de
notre pays. Le domaine est vraiment la chair de leur
chair. Lacretelle, qui souffrit sans doute dans sa jeunesse
de voir le château de Cormatin, celui de ses ancêtres,
« sortir de la famille », a lui-même connu cette impression d'arrachement. Il a toujours été attaché aux décors
de sa vie et il a écrit des pages ravissantes sur sa maison de Montfort-l'Amaury : « C'est l'amour de la possession, sentiment assez mesquin, va-t-on dire. Nullement... J'aime Montfort-l'Amaury uniquement pour l'âme
que je m'y suis faite... Ce que je voudrais, c'est faire
comprendre que chacun de nous possède au fond de soi
un Montfort et qu'il perd sa vie s'il le néglige trop. »
Lacretelle avait donc en tête, depuis longtemps, ce
sujet de roman : l'histoire d'une femme dévorée de passion pour un domaine de famille peuplé de souvenirs —
un cas d'envoûtement terrien. Mais il avait en vain cherché le décors convenable dans le Berri, le Poitou, lors-

qu'un jour, en allant de Poitiers à La Rochelle par la Vendée, il eut l'impression de traverser « une île, des terres parfaitement circonscrites, quelque chose de tranquille, d'abstrait, de fidèle. On pensait à une vieille ouvrière simple et peu causante, travaillant encore de ses mains, à l'ancienne mode... » Il traversa une forêt qui était le berceau de la fée Mélusine. Celle-ci avait bâti là des châteaux. « Le rêve enraciné dans la terre, c'était tout le sujet de mon roman. »

Entre le décor choisi — arbres enveloppés de brumes, calmes rivières — et le talent de l'auteur existait une harmonie préétablie. La phrase de Lacretelle est si simple, si peu ornée, qu'elle rappelle parfois le paysage immatériel que trace en traits déliés quelque « Chinois limpide et fin », ou ceux, lumineux et gris, çà et là relevés d'une tache de couleur, que peignait Eugène Boudin.

Le premier volume, *Sabine,* se passe vers 1880 et nous y apprenons à connaître le domaine des Hauts-Ponts et la mère de l'héroïne : Sabine Darembert. Mariée à un sot, Alexandre Darembert, elle est pourtant heureuse, par nature. Elle pourrait aimer un de leurs voisins, Jean de la Fontange, et elle est enchantée de lui plaire, mais « dans son désir de séduire, il entrait avant tout de la gentillesse de cœur ; et quand elle se retrouvait seule après avoir été courtisée par un homme, elle se disait naïvement, avec la douceur d'avoir accompli une bonne action: « Je crois que je lui ai plu. » Il y a en Sabine un mélange de coquetterie et de pureté, une grâce dans les mouvements, un goût dans l'arrangement de tout ce qui l'entoure, qui procurent au lecteur un calme ravissement.

André Rousseaux pense qu'elle a « un charme de reflet », qu'elle est une dame de 1880, exposée « en vitrine », pièce de « la collection d'un amateur de goût ». Mais tout personnage d'une époque disparue ne nous donnerait-il pas cette impression de désuétude ? Nous l'avons aussi en lisant les romans du temps, ceux de Maupassant par exemple. Comment le romancier qui ressuscite l'époque y échapperait-il ?

Sabine meurt jeune, et sa fille, Lise, est un être plus sauvage. Demeurée orpheline et pauvre, ayant perdu les Hauts-Ponts, elle n'a qu'un désir : les acquérir à nouveau. Elle s'est logée tout près du domaine, le guette, et le convoite. Comment trouver l'argent ? Un riche mariage ? Elle l'espère, échoue, et devient la maîtresse de Jean de la Fontange, ce voisin de campagne qui aima sa propre mère, homme mûr et marié, avec l'idée préconçue d'avoir de lui un enfant et d'obtenir ainsi de cet amant timoré, terrifié par le scandale, les moyens de racheter les Hauts-Ponts. L'aime-t-elle ? Point du tout. Elle a conscience, lorsqu'elle s'étend près de Jean sur l'herbe de la forêt, à l'abri des taillis, d'accomplir sa destinée :

> « *Elle s'abandonnait à cette idée comme une autre se laisse vaincre par la chair. Ses espoirs, ses rêves de grandeur, toute la part chimérique de son être s'enracinait dans ces sensations. Il lui semblait qu'elle s'affirmait en se donnant à cet homme et, finalement, accablée par tant de visions, elle glissait dans un vague étourdissement. Ensuite, accoudée sur le sol, mâchant une herbe entre ses dents pointues, elle se mettait à parler avec une volubilité inaccoutumée... Elle n'avait jamais rien éprouvé qui ressemblât à un désir, ou à une inclination physique pour un être. Les mouvements de son cœur étaient toujours nés d'une volonté d'accomplissement, d'une hâte à découvrir l'avenir.* »

Elle obtient le fils tant souhaité, Alexis Darembert, mais non l'appui de Jean de la Fontange qui l'abandonne. Elle n'en garde pas moins l'espoir tenace qui, seul, lui permet de vivre :

> « — *Est-ce que tu as pensé quelquefois, demande-t-elle à son fils, que nous pourrions racheter un jour les Hauts-Ponts ?... Qui sait ? Souvent, quand il n'y a pas d'enfants, un domaine passe en vente, les héritiers plus lointains n'en voulant plus. Te vois-tu rentrant là-bas en maître avec moi ?... Tu aurais des arbres à regarder et des buissons à explorer... Il y a aussi la rivière qui coule au bas du parc, et toute la belle habitation... C'est un vrai château. Tu t'en souviens, n'est-ce pas ?* »

A plusieurs reprises, en se promenant, elle lui a montré de loin la propriété. Alexis tourne légèrement le cou sur les épaules, mais ne dit rien. Ah ! comme la distraction de cet enfant l'irrite parfois ! Elle répète sa question et lui serre un peu l'épaule.

— Oui, oui ! — dit vivement Alexis qui, après un effort de mémoire, revoit les hauts toits de la demeure. — Je me rappelle bien... Est-ce qu'il y a un grenier ?

— Comment ? — dit la mère, un peu déconcertée. — Mais sans doute... Un grenier très haut, avec une immense poutre qui va d'un bout à l'autre. On dirait un mât couché tout le long. Quand je montais là, étant petite, je pensais toujours à un navire. Et il y a aussi des souterrains qui partaient des cuisines. Mais on les a bouchés. Figure-toi qu'on a cru qu'un trésor avait été muré derrière, autrefois. La grand-mère de mon père a fait des recherches, n'a rien trouvé... Mais cependant... Vois-tu qu'un jour, si nous habitons là de nouveau, nous découvrions ce trésor ?

Alexis a levé la tête : ses yeux brillent, comme s'il s'efforçait de voir clair dans le souterrain. Alors sa mère, discernant cette curiosité, attire son fils :

— Viens t'asseoir un peu près de moi — dit-elle, avec une voix grave. — Ecoute... Si je te raconte ces histoires, c'est que je voudrais tellement que tu penses à cette maison qui a appartenu à ton grand-père... où je suis née... où j'ai été heureuse, quand j'avais ton âge...

Sa voix, qui faiblit, semble supplier. Elle désigne le petit cadre sur le mur et reprend :

—Tout à l'heure, rien qu'en regardant ce paysage, j'ai senti une émotion telle que j'ai voulu t'avoir près de moi. Lève la tête... C'est une photographie que Maman a fait colorier autrefois, pour la fête de mon père. Regarde... Tu vois l'entrée et l'escalier ? A gauche est la terrasse où nous nous tenions après les repas. Comme ces choses me sont encore présentes, malgré vingt années ! Quand je ferme les yeux, je revois jusqu'aux taches de mousse sur le banc placé contre le mur. Et il y a des nuits où je rêve que je suis encore dans ma chambre, là-bas... »

Le fils, comme l'amant, trahit le rêve. Alexis, d'abord joueur, débauché, romantique à la Rolla, essaie de tout, se dégoûte de tout, finit par se repentir et entre au séminaire. Nous retrouvons Lise, vieille femme solitaire, qui a réussi à se faire engager comme lingère par les nouveaux châtelains des Hauts-Ponts. Mais elle effraie tout le monde par son attachement, presque insensé, à ce domaine. La maîtresse du logis n'aime pas à voir cette vieille rôder dans les couloirs à la recherche des souvenirs perdus. L'enfant a peur lorsqu'elle l'emmène au fond du parc et qu'elle perd soudain la notion du temps. Il s'enfuit et son père vient dire à Lise : « Il est inutile de revenir. Nous n'aurons plus besoin de vos services et des ordres ont été donnés pour que vous n'entriez pas aux Hauts-Ponts. »

Chassée de la maison qui a été son unique raison de vivre, Lise dépérit. Un jour où les maîtres sont absents, elle se glisse entre deux barreaux de la grille et elle revoit les Hauts-Ponts : « L'ardoise du toit, lisse et inclinée, lui parut aussi belle que l'aile des anges » (une phrase qui fait penser à un Vermeer et au petit pan de mur de Bergotte). A ce moment, éblouie, terrassée par l'émotion, elle a une attaque et meurt. « Quand la lune se leva sur les Hauts-Ponts, elle éclaira le corps jeté là. Il gisait au long de l'allée, les deux bras lancés en avant. La bouche était grande ouverte et paraissait manger de la terre, mais le visage avait pris une expression apaisée. »


Il y a de la grandeur dans cette prise de possession finale, par un cadavre, de la terre tant aimée. Possession ? On ne peut rien posséder, ni personne, sinon dans la mort. La montée lente et l'amplitude croissante des catastrophes qui finissent par abattre Lise Darembert rappellent les effets de certains romans de Balzac (le dénuement final du *Père Goriot*, la déchéance du baron Hulot). Un caractère épuise jusqu'au bout sa capacité de produire du tragique. Tel était déjà le cas de Silbermann. Tel est aussi celui du héros d'*Amour nuptial*, l'intellectuel chez lequel l'amour de l'intelligence va jusqu'à tuer tout sentiment vrai.

# JACQUES DE LACRETELLE

(1948) Depuis que cette étude a été écrite, Jacques de Lacretelle a publié un long roman, *le Pour et le Contre,* qui méritait une large audience et ne l'a pas trouvée, peut-être parce qu'il décrit des milieux littéraires, mal connus du public. Pourtant il y a là un grouillement de personnages très vivants parmi lesquels les initiés reconnaissent — ou croient reconnaître — des écrivains, des éditeurs et des femmes de notre temps. C'est un livre qui n'a pas eu sa chance et qui l'aura peut-être un jour.

# III

# LE TECHNICIEN

La réflexion sur l'instrument est un des traits de notre temps. L'écrivain moderne pense beaucoup à la technique de son métier, et il en écrit. Il est probable que les grands écrivains de tous les temps se sont posés de tels problèmes. Ceux d'autrefois en étaient seulement moins conscients. Pourtant nous avons, de Montaigne, plus d'un essai sur les *Essais* et de Racine, dans ses préfaces, l'histoire partielle de ses tragédies. Mais il fallait arriver à notre époque pour que le *Journal de Faux-Monnayeurs* fût publié en même temps que *les Faux Monnayeurs*. Lacretelle sur ce point ressemble à Gide. Il aime à suivre en lui-même la naissance de l'œuvre. En même temps qu'une nouvelle *Colère,* il écrit le *Journal de Colère,* et le Journal est plus intéressant que la nouvelle.

Nous savons donc comment Lacretelle conçoit le travail de l'écrivain. Avant tout il pense que l'œuvre d'un romancier doit rester en communication constante avec sa vie. « C'est par là que l'inspiration conserve encore quelque fraîcheur. » Il y a toujours, dans la composition d'un roman par un professionnel expérimenté, une part de métier. L'écrivain qui ne se renouvellerait pas sans cesse par le contact avec ses propres passions risquerait de faire de la fabrication en série. Kipling, dans un poème sur les artistes des cavernes quaternaires, mettait en garde le romancier contre « le bison annuel ». Lacretelle pense qu'un bon moyen de défense est d'écrire de temps à autre des récits sur soi-même et de les publier comme s'il s'agissait de récits romanesques. « On y gagnera ceci, de mettre plus de vie dans son art et peut-être plus d'art dans sa vie. » Balzac, dans *le Lys dans la Vallée*, et Dickens, dans *David Copperfield*, lui donnent raison. Il croit aussi, comme Gœthe, que « le tremblement est le meilleur de l'homme ». C'est après les mauvais moments que l'on écrit de bons livres.

*« Que la main qui tient le pinceau ou la plume reste ferme, soit ; mais que le cerveau qui dirige cette main ne soit pas confusément agité par la curiosité, le doute et le scrupule, voilà qui me paraît impossible. C'est ce tremblement indéfinissable qui fait pressentir la véritable nature de l'objet, qui donne des révélations et permet de représenter autre chose que la vision commune. Supprimez-le, et il ne restera chez l'artiste que le don de reproduire, avec plus ou moins de netteté, des scènes plus ou moins bien groupées. Un artiste sans inquiétude ne sera guère plus qu'un photographe. Tourment d'esprit et fermeté d'exécution, voilà le plus beau mariage. »*

Pour l'analyse des passions, Lacretelle est proche des classiques du dix-septième et en particulier de La Rochefoucauld. Nous avons déjà montré que, comme celui-ci, il excelle à découvrir les vices déguisés qui ont su se faire vertus. « Comme je comprends un Jean-Jacques, cerveau plein d'idéal et prompt au chagrin, qui, après quarante ans de commerce avec le monde, ne peut plus regarder une bonne œuvre qu'on lui présente à faire que comme un piège qu'on lui tend et sous lequel est caché quelque mal... » Pourtant il se plaît à penser que, si La Rochefoucauld avait écrit un roman, « il aurait eu des parties plus sereines et cette espèce de lueur en veilleuse que la durée de toute une vie laisse couler sur nos actions méchantes. Je ne connais pas de biographie si noire qu'elle n'inspire en fin de compte la pitié. »

Il s'est demandé souvent comment le romancier peut créer des types qui durent. Il pense que cela est dû à un dosage complexe. Il ne suffit pas de faire vrai ; il faut à la fois copier la vie et la déformer. Il faut faire vrai, mais plus grand que nature, être « précis et démesuré, trivial et lyrique ». C'est un fait que les personnages des romans ou des comédies les plus illustres eussent été impossibles dans la vie. « Harpagon crie trop fort sur sa cassette. Vautrin, Nucingen, sont des figures de légende ; Monsieur Verdurin ou Cottard, des automates de la sottise. » Balzac obtenait ses plus grands effets en poussant un type au-delà du réel et Lacretelle, avec plus de modération mais par le même procédé, a créé ses deux types les plus durables : Silbermann et la Bonifas.

Pour être simplement vivant, il faut, dit Lacretelle, qu'un personnage de roman « ait les trois dimensions, c'est-à-dire qu'on sache de lui sa religion, sa sensualité, son opinion politique. Stendhal, Balzac, Proust (chez ce dernier le culte de l'inconscient tient lieu de foi) s'en sont bien avisés et connaissent admirablement la palette des couleurs politiques ». Toutefois, Lacretelle ne pense pas qu'un artiste doive, dans son œuvre, afficher ses propres opinions politiques. Son idéal intime agit sur le choix des sujets, sur le style. « Je n'irai pas jusqu'à déclarer, comme un de mes anciens professeurs, que Racine était royaliste et Corneille républicain (sans doute juge-t-il aujourd'hui Michel-Ange communiste et Raphaël fasciste), mais il suffit d'une très petite dose de perspicacité pour déterminer, sous les draperies de la fiction, les idées politiques d'un homme. »

*« Et qu'on n'aille pas accuser de lâcheté ceux qui refusent de souligner davantage leur position. Car leur réserve dénote, outre le souci des nuances, le scrupule de la vérité de demain, le respect de la conviction adverse, bref un certain nombre de sentiments qui valent bien l'ardeur des écrivains partisans. S'il y a recul de leur part, c'est pour juger plus sainement. »*

Enfin il y a une quatrième dimension qui lui paraît nécessaire pour assurer la durée d'une œuvre — et là je crois qu'il atteint à la plus grande critique :

« *Le secret d'une grande œuvre, ce qui suscite autour d'elle l'émotion des hommes, et lui assure un passage pour l'éternité, c'est le miracle d'un auteur qui parvient à unir un sujet ordinaire, un sujet vrai, au thème de la Fatalité. Là est la quatrième dimension. Montrer tous les pouvoirs d'un être humain et le montrer en même temps courbé sous une loi supérieure qu'il ignore, c'est le faire bénéficier d'une longue tragédie qui a commencé avec le premier homme et ne se terminera sans doute qu'avec l'espèce. Ce personnage reflétera au fond de ses yeux l'émerveillement des premières eaux et la terreur du dernier rayon. Que ce fond de tableau soit décourageant, que l'écho de cette perpétuelle défaite soit pénible à entendre, j'en conviens, mais si Phèdre, Hamlet, Anna Karénine nous hantent, c'est qu'ils portent la tunique fatale.* »

# IV

Si nous cherchons maintenant à dégager les traits qui, chez Lacretelle, nous paraissent essentiels, nous trouvons ceci : un écrivain de la lignée Rousseau-Gide, mais avec plus de maîtrise de soi que Rousseau dans l'expression des sentiments, et plus d'adresse que Gide dans la technique de la fiction ; un écrivain français au sens le plus complet et le meilleur du mot, français de la grande école, capable de fermeté dans le style et de modération dans les idées, non parce que ses passions manquent de force, mais parce qu'il a la force de les mater ; bref, un romantique dominé qui s'est plu à peindre des héros romantiques, enfermés en eux-mêmes, obsédés par une malédiction ou une passion, avec une sûreté de touche qui est d'un écrivain classique.

# JULES ROMAINS

De tous les écrivains français de notre temps, Jules Romains est celui qui a osé entreprendre la construction la plus vaste. Ce que *les Misérables* et surtout *la Comédie humaine* sont à la société française de la première moitié du dix-neuvième siècle, voilà ce que *Les Hommes de bonne volonté* voudraient être à la première moitié du vingtième siècle. Que la comparaison n'ait rien de choquant prouve que la tentative est digne de respect.

# I

# LA FORMATION

Né dans un village des Cévennes, Saint-Julien-Chapteuil, Romains garde la rudesse des montagnards de son pays qui furent, tout au long de l'histoire, religieux et révolutionnaires. Il a peint, dans *Cromedeyre-le-Vieil*, ces hommes solides, rocailleux. « Oui », disent les habitants de Cromedeyre, « nous valons mieux que tous les autres. » Ces paysans cévenols sont fiers d'avoir toujours été des hérétiques, c'est-à-dire des créateurs en matière de religion. Jules Romains, qui est l'un des leurs, a écrit un *Manuel de déification* et donné pour titre à un de ses livres : *Retrouver la foi*. Il a le goût des sociétés secrètes et celui des conspirations spirituelles, qui se transforment tôt ou tard en conspirations temporelles. *Les Hommes de bonne volonté*, ce n'est pas seulement dans son esprit le titre d'un roman-fleuve, c'est le mot de ralliement d'une « conspiration à ciel ouvert ».

Au temps où Romains commença ses études, son père, instituteur, enseignait dans une école de Paris. Mais l'enfant allait, pendant les vacances, jouer dans les montagnes avec les petits paysans, garder avec eux les vaches et bavarder près des feux de bois. D'où une connaissance, solidement retranchée dans sa mémoire enfantine, des rues de Paris et des campagnes françaises. Pour qu'il comprenne la vie politique de la Troisième République, il faut qu'un écrivain connaisse à fond Paris et la province. Jules Romains trouva les deux dans son héritage.

Aux yeux de nombreux Français, la politique, depuis 1880, avait pris figure de lutte entre le primaire et le secondaire, entre l'instituteur et l'agrégé, entre l'école communale et le lycée — quelquefois entre le lycée et les pensionnats religieux, de Dominicains ou de Jésuites. Mais Romains a passé de l'école communale de Montmartre au lycée Condorcet, c'est-à-dire de l'école essentiellement populaire au lycée essentiellement bourgeois, « milieu où l'on entrait en contact avec l'esprit, les traditions, même les préjugés de ce qu'il y avait de plus caractéristique à cette époque dans la bourgeoisie parisienne, moyenne et haute bourgeoisie, avec un peu d'aristocratie ancienne pour soupoudrer le tout ». Albert Thibaudet dit de lui qu'il a dressé les hommes de bonne volonté contre les héritiers des bonnes familles. Cela ne me paraît pas exact. Jules Romains est républicain, il aime le peuple français ; je ne le crois pas sectaire. Il respecte l'instituteur et il a raison ; il ne le respecte pas, que je sache, *contre* d'autres Français. En fait, bien qu'il ait, comme tout homme, ses préférences et préjugés, je le tiens pour un esprit équitable, capable de concevoir et de souhaiter cette unité essentielle de la France faute de laquelle il n'y aurait plus de France.

Le lycée Condorcet était une bonne maison et Romains y fit de solides études. Parmi les écrivains étudiés, il allait droit aux maîtres et voyait grand. Victor Hugo adolescent disait : « Chateaubriand ou rien. » Romains se nourrissait des géants : Homère, Lucrèce, Gœthe, Hugo. Régime excellent. Les géants consacrés par les siècles éveillent l'esprit plus que les nains à la mode. Ce fut un soir, en sortant de Condorcet et en remontant la rue d'Amsterdam, qu'il eut, nous raconte Cuisenier, la révélation d'où devait sortir son œuvre : « l'intuition d'un être vaste et élémentaire, dont la rue, les voitures et les passants formaient le corps, et dont lui-même, en ce moment privilégié, pouvait se dire la conscience ». Naturellement, le processus dut être plus complexe, et il y a une part de mythe dans le récit de cette soudaine « Rencontre avec l'Unanimisme sur le chemin de la gare Saint-Lazare ». Cependant il est vrai que les grandes œuvres naissent souvent d'une telle et brève illumination, et Romains, comme tous les Français, aime les « journées » mémorables.

Il entra à l'Ecole normale supérieure dans la Section

des Lettres, pour préparer l'agrégation de philosophie,
mais il y étudia aussi les sciences et en particulier la biologie. Cette double culture, littéraire et scientifique, allait
plus tard le servir utilement. Ce qu'est l'ivresse intellectuelle que peut donner l'Ecole normale, il l'a décrite en
créant, dans *les Hommes de bonne volonté*, les personnages de Jallez et de Jerphanion, qui sont parmi ses meilleurs. Je ne crois pas que l'on puisse trouver, en aucun
autre pays d'Europe, un tel climat spirituel, un tel respect des idées, un tel amour des lettres, une telle certitude de la primauté de l'esprit. Oxford et Cambridge
mettent l'accent sur les valeurs sociales et esthétiques ;
les Universités allemandes ont eu leur temps de grandeur ; mais l'Ecole normale a produit aussi bien un
Edouard Herriot qu'un Jean Giraudoux et un Jules Romains. Elle a été, pendant plus de quarante ans, le lien
entre la République des Professeurs et la République des
Poètes. Elle a engendré un type d'humour, un peu pédant
mais très divertissant : le « canular ». Certaines des comédies de Jean Giraudoux et certains des romans de Jules Romains sont des « canulars » de génie.

En 1906 (il avait vingt et un ans), Romains participa,
non à la fondation, mais à la vie de *l'Abbaye*, le phalanstère de Duhamel et de Vildrac. Ce fut là qu'un jour de
1908, « un cycliste aux puissants mollets et aux yeux
couleur de ciel », qui était encore à l'Ecole normale, ap-
porta le manuscrit d'un recueil de poèmes : *La Vie unanime*. L'originalité de l'œuvre fut admirée par le groupe
de l'Abbaye. Il y avait du « système » dans ce lyrisme
collectif, mais aussi de la beauté. Une ville, un boulevard,
un trottoir, une caserne, un théâtre, une église, un café,
tels étaient les sujets et les « héros » de ces poèmes :

> *Les marchands sont assis aux portes des boutiques ;*
> *Ils regardent. Les toits joignent la rue au ciel.*
> *Et les pavés semblent féconds, sous le soleil,*
> > *Comme un champ de maïs.*
> *Les marchands ont laissé dormir près du comptoir*
> *Le désir de gagner qui travaille dès l'aube.*
> *On dirait que malgré leur âme habituelle,*
> *Une autre âme s'avance et vient au seuil d'eux-*
> > > *[mêmes,*

*Comme ils viennent au seuil de leurs boutiques noi-*
                                            *[res.*
*Ils voudraient simplement respirer et s'asseoir.*
*On les voit au bord des maisons, de loin en loin.*
*Ce sont des gens qui prennent l'air. Il n'y a rien .*
*Pourtant tout le long d'eux, tout le long du trottoir,*
*Quelque chose s'est mis à exister soudain.*

# II

# L'UNANIMISME

Qu'était-ce donc que l'unanimisme ? Ce n'était pas du tout, aux yeux du jeune Romains, une école littéraire, comme le romantisme ou le naturalisme. Ce n'était même pas une nouveauté. Quelques-uns des écrivains les plus anciens du monde, et par exemple les Grecs dans les chœurs de leurs tragédies, avaient été des unanimistes (sans le savoir). Réduit à l'essentiel, l'unanimisme consiste seulement à penser : 1° Que les groupes humains peuvent éprouver des sentiments collectifs. 2° Que les individus qui forment ces groupes peuvent participer à la pensée collective et entrer en communion instinctive avec l'unanime. 3° Que le poète peut exprimer cette intuition de l'unanime et aider par là l'individu à s'intégrer dans la collectivité.

Il s'agit donc plutôt de révéler une sensibilité préexistante que de créer une forme de sensibilité nouvelle. La participation à l'unanime et l'existence d'une conscience de groupe sont de très simples faits d'observation. Prenez un certain nombre d'individus, ayant chacun ses traits de caractère, ses idées, ses répulsions et ses manies ; groupez ces individus, par une incorporation ou par une mobilisation, en un bataillon d'infanterie ; ils vont acquérir rapidement des traits collectifs : un esprit de corps, une camaraderie, un respect (ou en certains cas un mépris) de leurs chefs, des préjugés nouveaux, un commun désir de l'emporter soit par la force sur un groupe ennemi, soit par le courage et l'excellence technique sur d'autres bataillons de la même armée.

Considérez une salle de théâtre. Elle représente une somme d'émotion fort supérieure à ce que serait la somme des émotions individuelles des spectateurs, si chacun d'eux lisait la pièce dans la solitude. Le tout est ici plus grand que la somme des parties. En matière de foules, deux et deux font dix. Tels effets comiques ou tragiques, qui ne portent pas du tout sur l'homme isolé, enchantent une assemblée. C'est la raison pour laquelle nous sommes souvent déçus en lisant un discours qui obtint un succès triomphal. Autre exemple, plus élémentaire encore : Pensez à un compartiment de chemin de fer. Les individus qui l'occupent ne se connaissaient pas ; ils n'avaient, avant de s'y rencontrer, rien de commun ; ils viennent de villes et de milieux différents. Pourtant, si le voyage est assez long, ils développeront des sentiments unanimes et opposeront un front curieusement uni aux intrus : employés, douaniers, voyageurs nouveaux.

Quel intérêt y a-t-il à noter ces sentiments unanimes ? D'abord l'intérêt qu'il y a toujours à décrire des sentiments vrais. Ensuite il est nécessaire, en notre temps, d'opposer des obstacles à l'exaltation maladive de l'individu qui tend à rejeter celui-ci à l'auto-analyse et à le détourner des aspects plus généraux — et plus généreux — de la vie. Jules Romains s'élève contre la tentation dangereuse de l'isolement spirituel. Les écrivains modernes, sous l'influence de Freud et de Proust, ont encouragé cette tendance de la pensée à se replier sur elle-même qui, sous sa forme dernière, n'est autre que la folie, comme l'a montré Pirandello. Dès le moment où l'homme se refuse à penser en société et dit : « Chacun sa vérité », il est, à la lettre, un fou.

Ce choix entre l'individu fermé et l'individu ouvert aux influences sociales est, selon Romains, l'un des graves problèmes de notre temps. Chaque époque de l'histoire a, dit-il, *ses* questions auxquelles elle doit répondre. Au dix-septième siècle, c'était le thème que traitaient Jansénius et Pascal : « La grâce est-elle suffisante pour opérer le salut ? » Au dix-huitième siècle, c'était la question qui opposait Rousseau à Voltaire : « L'homme est-il naturellement bon et perfectible ? » Au dix-neuvième siècle, ce fut la question posée par Darwin et Taine : « Le déterminisme est-il vrai et l'évolution des espèces est-elle soumise à des lois physiques ? » Au vingtième siècle, les deux questions capitales sont : 1° « L'individualisme est-il compatible avec la sécurité et avec la survivance des Etats ? » 2° « Les individus peuvent-ils exiger le droit de se développer indépendamment des sociétés dont ils font partie ? » En fait ces deux questions peuvent être réduites à une seule : « Quelle doit être, en chacun de nous, la part de l'unanime ? »

Romains pense que cette part doit être immense, que l'individu n'est pas fait pour vivre seul ni pour méditer sur lui-même, et qu'en renonçant aux délices de la rêverie solitaire, il trouve sa récompense dans un surcroît de vie. Comme le chrétien acceptait de renoncer à son bonheur temporel pour accomplir la volonté de Dieu et, en perdant sa vie, la sauvait, ainsi ceux des membres d'un clan qui acceptent de participer à l'unanime s'enrichissent au lieu de s'appauvrir. Romains appelle arbitrairement « *dieux* » ces âmes collectives qui naissent à la vie spirituelle en parvenant à la connaissance d'elles-mêmes. Le « couple » est un *dieu* distinct des amants qui le forment; la « secte » est un *dieu* distinct des sectaires ; la nation est un *dieu*, le plus puissant, le plus jaloux des dieux de notre temps ; l'Europe pourrait devenir un *dieu* si les Européens apprenaient à penser, et surtout à sentir, l'Europe.

Au temps où Romains élaborait cette foi, il n'était pas encore question des totalitarismes dictatoriaux. Lorsque les doctrines autoritaires devinrent agressivement dangereuses, certains reprochèrent à Jules Romains de justifier les capitulations de la liberté d'esprit devant le totalitarisme. Il s'en défendit avec force :

« *Même autrefois, j'ai vivement insisté sur cette idée que l'emprise des groupes sur l'individu ne se justifiait que dans la mesure où elle s'exprimait dans, et par, la spontanéité de l'individu. J'ai condamné la contrainte exercée du dehors par la société et les institutions sur la personne. J'ai souligné, aussi fortement que j'ai pu, le contraste entre la société, au sens où elle est un système de contraintes et d'institutions et la vie unanime au sens où elle est la libre respiration des groupes humains, et où elle impli-*

*que le libre abandon de l'homme à ses influences et à ses charmes. J'ai montré ce qu'il y avait de dangereux par essence dans la notion même d'État, avec tous les germes de formalisme juridique et d'oppression qu'elle contient. J'ai même déclaré qu'une certaine dose d'anarchie est indispensable pour éviter la mécanisation démoniaque de la société et sauver la vie unanime. »*

En somme l'on peut concevoir deux types d'unanimités: celle qui est imposée par la force et qui viole les esprits et les cœurs ; c'est l'unanimité artificielle des pays soumis à des dictateurs. Elle est factice ; elle rencontre des résistances, au moins chez les meilleurs. L'unanimité que souhaite Romains serait toute différente. Elle devrait être spontanée ; elle serait l'harmonie naturelle d'hommes qui chantent le même chant parce qu'ils participent à la même émotion. C'est un fait que « des rafales d'émotions, des pensées collectives » balaient en notre siècle la planète et qu'un « unanimisme de fait » domine l'époque.

*« Que gagnerait-on », demande Romains, « à l'ignorer ou à la percevoir confusément dans l'attitude du dégoût, ou de l'épouvante ? Croit-on qu'on s'exorcisera de tels délires en les qualifiant de grégaires ? On ne se sauve pas de la réalité en refusant de la connaître ou en lui donnant un nom injurieux. Pas plus qu'on ne fera reculer l'immense poussée de l'espèce vers le collectif en cultivant la nostalgie d'un individualisme d'autrefois, dont les conditions ne se retrouveront jamais plus. Toute la question est de savoir si nous acceptons de nous laisser rouler et briser par les flots d'un unanimisme inconscient, aveugle, fanatique, fatal comme l'instinct, en un mot barbare — celui-là même dont les ravages actuels nous font trembler — ou si nous lui préférons un unanimisme conscient, rendu perméable à la lumière et à la raison, renseigné sur ses propres mobiles et ses propres périls, capable de critique et de liberté, bref un unanimisme tendu vers l'esprit. Il n'y a pas d'autre choix. »*

# III

# L'UNANIMISME
# EN ACTION

Quelle est l'importance de cette théorie ? Etre unanimiste transforme-t-il la vie d'un homme comme être chrétien ou communiste ? Evidemment non. La communion avec l'unanime, pour être efficace, devrait être inconsciente. Le citoyen discipliné, le bon soldat, le militant participent à cette communion sans faire partie d'une « école ». Mais si l'influence politique ou sociale de l'unanimisme est difficile à déceler, son influence esthétique et littéraire est évidente. A Jules Romains, cette manière de penser a fourni la plupart des thèmes de son œuvre. Elle l'a conduit à prendre pour héros d'un poème ou d'un roman, non des individus, mais des groupes. *L'Armée dans la ville, La Ville apprend une chanson*, sont des sujets pour l'écrivain unanimiste. *The Moon is down*, de Steinbeck, pourrait s'appeler : l'Envahisseur contre les Envahis. Les personnages individuels : maire, colonel, femmes, n'existent alors que comme parties d'un tout qui les dépasse et qui commande leurs actions. Il y a sans doute une part de système dans la tenace volonté avec laquelle l'auteur s'attache à décrire la « solidarité inconsciente » des groupes humains. Qu'importe ? Il y a du « système » et des partis pris en tout style. L'architecte grec, l'architecte gothique, l'architecte jésuite reconstruisirent pendant toute leur vie, avec un parti pris évident, les mêmes monuments. D'où leur place dans l'histoire des styles. Pas d'originalité sans monotonie.

Mais les groupes très divers que choisit Romains assurent la variété de l'œuvre à l'intérieur de cette monotonie.

*Le Bourg régénéré,* c'est l'histoire d'une inscription qui, par le chemin qu'elle fait dans les esprits, transforme un groupe. *Mort de quelqu'un,* c'est le roman, ou le poème. de ce qu'est réellement, si la société regarde ce phénomène de l'extérieur, la mort d'un obscur individu : Jacques Godard.

Romains décrit, non la chute d'un caillou qui disparaît et s'enlise, mais les rides concentriques de plus en plus faibles produites par cette chute à la surface des eaux. Le père qui vient assister à l'enterrement pense : « Jacques est mort », et il se sent tiré fortement par son fils d'un mouvement rapide et régulier. Dans la maison où le cadavre attend les cérémonies, les gens rêvent et la présence du mort à côté, au-dessus ou au-dessous d'eux, modifie leurs pensées. Le boucher rêve qu'il parle avec Jacques Godard ; une femme rêve que Jacques Godard tourne autour de son propre cercueil et souffle tous le cierges. Ainsi le mort vit encore dans les pensées.

Puis il est enterré et sa chair commence de pourrir. Pourtant, même alors, il survit dans l'esprit de son père, de sa mère, de quelques amis. Enfin ceux-ci meurent à leur tour, ou l'oublient, et personne ne pense plus à Jacques Godard. On ne le voit plus au bout d'une file de souvenirs, en déplaçant un objet familier ; il n'apparaît plus dans les rêves. Il atteint presque au fond du néant. Mais un jour, un jeune homme, passant sur un boulevard, se souvient qu'un jour de l'année précédente il s'est trouvé en ce même lieu, dans un cortège. On enterrait quelqu'un. Qui était-ce donc ? Il cherche le nom. N'était-ce pas quelque chose comme Bonnard, Boulard ?... « Alors il songea : « Quelqu'un est mort, l'an dernier. Oui, depuis un an, cet homme-là est un mort. Un mort !... » Sur quoi il médite sur la mort, sur la vie. Cette mort de quelqu'un, elle fait désormais partie de lui : « Tournant les yeux du côté de la ville, il fut étonné d'être dans sa personne. Il sentit avec une sorte d'évidence que son âme n'était pas seulement là où il disait : « *moi.* »

Le thème est beau (c'est celui de la Mort d'*Ivan Ilitch*) et l'idée de choisir, pour axe d'un roman, un événement plutôt qu'un individu est féconde. Un roman naguère publié en Amérique, *Storm,* est l'histoire d'un cyclone, de sa naissance, de ses effets sur les hommes, et de sa mort. A côté du roman vertical, qui plonge toujours plus profondément dans une âme, le roman horizontal, qui explore les cercles concentriques engendrés par une action, a certainement sa place et sa beauté. Au théâtre même, le développement horizontal produit de grands effets. La pièce la plus célèbre de Romains : *Knock, ou le Triomphe de la médecine,* est l'étude des effets sur toute la population d'un village du contact avec un médecin nouveau et hardi qui réussit à créer un malaise « unanime » et à mettre au lit une population.

Tout groupe humain est un « héros » possible. *Les Copains* sont le groupe d'amis, « un dieu unique en sept personnes ». Mystificateurs érudits, les Copains troublent par leurs farces énormes deux petites villes françaises, Ambert et Issoire, mais y créent par l'émoi des mystifications une solidarité bizarre et neuve. La trilogie de *Psyché* est le roman du couple humain, « dieu des corps », unanimité si étroite et si forte qu'elle atteint à une existence mystique et que l'amour y devient assez fort pour rapprocher à travers l'espace les corps des amants séparés. *Le Vin blanc de La Villette* évoque les grandes « journées » ouvrières de Paris, mystification, là encore, de la bourgeoisie par des prolétaires goguenards.

Il y a du talent dans tous ces livres, mais ils sont inégaux, parfois inhumains, et n'atteignent pas encore à la grandeur. On y devine une puissance contenue. L'architecte qui a construit ces maisons serait plutôt fait pour bâtir une cité. La guerre de 1914 lui inspire un confus désir de voir naître des hommes de bonne volonté qui calmeront cette Europe « intoxiquée d'histoire ».

> *Je suis né de petites gens*
> *Gagnant peu pour beaucoup de peine.*
> *Mes aïeux ont tiré de terre*
> *Plus de blé qu'ils n'ont eu de pain.*
>
> *Nous sommes ce peuple menu*
> *Que l'Etat ramasse à poignées.*
> *Mille de nos journées en tas*
> *Paieraient une nuit de catin.*

D'autres possèdent les usines,
Les docks, les banques, les journaux.
Encore bon qu'on pense à nous
Quand Panama entre en gésine.

Car pour la paix et pour la guerre,
Pour coudre et découdre la vie,
Les puissants de ce monde n'eurent
Jamais besoin de notre avis.

Et je parle quand même au nom
De ces hommes sans importance.
J'ai l'audace de faire comme
S'ils méritaient d'être entendus.

Ils disent, puissants de ce monde,
Qu'ils sont bien fatigués de vous ;
Qu'on vous a vus jouer cinq ans
Avec la chair et les canons.

Mais qu'il est temps, qu'il est grand temps,
D'éponger notre sang qui fume
Et de laisser la paix enfin
A ces hommes sans importance.

Beaux meurtriers, fameux pillards,
Pardonnez à notre nature.
Nous sommes tant sur terre, tant
Qui n'avons pas besoin de guerre
Pour nous enivrer de vertu...

Ne prenez donc pas tant de peine
A forger des malheurs sublimes.
Je vous assure que la paix
Est plus facile qu'on ne dit.

Il vous faut dix ans de discours
Pour nous mettre mal en colère,
Trente journaux, mille tambours,
De grands défilés au soleil.

Quel ennui que vos cœurs trop fiers
Répugnent à changer de jeu !
Nous vous écouterions bien mieux
Si vous nous disiez le contraire.

# IV

# LES HOMMES
# DE BONNE VOLONTÉ

Il était naturel — et même nécessaire — qu'un écrivain dont la doctrine exigeait qu'il s'intéressât à des groupes et à des nations, qui était un poète de la vie moderne, et qui en outre se montrait curieux de toutes les techniques, de tous les milieux, fût tenté par la composition d'une œuvre romanesque et monumentale. Dès l'adolescence, Romains avait choisi pour maitres Hugo et Homère. Très tôt dans la vie, il avait pensé « qu'il devrait un jour entreprendre une vaste fiction en prose qui exprimerait, dans le mouvement et la multiplicité, dans le détail et dans le devenir, sa vision du monde moderne ».

Nous l'avons vu jusqu'ici s'essayer avec succès dans des genres très divers : poésie, roman, théâtre. A ses yeux toutefois, vers 1932, rien de ce qu'il avait fait jusqu'alors n'était son œuvre telle qu'il la concevait. Ce fut à quarante ans, vigoureux, jeune encore, et infiniment mieux équipé pour cette vaste entreprise que n'aurait pu l'être un homme de trente ans, auquel aurait manqué la connaissance du monde, qu'il commença l'ouvrage sur lequel il allait jouer sa vie d'écrivain. Naturellement, il le préparait depuis longtemps. Pour mettre en mouvement une armée de personnages, il y a la technique de Balzac : écrire une série de romans, chacun d'eux formant un tout complet, mais où le lecteur retrouve les mêmes caractères, et dont l'ensemble finit par former une *Comédie humaine*. Il y a la technique de Zola: composer une série de romans dont les personnages sont unis par les liens du sang, et démontrer ainsi la vérité des lois sur l'hérédité. Il y a celle de Proust, qui est aussi celle de Romain Rolland : promener un personnage central parmi des êtres divers et des milieux multiples. Il y a celles de Galsworthy, de Martin du Gard, de Duhamel, qui tiennent de la méthode de Zola parce que les personnages y font partie d'une même famille, mais aussi de la méthode de Proust parce que l'œuvre est continue.

Jules Romains étudia, éprouva, élimina toutes ces formules. Celle de Balzac lui parut assez artificielle : beaucoup des romans sont admirables ; l'ensemble de *la Comédie humaine* ne s'impose pas à l'esprit du lecteur comme une œuvre unique. (Telle est l'impression de Romains ; ce n'est pas la mienne). La prétention de Zola lui sembla puérile : comment une série de romans, où l'auteur ne met que ce qu'il veut, pourrait-elle constituer une expérience scientifique ? En outre, il est artificiel de consacrer chacun des romans de la série à un milieu défini. Dans la vie, les sportifs et les financiers, les comédiens et les politiciens sont mêlés. Grouper dans un roman tous les hommes d'argent, dans un autre les hommes de chemins de fer, dans un troisième les militaires, c'est découper arbitrairement la réalité.

La forme choisie par Proust est parfaite s'il s'agit d'un « roman d'apprentissage », où le lecteur doit voir l'image d'un monde, limitée par les dimensions d'une existence individuelle, se refléter dans l'esprit du héros aux différents âges de celui-ci. Mais si l'auteur prétendait peindre ainsi toute une société, ou une époque, il serait amené à prêter à son héros unique une richesse d'aventures invraisemblable et tomberait dans l'artificiel du roman picaresque, à quoi, pense avec raison Jules Romains, *Wilhelm Meister* même n'échappe pas. En lisant *Gil Blas* ou *Wilhelm Meister,* nous ne pouvons nous empêcher de penser : « Que le hasard fait bien les choses en procurant à un seul homme tant de contacts, tant d'expériences, et juste dans l'ordre où notre curiosité les souhaiterait ! »

Où est la faute commune de ces conceptions diverses du roman-fleuve ? Aux yeux de Romains, unanimiste, la faute est dans l'idée d'une société dont un individu, ou une famille, serait le centre. Toute la structure organique de la société s'oppose à une telle notion. Aucune destinée individuelle, fût-ce celle des plus grands (celle de Napoléon par exemple) ne permet de pénétrer dans tous les coins et recoins d'une société. Napoléon ne connaissait de son temps que des groupes assez petits : la cour, l'état-major de l'armée, le conseil d'Etat. Ses étonnements, à Sainte-Hélène, sont à la fois touchants et naïfs. Il est évident qu'il n'a vu qu'un aspect, fort limité, de l'Europe qu'il dominait. Aucun géant ne peut porter le monde d'une Comédie humaine. « En fait, dans la société, les destinées individuelles cheminent pour leur compte, en s'ignorant la plupart du temps. »

Quelle peut être alors la solution du problème ? Jules Romains trouve la sienne en retournant la question fondamentale. Au lieu de se demander : « Comment grouper des individus pour composer une image du monde ? », il se demande : « Comment, dans une image du monde, faire leur place aux individus ? » Le héros de son *magnum opus,* c'est un quart de siècle de vie française, ou même de vie européenne. De place en place, de grands tableaux historiques ou géographiques replongent le lecteur dans cette masse immense qui est le sujet réel du livre. Des paysages sociaux, des peintures de Paris, de Rome, de Verdun, d'Odessa, des poèmes en prose sur des foules ou sur des armées remettent l'ouvrage, en temps utile, à l'échelle épique qui est la sienne. Quant aux destinées individuelles (car tout de même il en faut bien dans un roman) elles émergent des foules comme une étoile filante se détache de la ronde lente des constellations.

Parce que « les destinées individuelles, dans la vie, s'ignorent souvent », nous rencontrons, dans Les Hommes de bonne volonté, beaucoup de personnages qui ne se connaissent pas, beaucoup aussi qui paraissent un instant et que l'on ne reverra plus. Certaines de ces destinées suivent des chemins parallèles parce qu'elles obéissent, sans le savoir, aux mêmes attractions, aux mêmes pressions, parce qu'elles sont emportées par les mêmes courants, qui sont ceux de notre temps. En fait le groupe qui donne son nom au livre, les Hommes de Bonne Volonté, « n'est pas nécessairement composé d'hommes qui savent qu'ils en font partie ».

Qui sont les Hommes de Bonne Volonté ? Ce sont tous ceux qui, en ces années où le monde occidental allait vers la plus absurde et la plus affreuse des catastrophes, tentaient de comprendre et d'enrayer ce mouvement. Ce sont ceux qui n'avaient pas « le dilettantisme du chaos », ceux qui croyaient à la solidarité humaine. Ces hommes existaient. Nous avons connu quelques-uns d'entre eux ; nous avons essayé de prendre place parmi eux. Romains, qui n'est pas un contempteur de la nature humaine, affirme avec force qu'en cette dure époque, si la masse des hommes s'est laissé mener par les méchants, les sots et les superbes, il y avait pourtant de la bonne volonté et un réel effort vers le mieux. « Tout se passe comme si l'Ensemble avait voulu marcher, par lourdes secousses. Dans la cohue des volontés, il doit sûrement y en avoir qui sont les bonnes volontés... Reste à savoir combien de fois elles se trompent, combien de fois elles se laissent attacher au char de l'ennemi ou, comme le cheval aveugle de la *noria*, au treuil d'un puits où il n'y a plus d'eau. » Qui sont les Hommes de Bonne Volonté ? Et où étaient-ils ? Ils étaient partout. On aurait pu en trouver dans tous les pays, dans toutes les classes, dans tous les métiers. Péguy aurait dit que, dans tous les partis, il y a des mystiques et des politiques, et il aurait soutenu que seuls les mystiques peuvent être de bonne volonté. Mais Romains reconnaîtrait quelques-uns des siens jusque parmi les politiques. Pour lui, la distinction est entre ceux qui acceptent, activement ou passivement, le mal de ceux qui, fût-ce maladroitement, s'efforcent vers le bien.

L'existence d'une telle équipe, l'histoire de son effort, constitue le fil conducteur de Romains à travers le labyrinthe des faits. Mais une « époque » constitue une multiplicité infinie. Comme la peindre ? Et aussi qu'est-ce au juste qu'une époque ? Quand commence-t-elle ? Quand finit-elle ? Romains choisit, comme point de départ de son œuvre, le 6 octobre 1908. Pourquoi ? Parce que ce jour-là l'Autriche, par l'annexion de la Bosnie et de l'Herzégovine, déchira le Traité de Berlin et ouvrit l'ère des guerres mondiales. Quelle sera la date finale ? « Provisoirement », écrivait jadis Romains, « je pense conduire ce récit jusqu'à un certain jour de l'année 1933, jour auquel je consacrerai un volume final qui sera le symétrique du *Six Octobre*. Mais il se peut que les événements me suggèrent ou m'imposent une autre date terminale, ou une autre conclusion. »

1908-1933... Encore une fois, comment peindre vingt-cinq années ? Comment dégager d'un fourmillement infini d'êtres et d'événements les lignes essentielles et simples qui sont nécessaires pour former l'ensemble « intelligible sans réflexion » que doit être l'œuvre d'art ? Il semble que le cinéma ait aidé Romains à trouver son « procédé ». Tout au long de l'histoire, les différents arts ont exercé les uns sur les autres des influences. Vers 1920, l'influence de la musique sur le mode de composition des romanciers est indéniable. Le cinéma apporte à Romains un moyen d'exprimer la multiplicité de la vie moderne par des passages instantanés d'une scène à une autre, par les changements constants de pays, de milieu et de ton.

Autant la technique du théâtre, au dix-septième siècle, imposait à l'auteur l'unité de lieu, autant la technique de l'écran enseigne au vingtième siècle la simultanéité et l'ubiquité. En outre cette simultanéité est légitime jusque dans le roman parce qu'elle peint bien ce qui se passe dans l'esprit de l'homme moderne. Pour une femme qui vivait au temps des Croisades, qu'était la guerre, les guerriers une fois partis ? Une longue rêverie. Pour la femme de 1944, qui voit chaque semaine, au cinéma, les « actualités », la guerre est une succession de tableaux animés et vivants. Pour la femme de 1963 la vie publique est un journal télévisé. Il est légitime et naturel que le roman s'inspire de cette technique. Encore faut-il choisir et maintenir l'unité du monde romanesque, malgré la multiplicité des images et la variété des angles d'attaque. A cela Romains réussit, grâce à un certain nombre de procédés maniés avec intelligence et adresse.

*a)* Les tableaux d'ensemble, historiques ou géographiques. Ce n'est pas là une nouveauté. Victor Hugo, dans *les Misérables,* avait introduit une peinture de la bataille de Waterloo, une autre de la société française au temps de la Restauration. Balzac commence beaucoup de ses romans par une longue et admirable étude de géographie urbaine. De Romains, il faut lire par exemple la *Présentation de Paris à cinq heures du soir* qui est au Tome I des *Hommes de bonne volonté,* et la *Présentation de la France en juillet 1914.* Ni Hugo, ni Balzac n'ont rien écrit de meilleur.

*b)* Une autre manière d'assurer l'unité de l'œuvre est

de la faire traverser d'un bout à l'autre par des héros qui représentent l'auteur. *Les Hommes de bonne volonté* ne sont pas un roman autobiographique, dont Jallez ou Jerphanion serait le héros. Mais Jallez et Jerphanion sont deux hommes intelligents dans l'esprit desquels se reflètent les événements essentiels. Ils représentent deux aspects de l'auteur, l'un son côté lyrique, l'autre son côté réaliste. Ce n'est peut-être pas par hasard que leurs deux noms commencent par le J de *Je.* Une conversation de Jallez et de Jerphanion est un dialogue de Jules Romains avec Jules Romains. Un bref exemple :

« *Vers dix heures, Jallez vit que Jerphanion levait la tête de dessus ses livres et, les mains dans ses poches, les jambes allongées, se renversait sur sa chaise. Il en profita pour dire :*

*— Je repensais à Baudelaire. Il y a toute une zone de sa poésie que le baudelairien banal ne fréquente pas, et qui échappe à ton reproche.*

*— Les élévations mystiques ?*

*— Pas exactement. Il est trop facile de montrer qu'elles sortent de son érotisme.* « *Dans la brute assoupie un ange se réveille.* » *Non. Je pense plutôt au poète de Paris, des rues, des ports, au poète de grande ville moderne qu'il est tout le temps, même dans les morceaux érotiques. Songe à cette phrase étonnante, pour expliquer la naissance de ses poèmes en prose :* « *La fréquentation de villes énormes et le croisement de leurs innombrables rapports.* » *C'est entendu, il se pâme sur une chevelure ; mais là-dedans c'est encore Marseille ou Alexandrie qu'il respire. Et puis il y a d'autres fraîcheurs. Une façon de se rappeler... Tu connais ces strophes, par exemple :*

> *Mais le vert paradis des amours enfantines,*
> *Les courses, les chansons... les baisers, les bouquets...*
> *Avec les brocs de vin, le soir, dans les bosquets.*

*Relis-les, mon vieux. Hein ! Qu'est-ce que tu en dis ?*

*— Evidemment, tout le passage a un très grand charme.*

*— Tu prononces ça du bout des lèvres.*

*— Mais non.*

*— Remarque, dans un sujet pareil, l'ampleur de l'ac-*

cent et la profondeur où ça nous atteint ! Mets, à côté, du
Murger, ou même les Chansons des rues et des bois. Oh !
je ne dédaigne pas les Chansons, oh ! ni Murger. Murger,
quand il dit juste, ce qui lui arrive, réussit à vous pincer
le cœur. Mais tout de même ! Il est vrai que tu ne peux
guère sentir tout ça.

— Pourquoi donc ?

— Parce qu'il te manque une enfance parisienne. Où
s'est passée ta toute première enfance ?

— Dans un village, sur la route du Puy à Valence, qui
s'appelle Boussoulet.

— Dans la montagne ?

— Oui, entre mille et onze cent mètres. Sur un col. Ou
plutôt à l'entrée d'un immense plateau.

— Tes parents étaient de là ?

— Mon père y était instituteur. »

c) Toute époque a son armature, une hiérarchie, des
classes, des administrations. Lorsqu'il étudie un événement, Romains nous conduit, par une série de *flashes*, à
tous les étalages de la hiérarchie. Par exemple, pour peindre la bataille de Verdun, il nous fait pénétrer dans des
états-majors, dans des postes de commandement, parmi
les combattants, parmi les civils, et chez ces derniers
parmi les hommes politiques, les fournisseurs aux armées, les dames à salons, les gens du peuple. En illustrant
l'événement par une série d'instantanés, il nous en donne
une idée nationale et « unanime » (C'est le schéma de
*mort de quelqu'un*, appliqué à un thème infiniment plus
important).

d) Un problème difficile se trouve posé, pour un romancier qui fait ainsi concurrence à l'histoire, par les personnages réels du premier plan. J'entends par là les mo-
narques, Présidents de la République, Premiers ministres,
commandants en chef, artistes illustres. La crédibilité est
l'une des qualités nécessaires au roman. Quelle crédibilité
pourrait espérer le romancier qui nous décrirait un Roi
d'Angleterre imaginaire, en un temps où nous *savons* que
régnait George V, ou un généralissime autre que Joffre en
1915 ? Balzac s'est aventuré dans *la Comédie humaine*, à
l'extrême frontière de la création, lorsqu'il a mis au
monde un grand écrivain (Canalis) ou un grand ministre

(de Marsay). Jules Romains s'est tiré de là ingénieusement, et en somme avec succès, en acceptant de l'histoire quelques protagonistes et en les mêlant aux créatures nées de lui. C'est ainsi que Briand, Joffre, Clemenceau, Gallieni, Jaurès, deviennent les personnages des *Hommes de bonne volonté* et y parlent comme ils le feraient dans un roman historique, mais avec une louable vraisemblance. A Briand, Romains prête même tout un discours intérieur. C'est au moment où, en 1910, il vient d'arrêter une grève de cheminots par une mobilisation :

« *Briand a beau s'accorder toutes les débauches d'imagination, donner congé à toutes les prudences, même intérieures, il ne se voit pas s'avançant sur cette espèce de sentier glacé, sur ce terrible petit sentier de falaise ou de promontoire, qu'est le pouvoir d'un seul. Un homme qui, sans y être forcé par sa naissance comme les rois, se détache peu à peu des autres hommes, s'éloigne, chemine en surplomb, battu par le vent, sur une corniche de plus en plus étroite... Quelle tristesse ! sans parler du danger. Ou alors, il faudrait être un peu fou. Briand ne se sent aucunement fou. Et bien qu'il n'ait pas d'illusions sur les camarades, il ne conçoit pas une destinée sans camaraderie. Attenter aux libertés publiques. Mettre la loi dans sa poche, pour plus de vingt-quatre heures. Charger les gendarmes et les cuirassiers de convaincre les récalcitrants. Expédier à Lambessa ou à La Nouvelle ceux qui s'obstinent à penser de travers... Même avec les applaudissements des badauds et des bénédictions des droites réactionnaires, jamais.* « *C'est entendu ; on ne garde pas toujours l'intransigeance de la vingtième année. Mais est-ce que ces idiots-là s'imaginent que j'aurais du goût à gouverner, si je sentais la République contre moi ?...* »
...*Briand doute même qu'il en soit jamais autrement. Il n'imagine pas qu'un homme arrive à trouver en face de lui, fût-ce dans les bouffées d'une ambition délirante, le courage de violer la loi d'un peuple, s'il n'a pas au moins reçu en secret, de tels ou tels gens qu'il tient pour ses frères, un mandat ou un blanc-seing...* « *Même Louis-Napoléon... On ne m'ôtera pas de l'idée qu'il n'aurait pas fait le 2 Décembre si les Carbonari, ou d'autres, ne lui*

avaient pas dit : « *Vous pouvez marcher...* » *L'huissier
susceptible vint lui dire, sans sévérité d'ailleurs :*
— *Monsieur Gurau est là.*
*Mais Briand a envie de rêver encore un peu. Il répond
doucement :*
— *Priez-le d'attendre cinq minutes.* »

e) Enfin il fallait maintenir l'équilibre entre le roman
« unanime », qui est celui de la France, le roman de
l'équipe, et les destinées individuelles. Car celles-ci sont
tout de même la matière dont la vie est faite. En cela on
peut dire que Jules Romains a en grande partie réussi.
Beaucoup de destinées individuelles dans son livre retien-
nent l'attention et sont émouvantes. Le lecteur s'intéresse
authentiquement aux amours de Jallez, aux humiliations
de Gurau, aux bonheurs et chagrins enfantins du petit
Louis Bastide. Lisez, dans *les Humbles*, tout le chapitre
des chaussures jaunes. C'est un modèle d'émotion simple
et vraie. Les Bastide sont pauvres. Le père gagne 210
francs par mois. Mais le petit Louis a très bien travaillé
et sa mère lui a promis des chaussures jaunes. Elle les
lui achète. Il paraît d'abord fier et content.

« *Mais tandis qu'ils avançaient dans la rue Ordener,
elle s'aperçut que la mine de l'enfant devenait soucieuse.
Il regardait assez fixement devant lui. Il avait l'air de
poursuivre une idée un peu difficile pour lui, un peu loin-
taine.*
— *A quoi penses-tu, mon petit ?*
— *A rien.*
— *Tu n'es pas content ?*
— *Oh si !*
— *Mais alors ?*
— *Combien ont coûté mes chaussures ?*
— *Neuf francs cinquante. Tu n'as pas entendu quand
je marchandais ?* (*Il avait entendu, mais il craignait de
s'être trompé.*) *Il n'a voulu me rabattre que huit sous.
Oh ! Elles sont chères. Mais c'est tout à fait de l'article
de luxe. Le cuir est très beau. Et tout en ayant le bout al-
longé, je suis sûre qu'elles te serrent à peine.*
— *Dis, Maman...*

— *Quoi ?*

— *Combien est-ce que Papa gagne par jour ?*

— *Mais qu'est-ce que tu vas chercher là ? De quoi t'occupes-tu ? Elle en avait presque rougi. Toutes sortes de pudeurs l'envahissaient en face de son enfant. Elle trouvait sa question déplacée, et elle lui aurait répondu plus vivement encore, mais, dans les yeux grands ouverts qui regardaient toujours devant eux, les prunelles faisaient une lueur très sérieuse. Elle ne se sentit même pas le courage de mentir.*

— *Ce que gagne Papa... Eh bien ! C'est encore très joli ce qu'il gagne. D'abord on le paie au mois. Dimanches et fêtes. Qu'il travaille ou qu'il se repose... Ce n'est pas comme d'autres... C'est un grand avantage sur les ouvriers.*

— *Oui, mais ça lui fait combien par jour ?*

— *Par jour de vrai travail ?*

— *Je ne sais pas... Non... Par jour, quoi, par jour pour vivre. Elle rougit de nouveau.*

— *Je n'ai pas fait le compte... Pas dix francs, évidemment. Il n'y a que déjà les gros employés qui gagnent dix francs.*

— *Ah !... Pas neuf francs non plus ?*

— *En tout cas, ce n'en est pas tellement loin. Mais de quoi vas-tu t'occuper ?*

*Elle se pencha un peu pour l'examiner de plus près. Son air radieux de tout à l'heure était complètement parti. Il avait un petit froncement de sourcils, un frémissement des lèvres. Ses yeux continuaient à regarder devant lui ; mais autour de leur lumière, il y avait maintenant un voile humide. Il serrait plus fort la main de sa mère. Elle fut saisie tout à coup, atteinte au cœur par la pensée qui tourmentait son enfant. Elle fit un grand effort pour empêcher ses propres larmes de venir. Penchée sur lui, caressant ses cheveux, son béret, elle lui dit, sur un ton d'effusion sourde :*

— *Mon petit garçon ! Mon pauvre petit garçon ! Mon petit Louis chéri !... »*

*f)* La place faite par Romains à l'érotisme est beaucoup plus grande que celle consentie par Balzac ou Stendhal. Alain, dans son *Système des Beaux-Arts*, soutient que le romanesque véritable est chaste et que la peinture de l'amour physique n'est pas un objet pour l'artiste. La raison qu'il en donne est que les émotions sensuelles ainsi éveillées chez le lecteur ou le spectateur sont trop fortes pour laisser place à l'émotion esthétique. La peinture d'une femme nue ne devient esthétique que par une certaine stylisation. C'est Apollon et non Priape qui a inspiré des chefs-d'œuvre aux sculpteurs. Je crois qu'il y a là une question d'époque et de mœurs. Pétrone, Rabelais, Laclos, Proust ou Hemingway décrivent des scènes que ni Racine, ni même Retz, n'eussent osé évoquer. Est-ce à dire que Racine et Retz étaient moins sensuels que Laclos, Proust et Romains ? La vérité est que la liberté avec laquelle un écrivain parle de l'amour est fonction à la fois du tempérament de l'artiste et des mœurs de son temps. Romains, lui, attache une importance essentielle à ces peintures et il les multiplie. « La façon dont un homme fait l'amour est », dit-il, « un des traits les plus caractéristiques de son signalement. » Alain — et Stendhal — répondraient : « Du signalement de l'homme vivant... Oui... Mais non de celui du héros de roman. »

L'auteur des *Hommes de bonne volonté* a-t-il accompli son dessein ? Nous a-t-il donné une image émouvante et complète de notre temps ? Disons tout de suite qu'*aucune* image romanesque ne saurait être complète. *La Comédie humaine* est une œuvre géante ; ce n'est pas un tableau exhaustif de la France au dix-neuvième siècle. Les ouvriers sont presque entièrement absents de l'œuvre de Balzac, et la grande industrie, et la Cour ; les romans sur l'Armée n'ont pas été écrits ; les rapports avec les pays étrangers sont à peine indiqués. Peu importe. Il n'y a aucune raison pour que nous cherchions, dans un seul ouvrage, une peinture de *tout* le monde connu. Nous avons seulement le droit d'exiger que l'auteur connaisse bien ce qu'il décrit.

Est-ce le cas de Romains ? Il connaît bien, a-t-on dit, les Normaliens, les professeurs, les écrivains ; il connaît mal les gens du monde et les princes de l'Eglise, et il les a peints de manière inexacte. La réponse me paraît devoir être : 1° Que nul ne peut tout connaître. Le champ d'observation de Jules Romains est l'un des plus étendus de l'histoire littéraire. Il a bien observé la France ; il a beaucoup voyagé à l'étranger. Non seulement ses professeurs et ses écrivains, mais ses politiciens, ses militaires et ses hommes d'affaires sont parfaitement vraisemblables. C'est beaucoup. 2° Que ses gens du monde et ses ecclésiastiques sont, sinon vrais, du moins aussi vrais que ceux de ses rivaux. Les duchesses de Balzac tiennent parfois des propos surprenants. L'évêque Myriel, de Victor Hugo, n'est pas un personnage plus vivant que l'abbé Jeanne. De Marsay est moins réussi que Gurau. Il y a, dans toute œuvre immense, des chapitres qui détonnent. Mais seuls les grands romanciers ont le courage de prendre de grands risques. 3° Que l'étude, minutieuse et intelligente, de nombreuses techniques donne à l'œuvre une singulière solidité. J'ai déjà parlé des techniques militaires de Verdun et de la technique politique à propos de Briand, mais voici un exemple minuscule où j'admire la vérité du détail. C'est la technique du cerveau, telle que l'a comprise le petit Louis Bastide :

« *Quand on a joué longtemps au cerceau, comme Louis Bastide, et qu'on a eu la chance d'en trouver un qu'on aime bien, on s'aperçoit que les choses sont tout autres que dans une course ordinaire. Essayez de trotter seul ; vous serez fatigué au bout de quelques minutes. Avec un cerceau, la fatigue se fait attendre indéfiniment. Vous avez l'impression de vous appuyer, presque d'être porté. Quand vous éprouvez un instant de lassitude, il semble que le cerveau amicalement vous passe de la force.*

*D'ailleurs on n'a pas toujours besoin de courir à grande allure. Avec du savoir-faire, on arrive à marcher presque au pas. La difficulté est que le cerceau n'aille pas se jeter à droite ou à gauche ; ou s'accrocher aux jambes d'un passant, qui se débat comme un rat pris au piège ; ou s'aplatir sur le sol après d'extraordinaires contorsions. Il faut savoir se servir du bâton, donner des coups très légers, qui sont presque des frôlements et qui accompagnent le cerceau. Il faut surtout, entre les coups, rester maître des moindres écarts du cerceau, grâce au bâton qui ne cesse, d'un côté ou de l'autre, d'en caresser la tranche, qui en soutient ou en corrige la marche, et dont la pointe intervient vivement à tout endroit où menace de naître une embardée...*

*Parfois le cerceau prend un élan, se sauve. La pointe du bâton le poursuit, sans parvenir à le toucher. Et il s'incline légèrement, il vire. Il se comporte tout à fait à la façon des bêtes dont la fuite n'est pas longtemps raisonnable. Il faut savoir le rattraper sans trop d'impatience. Sinon, on risque de l'envoyer contre un mur, ou de le coucher à terre.*

*Quand le moment vient de descendre la bordure du trottoir, c'est un plaisir que d'attendre, que de surveiller le petit bond du cerceau. On se dit qu'on a bien affaire à une bête, fine et nerveuse. Et ensuite, jusqu'au trottoir d'en face, elle ne cesse plus de bondir sur les pavés, dans les interstices, avec toutes sortes d'irrégularités et changements de front capricieux.* »

On a dit aussi : « Pourquoi donne-t-il, dans son œuvre, tant de place à des personnages bizarres et criminels, comme Quinette, ou à des conspirations extravagantes qui tiennent de la mystification ? » Pour une part sans doute parce que Romains lui-même, comme nous l'avons déjà indiqué, montre un goût curieux pour les conspirations, les « secrets du Roi », les mystérieux émissaires et les sociétés secrètes, mais aussi parce qu'il *croit* à leur importance dans l'histoire et par conséquent dans la structure de la société: « L'Eglise elle-même est une société secrète... On ne peut rien comprendre à l'histoire de l'Europe monarchique sans mettre au centre cette formidable toile d'araignée qu'était la Compagnie de Jésus... Quant à la Révolution, elle ne s'explique que par le long travail préparatoire des sociétés secrètes... Vous êtes-vous jamais demandé comment, dans une France non préparée, non minée d'avance, l'explosion du Quatorze Juillet aurait pu se produire avec cette foudroyante vitesse ?... Si l'on étudie l'histoire sous cet angle, tout y devient surprise, péripétie, tressaillement, enchantement. Et ce qu'un tel romanesque pourrait prendre de puéril se sauve par le sentiment d'une profonde poussée de l'idéal. Ces ténébreuses machinations, dont on finirait par sourire, apparaissent comme la gestation tourmentée du monde moderne, comme la patience séculaire de l'homme à découvrir l'issue de sa prison... »

Les Hommes de Bonne Volonté sont engagés dans une croisade secrète contre la tyrannie, contre le désordre, contre la guerre, contre la puissance de l'argent, contre la cruauté. Cela n'a rien que de louable. Qu'ils se soient trompés fort souvent sur la qualité des chefs qu'ils soutenaient, sur la nature de leurs objectifs, et sur les effets immédiats de leurs actions, c'est probable. C'est même inévitable. On n'agit pas sans commettre d'erreurs. Mais que leur dessein ait été noble, leurs intentions pures, on n'en saurait douter, et en écrivant cette phrase je pense aussi à leur créateur, qui est lui-même un de ses héros, et que je n'hésite pas à ranger parmi les Hommes de Bonne Volonté. Ce n'est pas seulement par les dimensions, et par l'intelligence, mais par l'amour, que *Les Hommes de bonne volonté* sont un grand livre.

Enfin on a dit : « Les dimensions de l'œuvre sont trop vastes. Une œuvre d'art doit être limitée ; elle doit pouvoir être saisie d'un regard ; elle doit former dans l'esprit un tout cohérent et intelligible. Reproduire la multiplicité et le désordre du monde n'est pas faire œuvre d'art. Une collection de journaux publiés entre 1908 et 1933 serait plus « unanimiste » encore que *Les Hommes de bonne volonté*. Elle ne serait pas une œuvre. Où est le plan de celle-ci ? »

A quoi je réponds que ce plan, dès maintenant entrevu par le lecteur, n'apparaîtra tout à fait clairement qu'une fois l'œuvre terminée. Souvenez-vous du grand roman de Proust. Tandis qu'il paraissait, nous en admirions les fragments sans en saisir l'unité. Mais lorsque le *Temps Retrouvé* s'est opposé au *Temps Perdu*, lorsque les images du début, et la petite madeleine, ont réapparu à la fin, alors nous avons compris que cette grande arche s'appuyait sur deux piles solides et symétriques. Il en sera probablement de même des *Hommes de bonne volonté* lorsqu'une journée finale répondra à la journée liminaire (1).

_____

(1) *Cette journée finale*, le Sept Octobre, *a fait, en effet, le sujet du dernier volume des Hommes de bonne volonté (note de 1948).*

# V

Un poète de la vie moderne, curieux de ses techniques, de ses villes tentaculaires, de ses ressorts secrets. Un romancier puissant qui a su animer un monde et, dans Verdun, ressusciter une armée. Un homme de bonne volonté, qui a cru, qui croit encore, au pouvoir de l'intelligence et à la solidarité humaine. Tout cela fait de Jules Romains l'un des grands écrivains de notre temps. D'autres ont mieux compris et décrit des aspects différents de l'homme. Balzac et Proust ont étudié plus complètement les passions de l'âme. Mais dans son domaine, qui est la poésie des groupes humains, Romains est hors de pair. Son intelligence et sa culture lui ont permis de faire, pour la vie de notre temps, ce qu'un Retz ou un Saint-Simon avaient fait pour celle du dix-septième siècle. La coexistence en un même esprit d'un poète, d'un philosophe, d'un mémorialiste et d'un romancier était nécessaire pour que fût écrite la Comédie humaine d'une des époques les plus confuses et les plus tristes de l'histoire.

# ANDRÉ MALRAUX

« Le monde s'est mis un jour à ressembler à mes livres », a écrit Malraux. Dans ses romans il avait peint le risque, le combat, la révolution ; or le monde entier devint révolte et guerre.

Toute sa vie, il avait voulu une littérature virile où les valeurs sentimentales seraient dépréciées au profit du courage et du plaisir. L'esprit du temps lui donna raison. Les valeurs sentimentales avaient régné en des époques de stabilité et de loisir. Une jeunesse élevée au crépitement des mitraillettes chercha des maîtres plus durs. Elle avait moins de curiosité pour l'analyse de l'individu que pour la communion des masses. L'œuvre de Malraux qui la jetait, comme celle d'Hemingway, dans un bain de sang et d'héroïsme, devait lui plaire, et lui plut.

Mais la raison essentielle de son prestige fut que sa vie répondait pour son œuvre. Il dit quelque part que les Mémoires sont les seuls livres qui méritent d'être écrits. Ses romans sont les mémoires transposés d'un homme brave et intelligent. Malraux a connu et vécu la Chine des *Conquérants* et de la *Condition humaine* ; il a fait la guerre d'Espagne avec les Volontaires de *l'Espoir* ; il était dans les chars de 1940 comme le héros des *Noyers de l'Altenburg* ; il a commandé une brigade pendant la campagne de libération. Les combattants savent ces choses, et le respectent. « Pour nombre d'entre nous, a écrit Gaëtan Picon, Malraux aura été ce que Péguy, ce que Barrès, ce qu'avant eux Chateaubriand furent pour la jeunesse d'autres hommes. » Plus encore que Chateaubriand, il a fait de sa vie son chef-d'œuvre. Non qu'elle n'ait eu ses moments difficiles. Un aventurier prend des risques. Pendant quinze ans Malraux s'est accroché à la révolution mondiale, sans toutefois s'inscrire au parti communiste. Nous verrons comment il prit ensuite son virage vers la guerre nationale, le gaullisme et le pouvoir. « Homme avide de jouer sa biographie comme un acteur joue un rôle », à la fois auteur et interprète du drame de sa vie, il s'est donné un beau texte. Quoiqu'il arrive désormais, la partie semble gagnée.

# LE PRÉCURSEUR
# DE L'ABSURDE

On a fait grand bruit en notre temps de l'absurdité du monde. La majeure partie des œuvres de Camus est consacrée à « l'homme absurde », celui qui a mesuré l'abîme entre les espoirs de l'homme et l'indifférence de l'univers. Au vrai ce n'est pas là une idée neuve. Malraux, comme tant d'autres, cite Pascal : « *Qu'on imagine un grand nombre d'hommes dans les chaînes, et tous condamnés à mort, dont les uns étant égorgés chaque jour à la vue des autres, ceux qui restent voient leur propre condition dans celle de leurs semblables... C'est l'image de la condition des hommes.* » Oui, là gît l'essentiel de l'absurde. La mort « est l'irréfutable preuve de l'absurdité de la vie ».

Pour des croyants le problème de l'absurde comporte une solution évidente. Leur univers n'est pas indifférent ; il obéit à un Dieu tout-puissant, attentif au destin de toute créature et que l'on peut fléchir en le priant. La mort n'est *pas* pour eux la fin de toutes choses, mais le commencement de l'existence véritable. « Mort, où est ta victoire ? » L'âme survit et jouit de la présence de Dieu. Seulement, pour les héros de Malraux, pour Garine et Perken, pour Gisors et Magnin, Dieu est mort. Que faire d'une âme s'il n'y a pas de Dieu ? Garine a *besoin* de croire à l'absurdité du monde. « Pas de force, même pas de vraie vie sans la certitude, sans la hantise de la vanité du monde. »

Malraux ne dit nulle part qu'il est d'accord avec Garine et je ne crois pas qu'il le soit entièrement. Mais lui-même

affirme : « L'absence de finalité donnée à la vie est devenue une condition de l'action. » Cette absence libère l'action. S'il n'y a rien, on peut tout oser. C'est, dit Pierre
de Boisdeffre, « la tentation luciférienne, à laquelle Malraux échappera de justesse, mais à laquelle succombent
d'ordinaire les *conquérants*, de Caligula à Hitler ».
L'homme dont l'âme ne possède rien peut s'engager dans
les spéculations les plus téméraires. Qu'a-t-il à y perdre ? Terroristes chinois et aviateurs d'Espagne jettent
leur vie sur le tapis vert. Cette mise, à leurs yeux, n'a
guère de valeur.

Mais alors pourquoi ? Ne serait-il pas plus naturel, dans
un univers indifférent, de vivre l'instant heureux que de
chercher la bagarre, la torture et la mort ? Car ce n'est
pas pour « la cause » que Garine combat. Il parle avec une
ironie méprisante des hommes qui prétendent travailler au
bonheur de l'humanité. « Ces crétins-là veulent avoir raison. En l'occurence il n'y a qu'une raison qui ne soit pas
une parodie : l'emploi le plus efficace de sa force. » Ambitieux ? Garine (qui contient une part mais une part seulement de Malraux jeune) n'éprouve pas cette ambition qui
calcule l'avenir et prépare des conquêtes successives, l'ambition planifiée de Rastignac, « mais il sent en lui, tenace,
constant, le besoin de la puissance ». De la puissance il
n'attend ni argent, ni considération, ni respect ; rien qu'elle-même. « Il finissait par considérer l'exercice de la puissance comme un soulagement, comme une délivrance. Il
entendait *se* jouer. Brave, il savait que toute perte est
limitée par la mort. »

De telles pensées viennent à chaque pas buter contre la
mort. Parfois elle apparaît comme une solution. Le grand-
père Berger, des *Noyers de l'Altenburg*, se suicide, comme
l'avait fait le grand-père de Malraux. Or l'avant-veille de
sa mort, ce Dietrich Berger avait demandé à son frère :
« Si tu pouvais choisir une vie, laquelle choisirais-tu ? —
Et toi ? — Eh bien, ma foi, *quoi qu'il arrive*, si je devais
revivre une autre vie, je n'en voudrais pas une autre que
celle de Dietrich Berger. » Le suicide était déjà dans le
« quoi qu'il arrive » ; pourtant cet homme avait aimé sa
vie et tenu fanatiquement à lui-même. C'était peut-être
pour cette raison qu'il s'était tué.

Pour d'autres personnages de Malraux, l'idée de la mort

se fait obsession de tuer. Cette dureté naît surtout chez les humiliés. « L'humiliation intense appelle la négation du monde. Seul le sang opiniâtrement versé, la drogue et la névrose nourrissent de telles solitudes. » L'Allemand Klein, dans *les Conquérants,* tremble de haine. « Pas toujours aux mêmes à souffrir. Je me souviens d'une fête, autrefois, où je regardais... Ah ! quelques balles de revolver pour casser ce... je ne sais pas dire, ce... sourire, quoi L aspect de toutes ces gueules de gens qui n'ont jamais été sans bouffer ! Oui, faire savoir à ces gens-là qu'une chose, qui s'appelle la vie humaine, existe. » Et encore : « La Révolution, qu'est-ce que c'est ? Je vais te dire : on ne sait pas. Mais c'est d'abord qu'il y a trop de la misère, pas seulement manque d'argent mais... toujours qu'il y a ces gens riches qui vivent et les autres qui ne vivent pas. »

Ce n'est pas de la pitié, sentiment auquel les héros de Malraux sont peu accessibles, et que beaucoup d'entre eux mépriseraient. C'est un besoin de reconquérir, pour eux et pour les autres, la dignité humaine. « Qu'appelez-vous la dignité » demande-t-on à Kyo (*La Condition humaine*). Il répond : « Le contraire de l'humiliation », ce qui n'est pas une mauvaise réponse. La dignité, c'est le respect que l'homme se doit à lui-même et qu'il peut exiger des autres. La dignité non respectée se change en humiliation, qui à son tour suscite le terrorisme.

Hong (*Les Conquérants*) s'est libéré de la misère, mais il n'a pas oublié sa leçon et l'image du monde qu'elle fait apparaître, colorée par la haine impuissante. «Il n'y a que deux races, dit-il, les misérables et les autres.» Il a découvert qu'il ne haïssait pas tant le bonheur des riches qu'il n'enviait le respect qu'ils ont d'eux-mêmes. « Un pauvre, dit-il encore, ne peut s'estimer. » Il n'éprouverait pas ce sentiment s'il croyait, comme ses ancêtres, que son existence n'est pas limitée à sa vie particulière. Mais cela, il a cessé de le croire. Alors la condition humaine lui apparaît dans toute son absurdité et il s'accroche à ce qui lui reste : sa haine. Il hait les idéalistes parce qu'ils prétendent arranger les choses. Hong ne veut pas que les choses s'arrangent. Il est anarchiste. C'est l'attitude extrême de l'homme qui se sait absurde. Il y en a de plus constructives. D'où le recours à l'action.

# II

# L'AVENTURE
# ET L'ACTION

« Une vie n'est qu'une pierre jetée dans l'océan, mais lorsqu'on sait cela, on risque tout sur la trajectoire. » Encore y a-t-il mille manières de tout risquer et mille formes d'aventure. Malraux jeune avait choisi la guerre révolutionnaire. Non parce qu'il croyait à la révolution communiste. A aucun moment il ne raisonne en marxiste. Certains de ses héros sont communistes : Borodine, Kyo. Le père de Kyo, Gisors, dit : « Je ne désire pas aller à Moscou. Le marxisme a cessé de vivre en moi. Aux yeux de Kyo c'était une volonté ; aux miens c'est une fatalité. » (Ce qui n'est pas nier le marxisme, mais dans le jargon de ce temps « le démystifier »). Garine n'a pas voulu être membre du parti, sachant qu'il n'en pourrait supporter la discipline. « Si la technique et le goût de l'insurrection chez les bolcheviks le séduisaient, le vocabulaire doctrinal, et surtout le dogmatisme, l'exaspéraient. » Garine n'aime pas le peuple. Sans doute il préfère les pauvres gens aux riches parce qu'ils ont plus d'humanité. Mais il sent que c'est chez eux vertu de vaincus. « Je sais bien qu'ils deviendraient abjects dès que nous aurions triomphé ensemble. »

Les héros de Malraux s'intéressent aux actes plus qu'aux doctrines. Bien sûr ils se différencient les uns des autres par leurs idées. Et cela beaucoup plus qu'on ne l'a reconnu. Un critique (André Rousseaux) a écrit : « Les personnages de Malraux sont si peu vivants qu'ils meurent aussitôt dans la mémoire du lecteur. De Garine à Vincent Berger, je ne me souviens que de silhouettes dialoguant avec une bombe ou un revolver à la main, et une cervelle métaphysique. » Je ne partage pas ce sentiment. Garine est inoubliable ; le terroriste Hong terrifiant ; l'idéaliste Tcheng-Daï étonnamment humain et nuancé ; le couple Kyo-May vit tragiquement un amour bizarre ; le grand homme d'affaires, Ferral, est un portrait vigoureux. Mais tous ces hommes n'aiment pas que leur volonté se transforme en intelligence. Ils ont besoin de se projeter hors d'eux-mêmes, hors de leur conscience absurde. L'aventure est leur alibi. Le risque est leur élément. « Comme toutes les sensations intenses, celle du danger, en se retirant, le laissait vide ; il aspirait à la retrouver. » Cette phrase s'applique à Tchen, personnage de *la Condition humaine,* mais voyez comme elle convient à Malraux lui-même qui, à peine sorti d'un péril, se jette volontairement dans un autre, et ne quitte la Brigade internationale que pour entrer dans la Résistance française.

Jusque-là beaucoup de ses héros, et quelques-uns des meilleurs, avaient été étrangers au pays pour lequel ils se battaient. Garine n'est pas chinois ; Kyo est un métis ; Borodine se soucie fort peu de la Chine ; la Brigade internationale, par définition, n'est pas espagnole. L'aventurier moderne, que ce soit l'Anglais Lawrence qui se bat aux côtés des Arabes, ou l'Américain Hemingway qui se bat aux côtés des républicains espagnols, a été le plus souvent un homme étranger au pays pour la liberté duquel il offrait sa vie. Plus paradoxal encore, le héros de Malraux (jusqu'à 1940) ne se bat guère pour une idée ; il se sent mal à l'aise dans un parti. Il lutte contre des riches, des puissants, des officiels ; il s'en prend à la tartuferie universelle comme Van Gogh à l'académisme ; il lutte pour lutter. Tout cela sans illusions, avec la certitude que l'hypocrisie renaîtra sous une autre forme. C'est de l'action pure.

J'imagine que le jour où Malraux découvrit en de Gaulle un héros selon son cœur, sans beaucoup plus d'illusions que lui-même sur les hommes, mais non pas étranger à sa cause, soudé au contraire étroitement à elle, il trouva un grand apaisement. Mettre l'aventure au service d'un ordre éclairait le problème. Se battre pour la France, et même se battre pour l'Occident, pour la culture, coïncidait enfin avec la nature profonde de Malraux.

François Mauriac, homme d'intuitions pénétrantes, avait pressenti cette évolution dès le temps où *la Condition humaine* avait obtenu le prix Goncourt et où une société bourgeoise, capitaliste, couronnait, avec une sorte d'ivresse, un jeune homme qui la menaçait de révoltes, de grèves générales, et qui avait travaillé avec ceux qui allaient évincer l'Europe de l'Asie.

« Nous vivons dans une société étrange », écrivait alors Mauriac ; « elle est vieille, elle s'ennuie, elle pardonne à qui sait la distraire, fût-ce en lui faisant peur... Le talent la désarme. Voilà un garçon qui, dès l'adolescence, s'est avancé vers elle, un poignard à la main. Mais quoi ? Il a du talent ; il a plus de talent qu'aucun garçon de son âge... En l'an de grâce 1933 un beau livre couvre tout. » L'étonnant est que ce prix Goncourt, et ce succès, amenaient Mauriac à imaginer « l'intrusion de la réussite dans un destin orienté vers le désespoir ». Il concluait : « Après tout l'ambition est une issue possible. » En 1945 Mauriac avait gagné ce pari avec lui-même et Malraux était ministre.

Pour moi, j'avais été frappé, dans tous ses livres, par sa compétence technique en des domaines très divers. Il y a des hommes de main, comme Tchen, faits pour l'action brutale et simple. Mais l'action exige aussi des chefs et les chefs, pour commander, doivent savoir de quoi ils parlent. Malraux avait admirablement compris le mécanisme de la subversion, celui du terrorisme et celui de la révolution. Il allait comprendre aussi celui du gouvernement. Il savait qu'en dernière analyse, seuls les techniciens peuvent faire triompher la révolution. « Au début la révolution n'est qu'une vaste resquille d'autorité » dit Garcia (*l'Espoir*) ; Hernandez répond : « Ces milices-là seraient écrasées par deux mille soldats qui connaissent leur métier. » Et Ximénès : « Le courage est une chose qui s'organise, qui vit et qui meurt, qu'il faut entretenir comme les fusils... »

Malraux parle de la guerre en soldat de métier : « Tuer est un problème d'économie : dépenser le plus possible de fer et d'explosif pour dépenser le moins possible de chair vivante. » Les généraux américains que j'ai connus en 1943-45 appliquaient ce principe. On ne doit pas oublier que Malraux a été un aviateur actif, chef d'escadrille, commandant l'aviation républicaine à la bataille de Medellin. Cette compétence donne à ses descriptions de guerre une vérité incontestée.

« *Les trois avions de Teruel survolèrent le champ, chacun cherchant les feux de position des autres pour prendre la formation de vol. En bas le trapèze du champ, tout petit maintenant se perdait dans l'immensité nocturne de la campagne qui, pour Magnin convergeait tout entière vers ces feux misérables...* » « *L'un après l'autre, un, deux, trois, quatre, cinq, six, sept avions ennemis sortirent des nuages. Les avions de chasse républicains étaient les monoplaces à ailes basses, avec lesquels on ne pouvait confondre les Heinkel ; Magnin reposa ses jumelles, fixé, et fit serrer les trois avions.* « *Si nous avions des mitrailleuses convenables, nous pourrions quand même tenir le coup* », pensa-t-il. Mais il avait toujours les vieilles Lewis, non jumelées. « *800 coups à la minute* × *par 3 mitrailleuses* = *2 400. Chaque Heinkel a 1 800 coups* × *4* = *7 200.* » *Il le savait, mais se le répéter faisait toujours plaisir.*

Technicité plus étonnante, et digne de Balzac, Malraux comprend à merveille Ferral, brasseur d'affaires. J'aime la scène où Ferral se trouve face à face avec « les directeurs des grands établissements de crédit »... « Depuis la guerre, pensa-t-il, cette brochette assise sur le canapé a coûté à l'épargne française, rien qu'en fonds d'Etat, dix-huit milliards. Très bien ; comme il le disait il y a dix ans : « *Tout homme qui demande des conseils pour placer sa fortune à une personne qu'il ne connaît pas intimement est justement ruiné.* » Cette phrase pourrait être de Gobseck ; je l'entends comme un éloge. Gobseck fut un grand homme d'affaires et Malraux n'est pas dupe.

La courbe de sa vie d'action est nettement dessinée par les titres des trois parties de *l'Espoir*. 1. *L'illusion lyrique ;* elle n'a pas duré longtemps et a fait place à une lucidité désespérée. II. *Exercice de l'Apocalypse.* C'est la guerre pour la guerre, le terrorisme pour le terrorisme. III. *L'Espoir.* Au-delà de l'aventure se lève, comme une aube, la volonté d'espérer. « Il n'y a pas cinquante manières de combattre ; il n'y en a qu'une et c'est d'être vainqueur. »L'homme est la somme de ses actes. En agissant il se fait histoire. Que celle-ci soit aussi grande que possible. Voilà un objectif et l'on sort de l'absurde.

# III

# L'HOMME
# ET L'HISTOIRE

Malraux a naturellement l'esprit cosmique. Ce qu'il voit évoque toujours pour lui ce qui fut. Prisonnier en 1940 et regardant ses compagnons, il découvre en eux (comme Proust reconnaissait dans les soldats de 1914 les Français de Saint-André-des-Champs), des visages gothiques et la mémoire séculaire du fléau. « Au-dessous de cette familiarité séculaire avec le malheur, pointe la ruse non moins séculaire de l'homme, sa foi clandestine dans une patience pourtant gorgée de désastres, la même peut-être que jadis devant les famines des cavernes... Dans notre tanière engourdie sous le grand soleil de toujours murmure une voix préhistorique. » Arrivant avec ses chars, dans un fracas de chenilles, au village évacué, il y retrouve les granges de toujours, les moissons, les roquets éternels.

« J'entends bruire sous cette profusion pittoresque tout un bourdon de siècles, qui plongent presque aussi loin que les ténèbres de cette nuit : ces granges qui regorgent de grains et de paille, ces granges aux poutres cachées par les cosses, pleines de herses, de joncs, de timons, de voitures de bois, des granges où tout est grain, bois, paille ou cuir (les métaux ont été réquisitionnés), tout entourées des feux éteints des réfugiés et des soldats, ce sont les granges des temps gothiques ; nos chars au bout de la rue font leur plein d'eau, monstres agenouillés devant les puits de la Bible... O vie, si vieille ! »

Il aime à évoquer les millénaires et à entendre le chuchotement des siècles. Mais il se demande aussi, parce qu'il est très intelligent, s'il est légitime de chercher l'homme éternel sous celui de nos jours. C'est là l'un des sujets du colloque qui remplit une grande partie des *Noyers de l'Altenburg*. Ce beau livre, l'un des meilleurs de Malraux, évoque pour nous les entretiens de Pontigny, Charles du Bos, André Gide, Paul Desjardins et, si je ne me trompe, Malraux a pensé à l'abbaye cistercienne en décrivant le colloque de l'Altenburg. Il me semble avoir reconnu des traits de Charles du Bos en un comte Ravaud. Mais Malraux a donné surtout la parole à un savant allemand : Möllberg, qui expose des idées analogues à celles de Frobenius.

Pour Möllberg, spécialiste de l'Afrique et des vieilles civilisations, quand le savant plonge au fond des âges, il y trouve, au-delà du royaume d'Ur, au-delà du monde sumérien, encore des villes, encore l'Etat, et une société qui ressemble à celle des fourmis ; au-delà des prêtres, le Roi, dont la puissance croît avec la lune et qu'on étrangle en cas d'éclipse. Ce roi est à la fois lui-même et la lune. Nous sommes dans un domaine cosmique antérieur à toute religion. « On tue dans l'éternel. Les dieux ne sont pas nés. » Plus tard, que ce soit bouddhisme, judaïsme, christianisme, islamisme, le monde connu tout entier pensera religieusement. « Mais la structure mentale qu'implique la civilisation cosmique est aussi exclusive de celle qu'implique la religion que la foi chrétienne est exclusive du rationalisme voltairien. » Où est l'homme éternel là-dedans ?

D'autres populations n'ont pas découvert le lien qui unit l'acte sexuel à la naissance. Comment leur faire comprendre le christianisme et l'Annonce à Marie ? D'autres encore ignorent l'échange. Comment leur expliquer notre économie, nos structures sociales ? Où est le lien entre eux et nous ? « C'est l'histoire, dit Möllberg, qui est chargée de donner un sens à l'aventure humaine — comme les dieux. De relier l'homme à l'infini... Nous ne sommes hommes que par la pensée ; nous ne pensons que ce que l'histoire nous laisse penser, et sans doute n'a-t-elle pas de sens. » Mais nous ne pouvons supporter qu'elle n'ait pas de sens. Qu'on l'appelle histoire ou autrement, il nous faut un monde intelligible.

« *Que nous le sachions ou non, lui, lui seul, assouvit notre rage de survie. Si les structures mentales disparaissent sans retour comme le plésiosaure, si les civilisations ne sont bonnes à se succéder que pour jeter l'homme au tonneau sans fond du néant, si l'aventure humaine ne se maintient qu'au prix d'une implacable métamorphose, peu importe que les hommes se transmettent pour quelques siècles leurs concepts et leurs techniques : car l'homme est un hasard, et, pour l'essentiel, le monde est fait d'oubli.* »

En Möllberg s'incarne une part de Malraux, la part négative. Quand un autre personnage du colloque soutient que tout cela est paradoxe, qu'il y a en l'homme quelque chose éternelle et que nous comprenons fort bien une œuvre d'art égyptienne ou gothique, la réponse est que l'artiste (et ceux qui le comprennent) sont des exceptions ; que la chrétienté était pleine de gens qui n'étaient pas chrétiens ; que l'Egypte était pleine de laboureurs qui n'étaient pas égyptiens. Vous retrouvez les granges et les moissons éternelles ? Bien sûr.

« *Moins les hommes participent de leur civilisation, plus ils se ressemblent ; d'accord ! Mais moins ils en participent et plus ils s'évanouissent... On peut concevoir une permanence de l'homme, mais c'est une permanence dans le néant... Hors de la pensée, vous avez tantôt un chien, tantôt un tigre, un lion si vous y tenez ; toujours une bête. Tous les hommes mangent, boivent, dorment, forniquent, bien sûr ; mais ne mangent pas les mêmes choses, ne boivent pas les mêmes choses, ne rêvent pas des mêmes choses. Ils n'ont guère en commun que de dormir quand ils dorment sans rêves, — et d'être morts.* »

Il faut rappeler ici qu'il s'agit d'un colloque. La thèse de Möllberg est exagérée et Malraux le sait bien. Un autre interlocuteur ne voit pas du tout pourquoi l'aventure humaine ne deviendrait pas histoire. « Le plus grand mystère, dit Walter Berger, n'est pas que nous soyons jetés au hasard entre la profusion de la matière et celle des astres ; c'est que, dans cette prison, nous tirions de nous-mêmes des images assez puissantes pour nier notre néant. » Nous retrouverons cette idée en examinant les idées de Malraux sur l'art. Mais l'histoire est une autre forme de création. Elle impose un ordre intelligible à la masse en apparence incohérente des faits, ce qui est aussi le rôle de la science. Malraux n'accepte pas l'*histoire-reine* du hégélianisme ou du marxisme, courant irréversible qui emporterait l'humanité. L'histoire est faite par la volonté humaine à chaque instant, en chaque point de la terre. « L'homme n'est pas ce qu'il cache... un misérable petit tas de secrets... L'homme est ce qu'il fait. »

Et si ce qu'il fait n'est plus compris dans des millénaires, comme les rois lunaires et les hommes-panthères ne sont plus compris, qu'importe ? Péguy a montré naguère que ceux qui font appel à la postérité n'ont jamais réfléchi à ce qu'est la postérité. « Que la postérité c'est comme eux. Que la postérité c'est eux plus tard... Ils veulent en faire un magistrat, de la postérité. Elle aura bien d'autres chiens à fouetter, la postérité, c'est à savoir : ses propres chiens. » Péguy a raison. Elle s'est occupée de César, la postérité, oui, mais moins que de tel ministricule (en son temps), moins que de telles vedettes (en leur temps). La postérité pense encore un peu à César, à Louis XIV, mais très peu à la fois. Ou, si elle pense à Louis XIV, c'est à cause de Versailles ou de Saint-Simon, c'est-à-dire d'œuvres d'art. Ce qui nous ramène à l'idée fondamentale: l'homme est ce qu'il fait ou ce qu'il fait faire.

Malraux et ses héros ne sont pas indifférents à la conquête d'une place dans l'histoire. « Exister dans un grand nombre d'hommes, et peut-être pour longtemps. Je veux laisser une cicatrice sur cette carte. Puisque je dois jouer contre ma mort, j'aime mieux jouer avec vingt tribus qu'avec un enfant. » Avec vingt tribus ? Mieux encore avec une nation, une vieille nation qui apporte au héros l'immense contribution de son passé et de sa gloire. Car un peuple aussi est ce qu'il a fait.

« *Accoté au cosmos comme une pierre, voilà le paysan français... Portes entrouvertes, linge, granges, marques des hommes, aube biblique où se bousculent les siècles, comme tout l'éblouissant mystère du matin s'approfondit en celui qui affleure sur ces lèvres usées ! Qu'avec un sourire obscur reparaisse le mystère de l'homme, et la résurrection de la terre n'est plus que décor frémissant.*

*Je sais maintenant ce que signifient les mythes antiques des êtres arrachés aux morts. A peine si je me souviens de la terreur ; ce que je porte en moi, c'est la découverte d'un secret simple et sacré.*

*Ainsi peut-être, Dieu regarda le premier homme »...*

Un sens cosmique du sacré, un sens historique de la France, voilà peut-être ce qu'il y a de plus vivace dans le Malraux de la maturité.

# IV

# L'ÉROTISME
# ET L'AMOUR

Beaucoup d'êtres humains croient trouver un absolu dans l'amour, communion à la fois charnelle et mystique. Tels ne sont pas les héros de Malraux. Ils cherchent refuge, non dans l'amour, mais dans l'érotisme. « Il y a érotisme dans un livre dès qu'aux amours physiques qu'il met en scène, se mêle l'idée d'une contrainte », écrit Malraux dans sa préface aux *Liaisons dangereuses*.
Presque tous les hommes qu'il peint rêvent de situations où ils imposeront à une femme une étreinte ou une douleur. La femme est pour eux un objet de plaisir, son corps une chose parmi les choses.

*— « La première femme avec qui tu as couché, qu'as-tu éprouvé après ? demanda Gisors.*
*Tchen crispa ses doigts.*
*— De l'orgueil.*
*— D'être un homme ?*
*— De ne pas être une femme.*
*Sa voix n'exprimait plus la rancune, mais un mépris complexe. »*

Contraindre, mépriser, et par là se prouver sa puissance, voilà ce que Ferral (*la Condition humaine*) et Perken (*la Voie royale*) cherchent dans l'érotisme. Il leur plaît que leur victime (on ne peut dire leur partenaire) ne soit pas consentante. Ils la veulent anonyme. Qu'elle soit simplement « l'autre sexe ». Perken croit à la misogynie fondamentale de presque tous les hommes. « Il possédait un corps comme s'il l'eût frappé. » Quant à Ferral « son plaisir jaillissait de ce qu'il se mit à la place de l'autre, c'était clair ; de l'autre contrainte, contrainte par lui. En somme il ne couchait jamais qu'avec lui-même, mais il ne pouvait y parvenir qu'à la condition de ne pas être seul. »

Attitude qui justifie les fureurs et la haine de la femme. Voici la lettre de Valérie, femme forte, à Ferral. « Je ne suis pas, cher, une femme qu'on a, un corps imbécile auprès duquel vous trouvez votre plaisir en mentant comme aux enfants et aux malades. Vous savez beaucoup de choses, cher, mais vous mourrez peut-être sans vous être aperçu qu'une femme est *aussi* un être humain... Je me refuse à être un corps autant que vous un carnet de chèques. » Claude Mauriac a montré que certaines confidences de Colette rejoignent celles de la Valérie de Malraux. Que sait l'homme de la volupté chez la femme ? Presque rien. Ce qu'elle veut bien exprimer — ou feindre.

Mais chez les hommes de Malraux cette ignorance devient souffrance aiguë. Claude Mauriac a noté que D. H. Lawrence « fascine Malraux » dans la mesure où il tente d'étudier l'expérience érotique du point de vue de la femme. « Aucun homme ne peut parler des femmes », dit Valérie « parce qu'aucun homme ne comprend que tout nouveau maquillage, toute nouvelle robe, tout nouvel amant, proposent une nouvelle âme ». Et c'est vrai. Ferral ne comprend pas. Alors il essaie d'écraser.

On conçoit aisément que cet érotisme, qui est besoin de contraindre, débouche sur le sadisme, sur le besoin de faire souffrir. Ferral imagine sa maîtresse « attachée sur le lit, criant jusqu'aux sanglots si proches des cris du plaisir, ligotée, se tordant sous la possession de la souffrance, puisqu'elle ne le faisait pas sous celle du sexe ». Un pas de plus et c'est l'obsession de tuer. Le terroriste commence par avoir horreur de ses actes. Il finit par en jouir. Tchen, et tant d'autres, ont la hantise du sang. « Un goût presque érotique de la mort » écrit Gaëtan Picon, et Marcel Thiébaut : « un roman suintant de sang ». Le souvenir du meurtre est beaucoup moins, pour un Tchen, un remords qu'un désir. Comme le tigre mangeur d'hommes, le terroriste qui a une fois tué voit se lever une barrière ; il éprouve le besoin de recommencer. Ou de risquer sa propre vie. Le défi à la mort est une forme d'érotisme, l'exercice d'une puissance ultime.

Ce sadisme s'exerce aussi sur le lecteur qui est laissé, pendant des pages, en suspens de terreur croissante. La fin de la *Condition humaine* où les prisonniers attendent d'être torturés, puis brûlés vifs, jetés dans un foyer de locomotive, est à peine supportable.

Y a-t-il place, en cet enfer d'érotisme et de sadisme, pour l'amour-passion ? On a dit, depuis longtemps, que l'amour-passion est une invention chrétienne, admirable, liée au respect de la personne humaine, au culte de la Vierge, aux Croisades enfin qui paraient la femme du prestige de l'absence. Mais d'autres formes d'amour sont plus anciennes, celui d'Hector pour Andromaque, d'Ulysse pour Pénélope, de Jacob pour Rachel. Un attachement, où je ne sais quelle affection tenace renforce le désir, est non seulement concevable mais constant, dans toutes les civilisations avancées.

Malraux a peint quelquefois cet amour où au besoin sexuel élémentaire s'allie une connaissance intuitive de l'autre. C'est par exemple de Kyo et de May : « *Cet amour souvent crispé qui les unissait comme un enfant malade, ce sens commun de leur vie et de leur mort, cette entente charnelle entre eux... Pour May seule, il n'était pas ce qu'il avait fait ; pour lui seul, elle était tout autre chose que sa biographie. L'étreinte par laquelle l'amour maintient les êtres collés l'un à l'autre contre la solitude, ce n'était pas à l'homme qu'elle apportait son aide ; c'était au fou, au monstre incomparable, préférable à tout, que tout être est pour soi-même et qu'il choie dans son cœur. Depuis que sa mère était morte, May était le seul être pour qui il ne fût pas Kyo Gisors, mais la plus étroite complicité. « Une complicité consentie, conquise, choisie », pensa-t-il* extraordinairement *d'accord avec la nuit, comme si sa pensée n'eût plus été faite pour la lumière... Avec elle seule j'ai en commun cet amour déchiré ou non, comme d'autres ont, ensemble, des enfants malades et qui peuvent mourir...* » *Ce n'était pas certes le bonheur, c'était quelque chose de primitif qui s'accordait aux ténèbres et faisait monter en lui une chaleur qui finissait dans une étreinte immobile, comme d'une joue contre une joue — la seule chose en lui qui fût aussi forte que la mort. »*

Oui, c'est bien de l'amour, comme l'est aussi le sentiment qui unit Anna et Kassner (*le Temps du mépris*). Mais pour Kassner comme pour Kyo, l'absolu est ailleurs.

# V

# LA MONNAIE
# DE L'ABSOLU

Sous des apparences diverses, les héros de Malraux ont toujours été à la recherche de ce Graal : l'Absolu. Quelque chose ou idée complète en soi, inébranlable, à quoi l'individu flottant et transitoire puisse se raccrocher. Dieu mort, il leur restait la révolution, l'espoir. Encore faudrait-il y croire et ils n'y croient guère. L'opium de l'action pure, de la guerre à vide, avait pour un temps remplacé la foi marxiste, morte à son tour. La guerre pour la France, la réconciliation avec l'histoire offraient une route plus belle et c'est celle qu'a choisie Malraux. Mais il voit une autre chance de salut, alliée à l'histoire, qui est la culture ; une autre méthode pour s'affranchir du monde qui est l'art, re-création du monde. « L'histoire tente de transformer le destin en conscience et l'art de le transformer en liberté. » Et ailleurs : « L'art, par le tremblement d'une main sénile se vengera du monde écrasant et dérisoire en le contraignant à l'immortalité. »

Tout grand art est une création. Il fait naître une émotion intense, mais pas nécessairement en représentant ce qui la suscite dans la vie. « Un coucher de soleil admirable, en peinture, n'est pas un beau coucher de soleil, mais le coucher de soleil d'un grand peintre. » Pour renforcer par un exemple musical la thèse de Malraux, les murmures de la forêt dans Siegfried ne sont pas un chant des oiseaux mais un chant de Wagner. Malraux cite un garagiste de Cassis qui avait vu peindre Renoir. « Il avait un grand tableau. Je me dis : « Va un peu voir »... c'était des femmes nues qui se baignaient *dans un autre endroit.*

Il regardait je ne sais quoi et il changeait seulement un petit coin. » Sa vision était moins une façon de regarder la mer (dont il faisait le ruisseau des *Lavandières*) que la création d'un monde auquel appartenait ce bleu qu'il reprenait à l'immensité. »

Bref « les grands artistes ne sont pas les transcripteurs du monde ; ils en sont les rivaux ». Balzac disait : « concurrence à l'état civil », mais c'est bien plus : concurrence à l'univers, et là réside la possibilité du salut par l'art. Dans l'œuvre belle disparaît le désaccord entre l'homme et le cosmos. L'artiste cesse d'être l'homme absurde. L'œuvre est une « parcelle du monde orientée par l'homme ». L'artiste perd le sentiment de sa dépendance comme le cosmonaute la sensation de la pesanteur. Il échappe à l'attraction sociale. Ce n'est pas qu'une image. Un ballet nous libère de la pesanteur par la légèreté des danseurs ; un dessin animé de Walt Disney était une victoire sur Newton. Un portrait de génie est un tableau qui vaut en soi et par soi avant d'être le simulacre d'un visage. La Vénus du Titien ne donne pas envie de faire l'amour ; elle donne envie d'admirer. Une représentation d'*Œdipe Roi* ne donne pas au spectateur envie de se crever les yeux ; elle lui donne envie de retourner au théâtre. L'artiste libéré apporte à ses admirateurs l'écho de leur libération. « La postérité, c'est la reconnaissance des hommes pour des victoires qui semblent leur promettre les leurs. »

J'ai exposé ailleurs pourquoi je pense que l'artiste, comme le savant, ne commande à la nature qu'en lui obéissant, ou plus exactement en lui empruntant la matière de l'œuvre. Il importe que soient dominées dans l'art les forces de la nature, et non les fantômes malléables de l'esprit. Le sublime naît lorsque les plus grands sursauts du monde (passion, orage, tempête, guerre) sont soumis par l'artiste à une forme. Les drames les plus affreux deviennent par le génie de Shakespeare les sources de la plus haute poésie. Dostoïevski écrit : « Il est capital de faire des Karamazoff une œuvre d'art. » Malraux accepte que l'artiste réduise au minimum ses emprunts au monde, qu'il simplifie les formes et même qu'il les invente. La grande peinture moderne se refuse à « l'art d'assouvissement », satisfaction accordée à la sentimentalité ou à la sensualité du public, pour vivre dans un univers qui lui est propre et où elle retrouve les plus grands artistes du passé, et même d'un passé non historique qu'ils éclairent. Manet, Braque, Rouault nous permettent d'entendre le grand art bouddhique, l'art sumérien, l'art précolombien. Avant l'art moderne on ne voyait pas une tête khmère, moins encore une sculpture polynésienne, car on ne les regardait pas.

Une culture est un héritage ; une grande culture apporte l'héritage de l'humanité entière. « Toute culture entend maintenir, enrichir, ou transformer sans l'affaiblir, l'image idéale de l'homme reçue par ceux qui l'élaborent. Et si nous voyons les pays les plus passionnés d'avenir : Russie, Amérique entière, de plus en plus attentifs au passé, c'est que la culture est l'héritage de la qualité du monde. » Par le Musée Imaginaire, maintenant ouvert à tous, c'est l'art de tous les temps qui devient accessible. On y découvre en l'homme des valeurs stables et en un sens, éternelles.

Cette communion noue des liens « qui permettent à l'homme de n'être plus un accident de l'univers. Je me souviens moi-même de mon émotion lorsque, cet été, à la campagne, je reçus la visite de cinquante étudiants venus de tous les horizons : noirs et jaunes, américains et soviétiques, et que je constatai qu'il était facile de communier avec tous en Stendhal et Tchékhov, en Melville et Dostoïevski, en Hokousaï et Cézanne. « L'art est un anti-destin. » Il juxtapose à l'antique et farouche Destin un autre destin, fait de main d'homme.

C'est là une sorte de Temps Retrouvé (au sens de Proust), à l'échelle de l'humanité. « La victoire de chaque artiste sur sa servitude rejoint celle de l'art sur le destin de l'humanité. » L'humanisme, professe Malraux, ce n'est pas dire (comme Guillaumet selon Saint-Exupéry) « Ce que j'ai fait, aucun animal ne l'aurait fait », c'est plutôt dire : « Nous avons refusé ce que voulait en nous la bête, et nous voulons retrouver l'homme partout où nous avons trouvé ce qui l'écrase. » Un croyant trouvera bien précaire cette survivance de l'homme à travers tant de métamorphoses ; une bombe thermonucléaire pourrait anéantir demain aussi bien les vitraux de Chagall et les bleus de Picasso que les statues des dynasties memphites. A la vérité peu importe, car l'angoisse disparaîtrait avec les angoissés, et le besoin de survie faute de survivants. Mais « il est beau qu'un animal, qui sait qu'il doit mourir, arrache à l'ironie des nébuleuses le chant des constellations et qu'il le lance au hasard des siècles auxquels il imposera des paroles inconnues ».

C'est le thème de Proust quand il décrit la mort de Bergotte. « On l'enterra, mais toute la nuit funèbre, aux vitrines éclairées, ses livres disposés trois par trois veillaient comme des anges aux ailes déployées et semblaient, pour celui qui n'était plus, le symbole de sa résurrection. » A quoi Malraux fait écho : « Dans le soir où dessine encore Rembrandt, toutes les Ombres illustres, et celles des dessinateurs des cavernes, suivent du regard la main hésitante qui dessine leur nouvelle survie ou leur nouveau sommeil... Et cette main dont les millénaires accompagnent le tremblement dans le crépuscule, tremble d'une des formes secrètes et les plus hautes, de la force et de l'honneur d'être homme. » Malraux montre, en sa philosophie de l'art, le même sens cosmique, le même goût pour les visions panoramiques qui survolent les siècles qu'en sa philosophie de l'histoire. Il a trouvé en l'art la monnaie de l'absolu.

Mais seulement la monnaie. Flaubert mettait l'artiste au-dessus du saint et du héros et il exigeait de l'écrivain le refus du monde et de la passion. « Tu peindras l'ivresse, la guerre et l'amour, mon bonhomme, si tu n'es ni un ivrogne, ni amant, ni tourlourou... » « Une telle pensée eût été inconcevable, écrit Malraux, pour Eschyle comme pour Corneille, pour Hugo comme pour Chateaubriand, et même pour Dostoïevski. » Malraux, esthéticien, juge avec raison que ce n'est pas la passion qui détruit l'œuvre d'art (comme le pensait Flaubert), mais la volonté de prouver. Un chef-d'œuvre peut être « engagé » ; il n'est jamais didactique. Il ne doit pas témoigner pour un parti, mais il peut fort bien déplacer des valeurs de sensibilité, par exemple l'individualisme confidentiel (Stendhal) au profit de la fraternité virile (Saint-Exupéry). Et c'est en somme ce qu'a fait Malraux dans ses romans — et dans sa vie.

## DE PROUST A CAMUS

Si j'avais à écrire une biographie d'André Malraux, ce qui n'arrivera pas, car il est trop jeune et moi trop vieux, je lui donnerais ce titre balzacien : *André Malraux ou la Recherche de l'Absolu.*

# ALBERT CAMUS

Son langage était ferme et simple ; son style semé de belles formules ; il pensait avec courage, force et précision. Pourtant sa prodigieuse fortune littéraire surprend un peu. Il fut, tout jeune, non pas le « maître à penser », (cette formule le faisait rire), mais le reflet vivant d'une jeune génération française. Les publics étrangers l'adoptèrent avec tant de ferveur qu'il obtint le Prix Nobel à l'âge où quelques-uns rêvent en vain du prix Goncourt. Fut-il donc un Balzac ou un Tolstoï, un grand créateur de caractères, l'animateur d'un monde ? Quelque estime que l'on ait pour l'homme, cela ne se peut soutenir. Ses romans sont des essais en forme de fiction ; ses personnages ne hantent pas le lecteur. Et pourtant cette gloire nous apparaît en somme juste. Il faut expliquer cette dissonance et cet accord.

# ESQUISSE D'UNE VIE

Albert Camus était né en 1913, d'un père algérien et d'une mère espagnole. Il a passé toute son enfance avec cette mère, (le père ayant été tué en 1914), dans un quartier pauvre d'Alger. Il a dit lui-même ce que représentèrent pour lui le soleil d'Alger et la misère de Belcourt. « La misère m'empêcha de croire que tout est bien sous le soleil et dans l'histoire ; le soleil m'apprit que l'histoire n'est pas tout. » La misère lui enseigna le respect de la souffrance, la solidarité avec les pauvres, mais non la solidarité hargneuse du bourgeois en rupture de classe qui se croit obligé « d'en remettre » pour se faire pardonner. Camus a eu le goût spontané de la frugalité et du dépouillement. Il s'est senti chez lui « dans l'île de la pauvreté ».

Il faut attacher grande importance à la mère espagnole. Cette race a de la dignité, de la noblesse dans le dénuement, du défi devant la mort. Il y eut en Camus beaucoup de castillanisme. « Une castillanerie qui m'a fait du tort... », dit-il. Peut-être, mais qui contribua aussi à le faire respecter. L'honneur lui commanda d'écrire *l'Homme Révolté*, livre qui devait le brouiller avec quelques-uns de ses amis et étonner certains de ses lecteurs. Homme de passion, ce qui est très espagnol, il en ignora toujours une : l'envie. L'honneur le préserva du ressentiment, qui rend méchant, et de la satisfaction, qui rend sot. Roger Martin du Gard parle de « son amertume révoltée ». Je ne la constate que dans quelques pages assez rares. Camus

n'acceptait absolument pas le mot. S'il avait eu parfois de
l'amertume, il la savait dominée.

Le soleil y avait pourvu. Nous avons peine, nous hommes des pluies, des brumes et des matins glacés, à imaginer le bonheur physique d'un enfant qui vit nu au bord
d'une mer chaude. Parfois des Français se sont étonnés de
l'entêtement des Algériens exilés à rester dans le Midi.
Pourtant cela est naturel. Qui a connu la douceur d'un tel
climat ne peut plus ni l'oublier, ni s'en passer. « Je vivais
dans la gêne, mais aussi dans une sorte de jouissance. »
Il fut formé par « cet hiver unique, tout éclatant de froid
et de soleil, ce froid bleu ». Chaque minute de vie « por-
tait en elle sa valeur de miracle et son visage d'éternelle
jeunesse ».

Il faut lire là-dessus *Noces à Tipasa*. « Sous le soleil du
matin un grand bonheur se balance dans l'espace... Je
comprends ici ce qu'on appelle gloire : le droit d'aimer
sans mesure. Il n'y a qu'un seul amour dans le monde.
Etreindre un corps de femme, c'est aussi retenir contre
soi cette joie étrange qui descend du ciel vers la mer...
La brise est fraîche et le ciel bleu. J'aime cette vie avec
abandon et veux en parler avec liberté ; elle me donne l'orgueil de ma condition d'homme. Pourtant, on me l'a souvent dit, il n'y a pas de quoi être fier. Si, il y a de quoi :
ce soleil, cette mer, mon cœur bondissant de jeunesse,
mon corps au goût de sel et l'immense décor où la tendresse et la gloire se rencontrent dans le jaune et le bleu. »
Cet hymne, fait de mots très simples, a sa beauté. C'est la
ferveur gidienne des *Nourritures Terrestres,* mais plus
fraîche et plus saine.

On aurait pu s'attendre que ce contact avec la lumière
et l'eau modelât un homme vigoureux. Cela parut d'abord
vrai. A l'école primaire, au lycée, puis au Racing Club
Universitaire d'Alger, il fut un athlète, excellent joueur de
football. Athlète de l'esprit dans le même temps ; son
professeur de philosophie, Jean Grenier, qui resta son maître, l'estima et le poussa vers les études supérieures. Mais
ses poumons, menacés par la tuberculose, exigèrent des
cures, le sanatorium. D'où des voyages en Europe qui le
transformèrent. « Le plaisir nous écarte de nous-mêmes ;
le voyage est une ascèse qui nous y ramène. » Je suppose
que Camus guérit, car le visage que les portraits nous ont

rendu familier est celui d'un homme solide, rieur, dont le visage raviné nous interroge et nous bouscule avec force. « Une obstination pesante et aveugle » dit-il.

Très jeune il écrivit. Il voulait dire son bonheur de vivre, un peu comme Gœthe, mais avec « la nostalgie sans romantisme d'une pauvreté perdue ». La source de son génie était dans ce monde de misère et de lumière. Il n'avait que vingt-deux ans quand il composa des essais : *l'Envers et l'Endroit,* sur ce double aspect des choses. Le style étonna par une maturité de maître. Tenté par le théâtre, à la fois comme acteur et comme auteur, il s'y essaya, tout en passant son diplôme d'études supérieures sur Plotin et Saint-Augustin (rapports de l'hellénisme et du christianisme). On entrevoit une richesse de lectures que Jean Grenier dut diriger. Cependant il s'était marié, premier mariage qui ne dura pas, et inscrit au parti communiste avec lequel il rompit l'année suivante.

Au vrai il n'était pas né homme de parti. « Il faut des principes dans les grandes choses », disait-il ; « aux petites la miséricorde suffit » et dans ses *Carnets* : « Ce sont les idées générales qui m'ont fait le plus de mal », ce qui me rappelle la phrase d'Alain : « Toutes les idées générales sont fausses et ceci est une idée générale. » Le monde ne lui semblait ni expliqué, ni explicable. Il n'était ni chrétien, ni marxiste, ni rien ; il était Albert Camus, fils du soleil, de la misère et de la mort. Intellectuel ? Oui, si l'intellectuel est celui qui se dédouble, qui jouit de la vie et se regarde vivre. Artiste ? Certes, bien qu'il en doute. A vingt-trois ans il a « le sentiment net qu'il n'y a plus rien à faire en art. Il ne reste que l'action, l'aventure ». Il note dans ses Carnets un vers du *Faust :* « L'action est tout ; la gloire n'est rien. » En tout cas, s'il doit devenir un écrivain, ce sera pour exprimer sa pensée, *plus sa vie.* « Un grand artiste est avant tout un grand vivant. » Il refuse un poste de professeur à Sidi-Bel-Abbès « pour ne pas s'enliser ».

En 1938, il entre à *Alger républicain,* que dirige Pascal Pia. La même année, il écrit *Caligula* et commence à esquisser *l'Etranger, le Mythe de Sisyphe.* Il définit, dès lors, avec une étonnante précocité, les thèmes essentiels de son œuvre. *La Peste* figure, à l'état de projet, dans les carnets de ce temps. Il est donc faux d'interpréter ce livre en seule fonction de la guerre et de l'occupation. Bien plutôt doit-on dire qu'en possession d'un grand sujet, il y fit entrer la guerre. Nous verrons plus loin ce qu'étaient les idées qui le hantaient, mais il faut achever ce sommaire *curriculum vitae*. Remarié en 1940, il part pour la France et travaille à *Paris-Soir,* puis dans le mouvement de résistance *Combat.* En 1944, à la Libération il devient rédacteur en chef du journal *Combat,* issu de ce mouvement. Alors, avec une rapidité qui tient des Mille et Une Nuits, succès d'édition et succès de théâtre font de lui l'un des écrivains les plus connus du monde. En cinq ans il a conquis un public planétaire. Voyageant, vers 1946, en Amérique du Sud et du Nord, je suis partout interrogé sur « Sartre et Camus » que la jeunesse semble unir et en qui elle se reconnaît. Au vrai Camus s'est toujours refusé à admettre une identité de pensée entre lui et Sartre. L'*Homme Révolté* amènera plus tard entre les deux hommes une rupture.

Vers 1956-57, Camus, français algérien, bouleversé par la guerre civile, appelle les deux communautés à une trève. En 1957 il reçoit le prix Nobel, ce qui s'explique tant par la qualité de l'œuvre que par son caractère représentatif, et aussi par le désir qu'éprouva l'Académie suédoise, devant les tragiques déchirements de l'Algérie, d'exprimer sa sympathie à un Algérien sans haine et sans reproche. Cet insigne honneur lui vaut, comme il fallait s'y attendre, des insultes et des attaques. A Jean-Claude Brisville qui l'interroge là-dessus, il répond que cela était dans l'ordre. « Ils ne m'aiment pas. Est-ce une raison pour ne pas les bénir ? » Il y a du christianisme en cet agnostique.

En 1959 un pneu qui éclate le tue, sur une route française. Cette vie brève a été bien remplie. Point de faille. Point de mensonge. Peut-être faut-il ici rappeler le : « Ceux que les dieux aiment meurent jeunes. » A Camus les dieux n'avaient plus grand-chose à donner. Ses noces avec la mort se firent en pleine vitesse, et sans souffrance. « Qu'appellerai-je éternité sinon ce qui continuera après ma mort ? » Passons du Camus temporel et charnel au Camus éternel.

# II

# LE MYTHE DE SISYPHE

Il faut commencer par le mythe de Sisyphe. Ce n'est pas l'ordre chronologique. Mais il n'y a pas, pour les premières œuvres de Camus, un ordre chronologique. Tout était inclus dans ses pensées de jeune homme, depuis *Caligula* jusqu'à *la Peste*. Seul *l'Homme Révolté* marquera le début d'une nouvelle étape. *Le Mythe de Sisyphe* contient l'essence des idées qui lui inspirèrent aussi *l'Etranger*. C'est un livre d'idées, un essai d'une remarquable densité de langage, qui exerça sur toute une génération une influence profonde et durable.

« Les dieux avaient condamné Sisyphe à rouler sans cesse un rocher jusqu'au sommet d'une montagne d'où la pierre retombait par son propre poids. Ils avaient pensé avec quelque raison qu'il n'y a pas de punition plus terrible que le travail inutile et sans espoir. » Ce mythe est une image de la vie humaine. Que faisons-nous sur cette terre sinon « un travail inutile et sans espoir » ? A quoi les hommes passent-ils leur vie brève et unique. « Lever, tramway, quatre heures de bureau ou d'usine, repas, tramway, quatre heures de travail, repos, sommeil, et lundi, mardi, mercredi, jeudi, vendredi et samedi sur le même rythme... » Si nous arrivons, à force de travail, à hisser le rocher jusqu'au sommet, alors une maladie, ou une guerre, le fait retomber et, de toute manière, cela finit par la mort qui est la chute finale.

Prendre conscience du caractère insensé de cette agitation, de l'inutilité de tant de souffrances, c'est découvrir l'absurdité de la condition humaine. Pourquoi sommes-nous condamnés ? Par qui ? Pour quel crime ? Dans ce monde privé d'illusions, l'homme se sent *un étranger*. Oui, un étranger parce qu'il n'est pas chez lui. Cet univers n'est pas fait pour répondre à ses désirs, ni pour récompenser ses efforts. Il y a été jeté, avec un besoin de comprendre que rien n'y satisfait. « Le divorce entre l'homme et sa vie », entre l'acteur et le décor, c'est proprement le sentiment de l'absurdité. « L'absurde naît de cette confrontation entre l'appel humain et le silence déraisonnable du monde. » Logiquement ce sentiment devrait conduire l'homme absurde au suicide. C'est le sujet de cet essai. Est-ce qu'un homme honnête, qui ne triche pas, peut continuer à vivre après avoir reconnu que la vie ne sert à rien.

Et pourtant les suicides sont rares. N'y a-t-il donc aucun rapport entre l'opinion qu'un homme a de sa vie et le geste qu'il fait pour la quitter ? La première réponse, c'est que, dans l'attachement d'un homme à la vie, il y a quelque chose de bien plus fort qu'une philosophie. « Le jugement du corps vaut bien celui de l'esprit et le corps recule devant l'anéantissement. » Nous avons pris l'habitude de vivre avant de prendre celle de penser. Dans la plupart des cas il faut que l'esprit *trompe* le corps pour obtenir de lui le geste mortel. Appuyer sur une détente est en soi facile, en apparence inoffensif. Dès que le corps comprend, il résiste.

Il y a aussi l'esquive : espoir d'une autre vie, celle-là heureuse, qu'il faudrait mériter (le salut des chrétiens) ; ou tricherie de ceux qui vivent, non pour la vie elle-même, mais pour quelque grande idée qui la dépasse, la sublime, semble lui donner un sens, et la trahit. Ceux par exemple qui disent : « Oui, ma vie est ratée, absurde, mais j'ai lutté pour la justice et un jour la justice triomphera, ce qui conférera un sens posthume à mon action. » Tricherie parce que la mort est un absolu. La justice posthume n'est que pour les autres. Cependant tout le monde vit comme si personne ne savait qu'il faut mourir. « Sous l'éclairage mortel de cette destinée, l'inutilité apparaît. Aucune morale, ni aucun effort ne sont *a priori* justifiables devant les sanglantes mathématiques qui ordonnent notre condition. » Tricherie aussi parce que l'humanité tout entière, comme l'individu, est Sisyphe. Si elle relève le rocher de la liberté, il retombe dès qu'elle l'a hissé jusqu'au sommet.

Le sentiment de l'absurde naît quand ces décors qui nous masquaient le réel s'écroulent. La plupart des hommes ont vécu longtemps sans y penser. « Un jour seulement, le pourquoi s'élève et tout commence, dans cette lassitude teintée d'étonnement. » Tandis que j'écris cette phrase, l'ombre de Camus m'oblige à toucher les murs absurdes qui nous enserrent. Oui, pourquoi écrire ? Pourquoi tant travailler ? Puisque, dans quelques années, demain peut-être, il faudra mourir. Pour la renommée ? Mais elle est douteuse et si par hasard elle me survivait, je n'en saurais rien. Et d'ailleurs très vite le type de société qui peut s'intéresser à de tels écrits aura disparu, et un jour la terre elle-même. Alors pourquoi ? Depuis l'enfance nous avons vécu pour l'avenir : « Demain — Plus tard — Avec l'âge tu comprendras. » Demain, toujours demain, alors que demain c'est la mort. Un jour l'homme aperçoit cette duperie et que le temps est son pire ennemi. « Cette révolte de la chair, qui le saisit alors, c'est l'absurde. »

L'absurde n'est pas dans l'homme, ni dans le monde. Il est dans leur coexistence. Ce qui est absurde c'est la confrontation de cet univers irrationnel où atomes et électrons, justes et injustes, innocents et coupables tournent au hasard et s'accrochent comme ils peuvent, et de « ce désir éperdu de clarté dont l'appel résonne au plus profond de l'homme ». Comprendre, pour l'esprit humain, ce serait réduire le monde à l'humain, le marquer de son sceau, y faire vivre ses pensées. Or que comprenons-nous? Rien. Pourquoi ces étoiles, ces arbres, ces douleurs ? Pourquoi moi ? Ne suis-je pas étranger à moi-même ? Le « connais-toi toi-même » de Socrate a-t-il plus de valeur que le « sois vertueux » de nos confessionnaux ? Jeux stériles sur de grandes misères.

Quelle solution ? Ni le suicide, ni l'espoir. La conscience absurde doit être dépassée. Elle ne dicte en elle-même aucune règle d'action. Mais elle suscite la révolte. Cette raison si dérisoire, qui oppose l'homme à toute la création, il faut la maintenir, en acceptant l'irrationnalité du monde autour. « Vivre, c'est faire vivre l'absurde. Le faire vivre, c'est avant tout le regarder. » Il n'y a pas de lendemain :

c'est là un fait. Donc ne pas vivre pour l'avenir. Goûter l'instant, la sensation, la richesse du monde. Revenir aux *Noces* de Tipasa. Devenir sportif, ou poète, ou l'un et l'autre. « Jouir de la succession des présents, c'est l'idéal absurde. » Pour un homme sans œillères il n'est pas de plus beau spectacle que celui de l'intelligence aux prises avec une réalité qui la dépasse.

Car Sisyphe connaît sa misérable condition. « La clairvoyance qui devait faire son tourment consomme du même coup sa victoire. Il n'est pas de destin qui ne se surmonte par le mépris. » Camus rejoint ici Pascal. La grandeur de l'homme « c'est qu'il sait qu'il meurt ». La grandeur de Sisyphe, c'est qu'il sait que le rocher retombera. « Cette vérité écrasante périt d'être reconnue. » Camus admire l'Œdipe de Sophocle quand celui-ci dit : « Malgré tant d'épreuves, mon âge avancé et la grandeur de mon âme me font juger que tout est bien. » Cette parole est sacrée. « Elle fait du destin une affaire d'hommes qui doit être réglée entre hommes. »

« Je laisse Sisyphe au bas de la montagne ! On retrouve toujours son fardeau. Mais Sisyphe enseigne la fidélité supérieure qui nie les dieux et soulève les rochers. Lui aussi juge que tout est bien. Cet univers désormais sans maître ne lui paraît ni stérile ni futile. Chacun des grains de cette pierre, chaque éclat minéral de cette montagne pleine de nuit, à lui seul forme un monde. La lutte elle-même vers les sommets suffit à remplir un cœur d'homme. Il faut imaginer Sisyphe heureux. »

Il faut imaginer aussi l'effet de ce livre, paraissant en 1942, sur les jeunes Français. Jamais le monde n'avait paru plus absurde. La guerre, l'occupation, le triomphe apparent de la violence et de l'injustice, tout opposait le plus brutal démenti à l'idée d'un univers rationnel. Sisyphe, c'est-à-dire l'homme, avait au début du siècle remonté son rocher assez haut sur la pente fatale. Avant 1914 tout n'était pas bien, loin de là, mais beaucoup, au moins en France, semblait mieux. Espoir, progrès, restaient des mots chargés de sens. La première guerre avait fait, en quatre ans, retomber le rocher au plus bas, mais Sisyphe s'était remis avec courage à son éternelle besogne. La seconde guerre ruinait l'espérance. Le rocher avait tout écrasé. Sisyphe demeurait là, sans force et sans courage,

sous les éboulis. Alors cette jeune voix s'éleva et dit :
« Oui, c'est ainsi : oui, le monde est absurde ; non, il n'y
a rien à attendre des dieux. Et pourtant, face à cet implacable destin, il importe d'en prendre conscience, de le mépriser et, dans la mesure humaine où nous le pouvons, de
le transformer. » On comprend qu'elle ait été écoutée.
C'était cela ou rien.

# III

# LES ROMANS

Je n'aurais pas dû écrire ce titre : « les romans », mais « les idées incarnées ». Les récits de Camus sont des moralités. Il y met en scène ses essais. *L'Etranger,* c'est le mythe de Sisyphe vécu. Au début nous observons l'existence quotidienne et plate d'un jeune Algérois, Meursault, petit employé de bureau. Sa mère meurt et il l'enterre. Il se lie avec une jeune dactylo, Marie. Il n'éprouve ni des regrets douloureux, ni un amour exaltant. Il se réveille, reste au lit le dimanche, a trop de paresse pour aller chercher du pain, mange des œufs à même le plat, fume des cigarettes. On ne peut même dire qu'il s'ennuie; il laisse le temps couler ; il gaspille sa vie unique ; il n'en est même pas conscient.

L'enterrement de sa mère est fait de traits minuscules, sans mélange d'émotion. Il fait chaud. L'employé des pompes funèbres s'essuie le crâne avec un mouchoir et dit, en montrant le ciel « Ça tape. » Meursault répond : « Oui... » « Un peu après, il m'a demandé : « C'est votre mère qui est là ? » J'ai encore dit : « Oui. » « Elle était vieille ? » J'ai répondu: « Comme ça » parce que je ne savais pas le chiffre exact ». Autour de lui c'est l'odeur de crottin de la voiture, celle du vernis et celle de l'encens. Il pense seulement que, quand tout sera fini, il pourra rentrer à Alger, se coucher et dormir douze heures. « C'est fini ; maman est enterrée. » Bref il est l'homme absurde avant la révolte, c'est-à-dire semblable à tous les hommes, englué dans le quotidien qu'il voit à peine.

Puis le drame entre dans cette vie terne. Par un réflexe

maladroit, Meursault tue un Arabe avec le revolver que lui
a confié un copain. Le voici arrêté, emprisonné, jugé.
Tous, avocat, procureur, juge voient en lui un « étranger », parce qu'il ne ment pas décemment. La société
attend de lui les réflexes conventionnels. « Aimiez-vous
votre mère ? » demande à Meursault son avocat qui voudrait le « naturaliser », le faire accepter comme normal
par la société. Son client répond : « Sans doute j'aimais
bien maman, mais cela ne voulait rien dire. Tous les êtres
sains avaient plus ou moins souhaité la mort de ceux qu'ils
aimaient. » L'avocat le supplie de ne pas répéter cette
phrase au juge d'instruction. Pourtant Meursault le fait
et tous, magistrat instructeur, procureur, Algérois se sentent menacés.

Pourquoi menacés ? Parce que cet homme qui dit la
vérité secrète est un danger. Il risque d'éveiller l'humanité à la conscience de son insensibilité. Meursault est un
intrus ; il ne joue pas le jeu de tout le monde, et il irrite
d'autant plus qu'il répète : « Je suis comme tout le
monde », ce qui est vrai des sentiments, non des mots.
Or les hommes sont jugés sur leurs paroles. « Le procureur disait qu'à la vérité je n'avais point d'âme, et que
rien d'humain, et pas un des principes moraux qui gar-
dent le cœur des hommes ne m'était accessible. » Une
société fondée sur des mensonges convenables rejette cet
« étranger » qui n'est pas de la partie, qui ne veut pas en
être. Meursault est condamné à mort.

Alors se produit un retournement. Acculé aux murs de
l'absurde, l'homme qui va mourir se raccroche le plus
souvent à un espoir : échapper à la mécanique de la justice par l'évasion ou la grâce. Mais Meursault incarne
l'homme absurde pour lequel il n'est ni fuite, ni recours.
L'aumônier de la prison lui apporte la promesse de l'au-
delà. Meursault lui répond qu'il ne croit pas en Dieu.
« Vous avez un cœur aveugle, lui dit l'aumônier, je prie-
rai pour vous. » Soudain quelque chose crève en Meursault. « Je l'avais pris par le collet de sa soutane ; je dé-
versais sur lui tout le fond de mon cœur avec des bon-
dissements mêlés de joie et de colère... Lui parti j'ai
retrouvé le calme... Comme si cette grande colère m'avait
purgé du mal, vidé d'espoir, devant cette nuit chargée de

**333**

signes et d'étoiles, je m'ouvrais pour la première fois à la tendre indifférence du monde. »

Ainsi Meursault, modèle de démonstration plutôt que personnage de roman, se trouve avoir bouclé le cycle du *Mythe de Sisyphe*. Il a été l'homme esclave de l'enfer quotidien, roulant son rocher sans y penser ; puis, en refusant l'espoir, tous les espoirs, il a conquis sa liberté et il peut maintenant jouir de la vie, oui, dans sa cellule, jouir des bruits de campagne qui montent jusqu'à lui, des odeurs de nuit, de terre et de sel ; bref il est rendu aux « noces de Tipasa » et à l'enivrement de vivre parce qu'il a accepté la mort, et le rocher, et l'indifférence totale de l'immense univers autour. Il est sauvé par ce qui le perd.

*La Peste* est à la vie collective ce que *l'Etranger* était à la vie individuelle. Comme Meursault découvrait la beauté de la vie par un grand choc qui faisait naître une révolte, toute une ville s'éveillera à la conscience lorsqu'elle se trouvera isolée, face à un fléau mortel. La ville est Oran, le fléau une épidémie de peste tout imaginaire. Ce beau livre ne doit rien à l'observation directe ; ici encore les personnages sont des attitudes incarnées. Mais, comme tous les grands humoristes, de Swift à George Orwell, Camus s'est efforcé d'ajouter à la crédibilité par la précision du détail. La description d'Oran, au début du livre, rappelle les meilleures de Balzac ; elle peint non seulement l'aspect, mais le climat moral de la ville, endormie, avant le fléau, dans le négoce et l'habitude.

La lente introduction de l'imaginaire dans le réel est vraiment un chef-d'œuvre de technique. Un rat qui meurt, vomissant le sang ; puis dix, puis cent, puis des armées de rats ; et enfin la première victime humaine. La description des symptômes ; la résistance des administrations qui refusent le fléau comme le tribunal refusait l'assassin ; tout cela me semble d'un art très achevé. Dans *la Peste*, ce qui intéresse Camus, ce sont les réactions de l'homme devant l'écroulement de tout ce qu'il avait cru solide : les communications, les échanges, la santé. Ce n'est plus seulement un Sisyphe, mais un peuple de Sisyphes qui se voit écrasé par la calamité.

Comment se comporteront les sinistrés ? Mieux qu'on

n'aurait pu croire. D'abord presque tous, au moment où la ville mise en quarantaine est fermée, prennent conscience des liens qui les unissent à ceux dont ils sont séparés, maris, femmes, amants absents. La douleur rend sa valeur et sa force au sentiment. Mais surtout il y a ceux qui agissent. Tel est le docteur Rieux (le narrateur) qui, sans même penser au danger, soigne les malades, sans peur. Rieux est athée. Au père Paneloux qui croit la peste envoyée par Dieu pour châtier une ville de pécheurs, et qui ne pense qu'à sauver ceux-ci par le repentir, Rieux répond : « Le salut de l'homme est un trop grand mot pour moi. Je ne vais pas si loin. C'est sa santé qui m'intéresse, sa santé d'abord. » Pour lui c'est une question de métier bien fait : « Il ne s'agit pas d'héroïsme dans tout cela. Il s'agit d'honnêteté. » Ce qui serait la morale d'Antoine Thibault, dans Martin du Gard, et ce qui, je crois, serait aussi la mienne. Faire de son mieux ce qu'on doit faire, là où le hasard vous a jeté. Pourquoi ? Sans raison. Pour être d'accord avec soi-même.

Et puis il y a Jean Tarrou. Il est étranger à Oran : artiste, il tient une sorte de journal qui complète, par de petits détails vivants, le récit technique de Rieux. Tarrou offre à Rieux de l'aider pendant l'épidémie, en créant des formations sanitaires. Le docteur attire son attention sur le danger qu'il va courir et lui demande pourquoi il l'accepte. Dans le dialogue du médecin et de Tarrou, on devine un dialogue de Camus avec Camus. Tarrou, qui est un intellectuel, éprouve un confus désir d'agir en saint — sans la foi ; Rieux, homme du peuple par sa naissance, éprouve cette fraternité obscure des pauvres qui s'entraident par des actes, non par des paroles. En Camus, enfant de Belcourt, coexistent Tarrou et Rieux, le désir d'être un saint sans Dieu et la volonté de faire son devoir quotidien.

*La Peste* est un livre d'humaniste qui se refuse à accepter l'injustice de l'univers. Dans le silence éternel de ces espaces infinis, silence que rompent seuls les cris des victimes, l'homme doit se tenir aux côtés de l'homme, peut-être par héroïsme, peut-être par sainteté, mais surtout en prenant conscience des sentiments élémentaires : l'amour, l'amitié, la solidarité. Celle-ci est d'ailleurs assez facile dans le danger. Tout se gâte de nouveau quand le fléau s'éloigne. L'épidémie décroît ; la quarantaine est levée ; la ville se rouvre ; les gens oublient. Après cette peste que fut la grande guerre, que de héros authentiques revinrent à leurs faiblesses. A la peste des corps survit celle des âmes. « Je sais de science certaine », dit Tarrou, « que chacun la porte en soi, la peste. » Mais celui qui le sait peut se surveiller et tenter de faire aux hommes « le moins de mal possible, et même un peu de bien ».

Ainsi, après *la Peste*, « le sentiment de la solidarité humaine se levait pour Camus comme une aube au-dessus d'un univers de moribonds » ; au contraire, dans *la Chute*, roman postérieur, le dernier espoir semble s'évanouir. « Nous ne pouvons affirmer l'innocence de personne tandis que nous pouvons affirmer à coup sûr la culpabilité de tous. » En d'autres termes nous trouvons dans notre conscience d'honnête homme assez de raisons pour croire à tous les crimes. Une fois encore il s'agit ici d'un roman philosophique. Dans un bouge à marins d'Amsterdam nous rencontrons Clamence, avocat de Paris, jadis estimé, qui s'est convaincu lentement de l'hypocrisie d'un métier où il juge ceux qu'il défend comme s'il n'était pas lui-même coupable. Dégoûté de soi, il a quitté Paris et confesse ses fautes à des inconnus, en ajoutant : « Je n'ai jamais eu que de bonnes intentions », ce qui le replonge dans la tartuferie universelle.

Le livre est un long monologue de Clamence qui cherche à quel moment a commencé sa chute. Il découvre qu'elle fut de tous les instants ; elle recule dans le temps à mesure qu'il descend dans son passé. « J'avais des principes, bien sûr, et par exemple, que la femme des amis était sacrée. Simplement, je cessais, en toute sincérité, quelques jours auparavant, d'avoir de l'amitié pour les maris. » « Au fond, rien ne comptait. Guerre, suicide, amour, misère, j'y prêtais attention, bien sûr, quand les circonstances m'y forçaient, mais de manière courtoise et superficielle... Comment vous dire ? Ça glissait. Oui tout glissait sur moi... » « En somme je ne me suis jamais soucié des grands problèmes que dans l'intervalle de mes petits débordements. » Cette franchise incite ses interlocuteurs à confesser qu'ils ne valent pas mieux que lui. Voilà ce qu'attendait Clamence. Ayant ainsi acquis, par leurs aveux, le droit de juger les autres, il s'autorise lui-même à tous les vices.

Curieux apologue. Que les hommes soient imparfaits, que beaucoup d'entre eux vivent dans l'hypocrisie, qui en doutait ? Quelques jansénistes ont exigé la pureté au nom de la religion, quelques ascètes au nom d'une philosophie. Mais sur quoi se fonde la rigueur de Clamence ? Sur rien, puisqu'il finit dans l'extravagance à la Caligula, cruel pour se venger d'être coupable. « Combien de crimes commis, simplement parce que leur auteur ne pouvait supporter d'être en faute. » Le livre abonde en de telles formules paradoxales et brillantes, mais sur quoi débouche-t-il ? On ne sait trop. « Dans ce jeu de glaces où l'aveu de l'auteur et la confession du personnage, l'exorcisme et la comédie, la vérité et le mensonge échangent leurs reflets (1) », on admire un style, un humour ; on s'étonne de l'amertume d'une ironie qui dissout toutes choses. « Ce n'est pas une chute, disait Marcel Thiébaut, c'est une impasse. »

Au vrai les folies des hommes justifient le plus noir pessimisme. Mais quoi ? Il faut tâcher de vivre et nous verrons que *la Chute* n'est pas le dernier mot de Camus.

*1)  J. C. BRISVILLE*

# IV

# L'HOMME RÉVOLTÉ

Je parlerai de ce livre capital avant d'en venir au théâtre parce que le théâtre de Camus se meut entre ces deux pôles de sa pensée : *Le Mythe de Sisyphe* et *l'Homme Révolté*.

« L'homme est la seule créature qui refuse d'être ce qu'elle est », bref qui se révolte contre sa condition. Cette révolte est l'essentiel de son être. » « Je crois que je ne crois à rien, dit l'homme révolté, mais je ne puis douter de ma protestation ou, à la Descartes : « Je crie donc je suis. » L'homme révolté est un homme qui dit non, mais il ne peut dire non à ce qui est sans dire oui à autre chose. Tout mouvement de révolte invoque tacitement une valeur. Apparemment négative, la révolte devient positive quand elle révèle en l'homme ce qui est à défendre. Une solidarité des hommes se fonde sur le mouvement de révolte et celui-ci à son tour ne trouve de justification qu'en cette solidarité. Dans l'absurde (*l'Etranger, le Mythe de Sisyphe*) l'expérience était individuelle ; dans la révolte elle est l'aventure de tous, (*la Peste, l'Homme Révolté*) car tous souffrent de cette distance de l'homme au monde. Cette évidence tire l'individu de sa solitude. « Je me révolte, donc nous sommes. »

La révolte métaphysique oppose l'idée de justice, que l'homme porte en soi, à l'injustice qu'il trouve dans le monde. Elle s'accomplit contre les dieux et c'est le mythe de Prométhée. Mais les dieux grecs se confondent avec la nature et nous faisons partie de la nature. Comment se révolter contre soi ? D'où la résignation d'Epicure et celle de Marc Aurèle, penseurs nobles et tristes qui ne satisfont que des philosophes désabusés. Le Dieu personnel se prête mieux à un règlement de comptes. Ivan Karamazov prend, contre Dieu, le parti des hommes et met l'accent sur leur innocence. Le christianisme répond en faisant participer le Christ aux pires souffrances et même à la mort. Il promet que dans le Royaume des Cieux les injustices seront réparées.

Le nihilisme contemporain ne se contente plus de cette promesse. « Dieu est mort » ; Nietzsche part de ce postulat. Point de Royaume des Cieux. Mais si Dieu est mort, pourquoi l'accuser ? Si les moulins à vent n'existent pas, Don Quichotte est un fou. Ce qu'était Nietzsche. Il n'y a ni bien, ni mal ; tout est permis. Puisque le monde n'a pas de direction, l'homme doit lui en donner une qui aboutisse à une humanité supérieure. Il faut engendrer le surhomme ; cela conduit, hélas, au *Stormtrupper* et au Commissaire. Hegel et Marx ne promettent pas « l'au-delà », mais le « plus tard » ce qui revient au même. Camus s'en prend avec violence à Hegel parce que celui-ci prédit que, si personne aujourd'hui n'est vertueux, tout le monde le sera un jour par le seul jeu de la dialectique et de l'histoire. Quand les contradictions historiques seront résolues « le vrai dieu, le dieu humain sera l'Etat ». D'ici là on peut tout faire. D'où le terrorisme. Un « prolétariat de bacheliers » prend le relais de la révolte et lui donne son visage le plus convulsé.

Puis à l'ère du terrorisme individuel succède le terrorisme d'Etat. L'Allemagne de 1933 subit les valeurs dégradées de quelques hommes. La morale du *gang* national-socialiste (comme de tout *gang* fasciste) est ressentiment, vengeance, triomphe, inépuisablement. Pour Marx l'homme n'est que dialectique des moyens de production. La société sans classes est son Royaume des Cieux. L'âge d'or, renvoyé au bout de l'histoire et coïncidant, par un double attrait, avec une apocalypse, justifie tout. En fait la prophétie de Marx a échoué. Capitalisme et prolétariat ont évolué de manière pour lui imprévisible. Bourgeoises ou socialistes, les collectivités renvoient la justice à plus tard au profit de la seule puissance . « Comment un socialisme, qui se disait scientifique, a-t-il pu se heurter ainsi aux faits ? » demande Camus et il ajoute. « La réponse est simple : il n'était pas scientifique. »

« Ici s'achève l'itinéraire surprenant de Prométhée. Clamant sa haine des dieux et son amour de l'homme, il se détourne avec mépris de Zeus et vient vers les mortels pour les mener à l'assaut du ciel...

Il faut les sauver d'eux-mêmes. Le héros leur dit alors qu'il connaît la cité, et qu'il est seul à la connaître. Ceux qui en doutent seront jetés au désert, cloués à un rocher, offerts en pâture aux oiseaux cruels. Les autres marcheront désormais dans les ténèbres, derrière le maître pensif et solitaire. Prométhée, seul, est devenu dieu et règne sur la solitude des hommes. Mais, de Zeus, il n'a conquis que la solitude et la cruauté ; il n'est plus Prométhée, il est César. Le vrai, l'éternel Prométhée a pris maintenant le visage d'une de ses victimes. Le même cri, venu du fond des âges, retentit toujours au fond du désert de Scythie. »

Ni chrétien, ni marxiste. Ni le Royaume des Cieux, ni la Cité radieuse. Mais alors quoi ? La conclusion du livre est courageuse. Camus ne renie pas la révolte ; il ne méprise pas l'action. Mais il loue et exige la mesure. Il faut agir au niveau et à l'échelle de l'homme. Il cite René Char : « L'obsession de la moisson et l'indifférence à l'histoire sont les deux extrémités de mon arc. » Notre Europe déchirée a besoin non d'intransigeance, mais de travail et d'intelligence. « La vraie générosité envers l'avenir consiste à tout donner au présent. »

Ici, maintenant tout de suite, voilà où il faut œuvrer. Ce sera difficile. Il y aura toujours de l'injustice et de la révolte. C'est le Diable qui nous souffle : « *Eritis sicut dei* ...« Vous serez comme les dieux »... Pour être homme, il faut refuser d'être dieu. Camus ne dit pas exactement, avec Voltaire : « Il faut cultiver notre jardin. » Plutôt, je crois : « Il faut aider les humiliés à cultiver leur jardin... » « Le seul artiste engagé est celui qui, sans refuser le combat, refuse de rejoindre l'armée régulière ; je veux dire : le franc-tireur. » Voilà la dernière incarnation de Camus et n'oublions pas que, de tous les combattants, le franc-tireur est le plus exposé.

# V

# LE THÉATRE

Camus a dit, dans une interview, que *l'Homme Révolté* est beaucoup moins une doctrine qu'une confidence, celle de ses lectures et de ses réflexions, et que d'ailleurs il ne veut pas être jugé sur un livre isolé, mais sur des œuvres qui forment un tout où chacune s'éclaire par les autres. Nous sommes ici, en effet, devant un auteur qui ne cesse de s'interroger sur la condition humaine et dont les réponses successives sont nuancées par des expériences elles-mêmes diverses. Nous retrouvons cette ambiguïté dans son théâtre parce que l'existence n'offre jamais une réponse précise et certaine.

Robert de Luppé divise l'œuvre dramatique de Camus en deux groupes de pièces : théâtre absurde et théâtre révolté. Cela correspond à ce que je disais moi-même des deux pôles de cette pensée. *Caligula* c'est l'homme absurde à l'état pur. Aldous Huxley a écrit naguère que, pour juger un homme, il faut se représenter ce qu'il eût été si le Destin avait fait de lui un empereur romain. La toute-puissance permet l'accomplissement de ce qui, chez l'homme ordinaire, n'est que rêve ou velléité. Camus empereur aurait été Marc Aurèle ; Caligula fut Caligula.

Dans la pièce de Camus, Caligula découvre l'absurdité du monde par la mort de Drusilla, sa sœur, qu'il a aimée d'amour charnel. Soudain il a compris une vérité « toute simple, et toute claire, un peu bête, mais lourde à porter ».

Et qu'est-ce donc que cette vérité ?

— Les hommes meurent et ils ne sont pas heureux.

En vain ses amis lui disent-ils que tout le monde vit avec cette vérité. Caligula répond que c'est faux. Les hommes vivent dans le mensonge. Il leur ouvrira les yeux. « Aujourd'hui et pour tout le temps qui va venir, ma liberté n'a plus de frontières. » Quand la liberté d'un empereur ne connaît plus de bornes, la cruauté et l'injustice ne connaissent plus de limites. Caligula est-il fou ? Non, il est en proie à un délire logique ; il veut agir, en poussant jusqu'au bout les données de l'intelligence ; il est l'homme absurde qui veut anéantir toutes les valeurs traditionnelles. Cet état d'esprit, chez un intellectuel, engendre un canular ; chez un empereur une boucherie. S'il le pouvait, Caligula détruirait ce monde dont l'absurdité l'offense. N'étant pas dieu, il détruira au moins les hommes, tout ce qu'ils ont respecté, tout ce qu'ils ont aimé.

Le plus horrible est qu'ils s'inclineront, que les patriciens lui livreront leurs femmes, qu'ils écriront des poèmes en son honneur. Il y a de la farce en tout drame. Est-ce que Mussolini ne faisait pas courir ses ministres, et sauter à travers des cerceaux enflammés ? Est-ce que Hitler, après avoir violé toutes les lois divines et humaines, n'a pas tenté de s'ensevelir sous les ruines du monde ? *Caligula* n'était pas une histoire de fou ; c'était, hélas, une chronique de notre temps. Moins affreuse même que notre temps. Hitler n'a jamais été au-delà de ses haines ; Caligula continue la recherche, au-delà des meurtres, d'une vie plus vraie. Il sait que lui aussi, il est coupable. « Mais qui oserait me condamner dans ce monde où personne n'est innocent ? » Il a tendu les mains à l'amour, à Drusilla, puis à l'impossible. « Je n'ai pas pris la voie qu'il fallait, je n'aboutis à rien. Ma liberté n'est pas la bonne. » Ici nous débouchons déjà sur *l'Homme Révolté*. La démesure a échoué.

Ecrit dès 1938, joué en 1944, *Caligula* remporta un succès mérité. Acteur, metteur en scène, auteur, Camus était de la lignée des grands hommes de théâtre. Il possédait le don essentiel, celui du mouvement théâtral. Le rythme établi dès la première scène, la pièce bondit, sans bavure. *Le Malentendu*, écrit en 1942-1943, est une autre mouture de la même moisson. Une mère et sa fille dans une maison isolée de Moravie tuent les voyageurs qu'elles reçoivent. La mère est lasse de tant de meurtres, la fille révoltée contre son destin, qui est de vivre dans cette solitude, sans amour. Passe un voyageur. C'est le fils de la maison, Jan, parti depuis longtemps, et qui ne se fait pas reconnaître. Les deux femmes le tuent, puis, par son passeport, découvrent qu'il était leur fils et frère.

C'est un malentendu qui va bien au-delà du crime. « Les personnages, écrit Brisville, ne cessent d'être au bord de la reconnaissance. » Mais ne sommes-nous pas tous, avec nos amis, nos parents, avec tous les hommes, au bord de la reconnaissance ? Pas plus que les deux femmes, nous ne franchirons ce pas. Nous mourrons, comme nous avons vécu, dans un universel malentendu. « Ni dans la vie, ni dans la mort, il n'est de patrie ni de paix. » Pièce désespérante, écrite en un temps où tout expliquait le désespoir, *le Malentendu* manque de chair. L'esquisse a été mise en place, de main de maître ; les idées demeurent à l'état de maquettes abstraites.

Voilà pour le théâtre absurde; le théâtre révolté offre le même tableau de chasse : une pièce charnelle, émouvante : *les Justes ;* une pièce-démonstration : *l'Etat de siège.* En fait *l'Etat de Siège,* c'est *la Peste,* schématisée pour la scène. Le roman se passait à Oran, de nos jours ; la pièce se passe à Cadix, hors du temps. Elle est délibérément symbolique, à la manière des moralités et mystères du Moyen Age, puisque la Peste y figure comme personnage et que le nihiliste s'y nomme Nada. Je lis avec tristesse que Camus avait pour cette pièce la préférence tendre d'un père pour un enfant mal venu. Il avait voulu y réaliser un théâtre collectif où le rôle du spectacle l'emporterait sur celui du dialogue. Cela n'était pas en soi impossible et même l'incarnation de notions abstraites a parfois été réussie, par Lope de Vega entre autres. Mais j'avais assisté à la répétition générale de *l'Etat de Siège* et perçu l'indifférence épaisse du public. Le texte n'accrochait pas l'auditeur. La pensée ne passait pas la rampe.

Au contraire *les Justes,* que je viens de relire, m'ont ému. A l'origine un épisode véritable du terrorisme russe en 1905. Il est possible que ce support historique (que *Caligula* trouvait aussi dans Suétone) ait contribué à la crédibilité. Le sujet c'est le conflit entre le révolutionnaire absolu, Caligula de l'opposition, qui ne recule devant aucune injustice pour faire triompher la cause, et le révolutionnaire qui garde le respect des limites morales. Kaliayev, chargé par le parti de tuer le grand-duc Serge, ne lance pas la bombe parce qu'au dernier moment il découvre dans la voiture deux neveux du grand-duc. « Tuer des enfants est contraire à l'honneur. » Le dur Stepan blâme ces scrupules : « Je n'ai pas assez de cœur pour ces niaiseries. Quand nous nous déciderons à oublier les enfants, ce jour-là, nous serons les maîtres du monde et la révolution triomphera. » C'est l'envers de la raison d'Etat. La raison de non-Etat a les mêmes exigences. Le terroriste est aussi dur que Richelieu. L'homme de la mesure, Camus ou Kaliayev, ne veut d'aucun triomphe à un tel prix. Ce n'est pas faiblesse. Kaliayev finira par tuer le grand-duc et sera pendu. Bien plutôt est-ce le sentiment que la victoire acquise par la démesure s'effondrera dans la démesure. On ne fonde pas la justice sur l'injustice.

# VI

# LE DERNIER MOT

Jean-Claude Brisville demanda un jour à Camus :
« Quel est le compliment qui vous irrite le plus ? » Camus
répondit : « l'honnêteté, la conscience, l'humain, enfin
vous savez, tout le gargarisme moderne. » Je me garderai
donc, pour le définir, d'employer ces mots. Bien plutôt
lui demanderai-je à lui-même de s'expliquer. Il le fit à
Stockholm, après la remise du prix Nobel.

Son premier thème fut qu'il y a des époques où l'artiste peut s'abstenir et rester sur les gradins tandis que le
martyr et le lion s'expliquent dans l'arène, mais qu'il y en
a d'autres, si acharnées que l'abstention même y est con-
sidérée comme un choix. Alors l'artiste est embarqué sur
la galère de son temps. C'est le cas de notre époque. Devant tant d'horreurs l'artiste ne peut plus se contenter
d'un divertissement sans portée, d'une perfection formelle. L'art frivole convient à des élites heureuses auxquelles leurs loisirs permettent de délabyrinther des sentiments ou de mesurer des cadences. L'artiste moderne
refuse ce luxe mensonger ; il a l'impression de parler
pour rien s'il ne tient compte des misères de l'histoire.

(Il y aurait matière à discussion plus serrée. L'artiste
des siècles passés ne restait pas toujours sur les gradins.
Voltaire descendait dans l'arène ; Victor Hugo descendait
dans l'arène ; George Sand aussi, et Zola, et Anatole
France. Et puis, est-il certain que la perfection formelle
soit « un divertissement sans portée » ? La beauté pure
installe dans l'esprit une certaine image de l'ordre et dans
l'âme une exaltation désintéressée qui prépare les hommes

aux combats réels. Flaubert et Mallarmé n'étaient pas, dans la ruche humaine, des frelons inutiles. Mais « ceci est une autre histoire ».)

Revenons aux thèses de Camus. Donc *premier point :* l'artiste moderne est un révolté, qui peint la réalité vécue et soufferte. Mais *deuxième point :* il risque alors de tomber dans un autre piège qui serait aussi une forme de stérilité. Si sa révolte est entièrement destructive, il se laisse atteindre par le désir d'être un poète maudit. Caligula de café, il se raidit pour se grandir. Il déchire les traditions de son art et n'atteint pas les hommes. Pour parler à tous, il faut parler de ce qui est à tous : plaisir, soleil, besoin, désir, lutte contre la mort ; et il faut en parler avec vérité. Le « réalisme socialiste » n'est pas réaliste. L'académisme d'extrême-gauche comme l'académisme de droite ignore la peine des hommes.

D'où *troisième thème :* l'art n'est rien sans la réalité, et sans l'art la réalité serait peu de chose. L'art est une révolte contre le monde et se propose de lui donner une autre forme. Mais pour transformer le monde, il faut partir du monde tel qu'il est. Ni refus total, ni consentement total. Pour faire une nature morte, deux éléments sont nécessaires : un peintre et une pomme. « Si le monde était clair, l'art ne serait pas. » Le grand style se trouve ainsi à mi-chemin entre l'artiste et son objet. « Alors surgit, de loin en loin, un monde neuf, différent de celui de tous les jours et pourtant le même, particulier mais universel. » Le but de l'art n'est pas de juger mais de comprendre.

Ici Camus rejoint Tchékhov et tous les grands écrivains. « Je plaide pour un vrai réalisme contre une mythologie à la fois illogique et meurtrière, et contre le nihilisme romantique, qu'il soit bourgeois ou prétendûment révolutionnaire... Je crois à la nécessité d'une règle et d'un ordre. Je dis simplement qu'il ne peut s'agir de n'importe quelle règle. » Quelqu'un lui demande : « N'est-ce pas là ce qui vous sépare des intellectuels de gauche ? » Réponse : « Vous voulez dire que c'est là ce qui sépare de la gauche ces intellectuels. Traditionnellement la gauche a toujours été en lutte contre l'obscurantisme, l'injustice et l'oppression. »

Il avait horreur d'être tenu pour un professeur de morale, privée ou sociale. « Je ne suis pas vertueux », disait-il. Et je pense en effet qu'il dut avoir « ses petits débordments ». Heureusement. Un grand artiste est avant tout un grand vivant. Il a noté dans ses carnets les quatre conditions du bonheur selon Edgar Poe : 1) la vie en plein air ; 2) l'amour d'un être ; 3) le détachement de toute ambition ; 4) la création. C'est un beau programme et je crois que Camus l'a suivi. Il a été grandement honoré et amèrement critiqué. Je crois qu'il avait fini par accepter bravement honneurs et blâmes. « Ça commence à me passer, disent les *Carnets*, d'être sensible à l'opinion. » Je pense que Sisyphe est mort heureux, laissant le rocher au plus haut.

# TABLE DES MATIERES

Achevé d'imprimer le 17 mars 1966 - Imp. Carlo DESCAMPS à Condé-sur-Escaut,
pour LA LIBRAIRIE ACADÉMIQUE PERRIN, éditeur à Paris
Dépôt légal : 1er trimestre 1966 - N° d'éditeur 60